D1583834

Du même auteur, chez Milady :

Demon Wars :
1. *L'Éveil du démon*
2. *L'Esprit du démon*
3. *L'Apôtre du démon*

Les Royaumes Oubliés

La Légende de Drizzt :
1. *Terre natale*
2. *Terre d'exil*
3. *Terre promise*
4. *L'Éclat de cristal*
5. *Les Torrents d'argent*
6. *Le Joyau du halfelin*
7. *L'Héritage*
8. *Nuit sans étoile*s

Mercenaires :
1. *Serviteur du cristal*
2. *La Promesse du Roi-Sorcier*
3. *La Route du patriarche*

Transitions :
1. *Le Roi orque*
2. *Le Roi pirate*

Chez Milady Graphics :

La Légende de Drizzt :
1. *Terre natale*
2. *Terre d'exil*
3. *Terre promise*

www.milady.fr

LA LÉGENDE DE DRIZZT

LIVRE VIII

NUIT SANS ÉTOILES

R.A. SALVATORE

Traduit de l'anglais (États-Unis) par Éric Betsch

Milady est un label des éditions Bragelonne

Licensed By:

Originally published in the USA by Wizards of the Coast LLC
Originellement publié aux États-Unis par Wizards of the Coast LLC

Forgotten Realms and the Wizards of the Coast logos are registered trademarks of
Wizards of the Coast LLC, in the USA and other countries
© 2010 Wizards of the Coast LLC. All rights reserved. Licensed by Hasbro.

Titre original : *Starless Night – The Legend of Drizzt, book 8*
Copyright © 1993 TSR, Inc.
Copyright © 2008 Wizards of the Coast LLC

© Bragelonne 2010, pour la présente traduction

Illustration de couverture :
Todd Lockwood
© 2008 Wizards of the Coast LLC

Carte :
D'après la carte originale de Todd Gamble © 2008 Wizards of the Coast LLC

ISBN : 978-2-8112-0303-0

Bragelonne – Milady
35, rue de la Bienfaisance – 75008 Paris

E-mail : info@milady.fr
Site Internet : www.milady.fr

Le premier jour, Ed créa le monde des Royaumes Oubliés®
et donna à mon imagination un lieu où vivre.

À Ed Greenwood, avec tous mes remerciements et mon admiration.

PRÉLUDE

Drizzt fit courir ses doigts sur la statuette finement ciselée de la panthère, son onyx noir parfaitement lisse et uni jusque dans les zones plissées du cou musculeux. Elle ressemblait tant à Guenhwyvar… Comment Drizzt pouvait-il supporter de s'en séparer à présent, alors qu'il était fermement convaincu de ne jamais revoir le félin ?

— Adieu, Guenhwyvar, murmura le rôdeur drow avec une expression empreinte de tristesse, presque pitoyable, tandis qu'il contemplait la figurine. Je m'en voudrais trop de t'emmener avec moi dans ce périple, car alors je m'inquiéterais davantage pour toi que pour moi.

Il poussa un soupir résigné. Ses amis et lui s'étaient battus si longtemps et avec tant de vigueur, au prix d'un immense sacrifice, pour atteindre cette paix, et pourtant, Drizzt en était arrivé à deviner qu'il ne s'agissait que d'une victoire trompeuse. Il eut un instant envie de réfuter cette idée, replacer Guenhwyvar dans sa poche et partir avec sans craindre le pire.

Il repoussa ce bref accès de faiblesse et tendit la figurine à Régis, le halfelin.

Celui-ci le considéra avec incrédulité un long moment et en silence, choqué par ce que le drow lui avait dit et demandé.

— Cinq semaines, lui rappela Drizzt.

Les traits angéliques et poupons du halfelin se crispèrent. Si Drizzt n'était pas de retour dans cinq semaines, Régis devait donner

Guenhwyvar à Catti-Brie et lui révéler, ainsi qu'au roi Bruenor, la vérité à propos du départ de leur ami. D'après le ton sinistre et pessimiste de ce dernier, Régis comprenait que Drizzt ne s'attendait pas à revenir.

Sur une inspiration subite, le halfelin lâcha la figurine sur son lit et posa la main sur la chaîne qu'il portait autour du cou et dont le fermoir se prit dans ses longues mèches brunes bouclées. Il parvint enfin à décrocher le bijou et brandit un pendentif, orné d'un énorme rubis magique.

Ce fut au tour de Drizzt d'être choqué. Il connaissait la valeur de la gemme de Régis et l'amour maladif que celui-ci portait à cet objet. Dire que Régis agissait de façon peu ordinaire pour lui aurait été de très loin en dessous de la vérité.

—Je ne peux accepter, dit le drow en repoussant la pierre précieuse. Il est possible que je ne revienne pas, ce bijou serait alors perdu…

—Prends-le! insista Régis. Pour tout ce que tu as fait pour moi, pour nous tous, tu le mérites largement. C'est une chose de laisser Guenhwyvar – il serait en effet tragique que la panthère tombe aux mains de tes semblables maléfiques –, mais ceci n'est qu'un simple objet magique, pas un être vivant, qui pourra en outre t'aider au cours de ton voyage. Prends-le au même titre que tes cimeterres. (Le halfelin marqua une pause, son doux regard posé sur les yeux violets de Drizzt.) Mon ami…

Régis claqua soudain des doigts, mettant ainsi un terme à cet instant de calme, puis fit quelques pas, ses pieds nus sur les dalles froides et sa chemise de nuit bruissant autour de lui, et sortit d'un tiroir un autre objet, un masque, plutôt banal.

—Je l'ai récupéré, expliqua-t-il, sans vouloir trop en dire sur la façon dont il avait remis la main sur cet objet familier.

En réalité, il avait quitté Castelmithral et retrouvé Artémis Entreri, impuissant, suspendu à une saillie rocheuse au-dessus d'un ravin. Il avait alors dépouillé en un éclair l'assassin, avant de couper le morceau de cape qui retenait l'homme, gravement blessé et à peine conscient. Il avait ensuite écouté, non sans une certaine satisfaction, ce bout de tissu commencer à se déchirer.

Drizzt regarda le masque magique un long moment. Il l'avait trouvé dans la tanière d'une banshee, plus d'un an auparavant. Celui qui le portait pouvait modifier son apparence et ainsi cacher son identité.

—Ceci devrait t'aider à entrer et sortir, précisa Régis, plein d'espoir. (Drizzt n'avait pas bougé d'un pouce.) Je veux que tu le prennes!

Le halfelin insista et tendit le masque, se méprenant sur l'hésitation de son ami. Il ne devinait pas la signification de cet objet pour Drizzt Do'Urden. Le drow l'avait autrefois porté pour dissimuler son identité, car arpenter la surface en tant qu'elfe noir constituait un sérieux désavantage. Malgré son utilité, Drizzt avait fini par ne voir qu'un mensonge dans ce masque, il ne s'imaginait pas le porter de nouveau, quel que soit le bénéfice potentiel.

Et pourquoi pas? songea-t-il, se demandant s'il était raisonnable de refuser ce présent. Si ce masque pouvait servir sa cause – une cause qui affecterait vraisemblablement ceux qu'il laissait derrière lui –, pouvait-il, en bonne conscience, refuser de le porter?

Non, décida-t-il finalement. Ce masque ne lui serait pas si utile que cela. Trois décennies hors de la cité représentaient une longue durée et son apparence ne sortait guère de l'ordinaire; il n'était certainement pas célèbre au point d'être reconnu. Il leva la main et refusa le cadeau. Après un dernier essai, sans succès, Régis haussa ses petites épaules et rangea le masque.

Drizzt quitta les lieux sans rien ajouter. L'aube ne poindrait pas avant de nombreuses heures; des torches brûlaient faiblement dans les niveaux supérieurs de Castelmithral et seuls quelques nains s'activaient. Tout semblait parfaitement calme et paisible.

Sans un bruit, les doigts élancés de l'elfe noir effleurèrent le grain d'une porte en bois. Il n'avait pas la moindre envie de déranger la personne qui se trouvait de l'autre côté, même s'il doutait que son sommeil soit reposant. Chaque nuit, Drizzt voulait la retrouver et la réconforter. Pourtant, il n'en faisait rien, conscient que ses mots ne calmeraient pas la tristesse de Catti-Brie. Comme au cours de tant d'autres nuits, durant lesquelles il s'était approché de cette porte, gardien vigilant mais impuissant, le rôdeur se résolut à faire quelques pas, silencieux, dans le couloir pavé de pierres, parmi les ombres dansantes dues à la lueur des torches.

Après une courte pause devant une autre porte, celle de la chambre de son ami nain le plus cher, Drizzt traversa bientôt les zones de séjour et parvint aux salles de réunion, où le roi de Castelmithral aimait recevoir les émissaires. Deux nains – sans doute des soldats de Dagna – se trouvaient là ; cependant ils n'entendirent ni ne virent le drow passer en silence.

Drizzt s'arrêta encore quand il parvint à l'entrée de la salle de Dumathoïn, où les nains du clan Marteaudeguerre conservaient leurs objets les plus précieux. Il savait devoir poursuivre son chemin, quitter cet endroit avant le réveil du clan, mais il ne put laisser de côté les émotions qu'il ressentit alors. Il ne s'était pas rendu en ce lieu au cours des deux semaines qui s'étaient écoulées depuis que ses cousins drows avaient été repoussés. Il savait toutefois qu'il ne se le pardonnerait jamais s'il n'y jetait pas au moins un regard.

Le puissant marteau de guerre, *Crocs de l'égide*, était mis en valeur contre un pilier, au centre de la pièce remplie, ce qui convenait aux yeux de Drizzt, cette arme dépassant pour lui de loin les autres artefacts ; les brillantes cottes de mailles, les grandes haches et casques de héros morts depuis longtemps, ainsi que l'enclume d'un forgeron légendaire. Drizzt sourit en songeant que ce marteau n'avait même pas été manié par un nain. Il s'agissait de l'arme de Wulfgar, son ami, qui s'était volontairement sacrifié pour que le reste du petit groupe s'en sorte.

Pendant un long moment, Drizzt observa avec intensité l'arme puissante, la tête de mithral étincelante, dépourvue de rayures malgré les nombreux combats féroces auxquels le marteau avait pris part et sur laquelle étaient gravés les symboles du dieu nain Dumathoïn. Le drow baissa le regard et s'arrêta sur la poignée en adamantium, maculée de sang séché. Bruenor, plus entêté que jamais, n'avait pas voulu qu'elle soit nettoyée.

Des souvenirs de Wulfgar et des combats menés aux côtés du puissant et immense barbare aux cheveux blonds et à la peau dorée affluèrent dans l'esprit du drow, qui vit ses genoux trembler et sa résolution fléchir. Il s'imagina contempler le bleu du ciel du

12

Nord des yeux clairs de son ami, toujours nuancés d'une étincelle d'enthousiasme. Wulfgar n'était encore qu'un gamin, que les dures réalités d'un monde brutal n'intimidaient pas.

Un gamin qui s'était sacrifié en chantant pour ses amis.

—Adieu, murmura Drizzt.

Puis il partit en courant, sans toutefois faire plus de bruit qu'auparavant. En quelques secondes, il traversa un balcon et dévala une volée de marches pour déboucher sur une vaste salle haute de plafond, qu'il traversa sous le regard des effigies sculptées dans la paroi des huit rois de Castelmithral. Le dernier buste, celui du roi Bruenor Marteaudeguerre, était le plus frappant ; le visage sévère, un air sinistre intensifié par une profonde cicatrice qui courait du front à la mâchoire et l'œil droit manquant.

Drizzt savait que Bruenor avait subi une blessure nettement plus grave que la perte de cet œil ou les coups encaissés par ce corps de nain, pourtant fort et résistant. L'âme de Bruenor avait le plus souffert, détruite par la mort du garçon qu'il considérait comme son fils. L'esprit du nain était-il aussi résistant que son corps ? Drizzt n'en savait rien. En cet instant, tandis qu'il contemplait le visage bardé de cicatrices de Bruenor, le drow sentit qu'il devait rester auprès de son ami et l'aider à soigner ses blessures.

Cela ne dura pas. Quels coups le nain allait-il encore subir ? Sans parler de ses autres amis.

⚔ ⚔ ⚔ ⚔ ⚔

Catti-Brie s'agitait et se tortillait, revivant cet instant tragique, comme chaque nuit… en tout cas, chaque nuit où l'épuisement lui permettait de trouver le sommeil. Elle entendait le chant de Wulfgar dédié à Tempus, son dieu de la guerre, et voyait la sérénité que renfermaient les yeux du barbare, cet air qui ne tenait pas compte de la douleur évidente et lui permettait de frapper les pierres de la voûte, tandis que de lourds blocs de granit commençaient à lui tomber dessus.

Catti-Brie voyait les blessures profondes de Wulfgar, le blanc de ses os, sa peau à hauteur de ses côtes, arrachée par les dents acérées

13

du yochlol, une bête maléfique issue d'un autre plan, immonde amas de chair cireuse qui évoquait une bougie à demi consumée.

Le fracas de l'effondrement de la voûte sur son amour fit se redresser Catti-Brie dans son lit. Assise dans l'obscurité, ses épais cheveux auburn collés sur son visage par une sueur froide, elle prit un long moment pour contrôler sa respiration et se répéta à plusieurs reprises qu'il ne s'agissait que d'un rêve, un affreux souvenir, et qu'en fin de compte cet événement appartenait au passé. La lueur de la torche qui dessinait les contours de sa porte la rassura et la calma.

Elle ne portait qu'une chemise de nuit légère et son agitation avait repoussé les couvertures. Les bras parcourus de chair de poule, elle se mit à trembler, trempée tant elle avait transpiré, frigorifiée et malheureuse. Elle réajusta grossièrement sa couverture la plus épaisse et la remonta jusqu'au cou, puis s'allongea sur le dos, le regard perdu dans le noir.

Quelque chose n'allait pas. Il lui semblait que quelque chose n'était pas à sa place.

Rationnelle, la jeune femme se dit qu'elle devait se faire des idées, que ses rêves l'avaient troublée. Le monde ne tournait pas rond pour Catti-Brie, loin de là, mais elle se rappela avec virulence qu'elle se trouvait à Castelmithral, entourée par une armée d'amis.

Elle se répéta qu'elle se faisait des idées.

⚔ ⚔ ⚔ ⚔ ⚔

Drizzt était déjà loin de Castelmithral quand le jour apparut. Il ne s'assit pas pour contempler l'aurore ce jour-là, comme il en avait l'habitude. Il jeta à peine un regard au soleil levant, qui lui faisait désormais l'effet du faux espoir de choses impossibles à réaliser. Quand l'éclat initial diminua, le drow se tourna vers le sud et l'est, de l'autre côté des montagnes, et se rappela.

Il porta la main au cou et toucha le pendentif hypnotisant que Régis lui avait donné. Il savait à quel point le halfelin comptait sur cette gemme, comme il l'aimait, et songea de nouveau au sacrifice consenti par le halfelin, le sacrifice d'un véritable ami. Drizzt avait connu l'amitié sincère ; sa vie s'était enrichie depuis qu'il avait posé

14

le pied sur une terre désolée nommée le Valbise, où il avait rencontré Bruenor Marteaudeguerre et sa fille adoptive, Catti-Brie. Songer qu'il ne les reverrait peut-être jamais le faisait souffrir.

Le drow était cependant soulagé d'être muni du pendentif magique, un instrument qui lui permettrait peut-être d'obtenir des réponses et de retrouver ses amis. Néanmoins, il éprouvait une culpabilité réelle d'avoir décidé de parler de son départ à Régis. Il considérait cela comme un aveu de faiblesse, comme un besoin de se reposer sur des amis qui, en cette période sinistre, n'avaient que peu de forces à lui consacrer. Il rationalisait toutefois ce sentiment en songeant à la garantie qu'il laissait derrière lui. Il avait demandé à Régis de révéler la vérité à Bruenor d'ici cinq semaines, afin que, en cas d'échec de son expédition, le clan Marteaudeguerre ait le temps de se préparer pour les ténèbres à venir.

C'était un acte logique mais Drizzt devait bien reconnaître qu'il s'était également ouvert au halfelin à cause de son propre besoin de parler à quelqu'un.

Et le masque magique ? se demanda-t-il. Avait-il aussi fait preuve de faiblesse en le refusant ? Cet objet puissant aurait pu lui servir, et à ses amis aussi, mais il n'avait plus la force de le porter, ni même de le toucher.

Submergé de doutes, qui planaient autour de lui et semblaient le railler, le drow soupira et frotta le rubis dans ses fines mains noires. Malgré ses exploits, ses principes et son stoïcisme de rôdeur, Drizzt Do'Urden avait besoin de ses amis. Il jeta un regard en direction de Castelmithral et se demanda s'il avait bien fait d'entreprendre cette quête seul et en secret.

Encore de la faiblesse ! se sermonna-t-il avec obstination. Il lâcha le rubis, repoussa ses doutes et glissa la main sous sa cape de voyage vert forêt. Il sortit de sa poche un parchemin, une carte des terres situées entre les montagnes de l'Épine dorsale du Monde et le grand désert d'Anauroch. Il y avait marqué un point dans le coin inférieur droit, qui localisait une grotte par laquelle il était sorti un jour, une grotte qui le reconduirait chez lui.

Première partie

Tenu par le devoir

Aucune race des Royaumes ne comprend mieux que les drows le concept de vengeance. La vengeance est un dessert qu'ils savourent quotidiennement et dont ils goûtent la douceur sur leurs lèvres parées d'un sourire narquois comme s'il s'agissait du plaisir ultime. C'est ainsi affamés que les drows se sont lancés à ma poursuite.

Je ne peux oublier la colère et la culpabilité que je ressens au sujet de la perte de Wulfgar, ni les souffrances infligées à mes amis les plus chers par les ennemis surgis de mon sinistre passé. Quand je regarde le beau visage de Catti-Brie, j'y trouve une tristesse, profonde et éternellement présente, qui n'y a pas sa place, un fardeau qui n'a rien à faire dans les yeux étincelants d'une enfant.

Tout aussi blessé, je n'ai pas de mots pour la consoler et je doute qu'il en existe capables de la soulager. Il est donc de mon devoir de continuer à protéger mes amis. Je sais maintenant que je dois passer outre à mon propre sentiment de perte concernant Wulfgar, surmonter la tristesse qui s'est abattue sur les nains de Castelmithral et les intrépides humains de Calmepierre.

D'après le récit que fit Catti-Brie de ce funeste combat, Wulfgar a affronté un yochlol, un serviteur de Lolth. Muni de cette macabre information, je dois voir au-delà du chagrin actuel et songer que la tristesse que je crains est encore à venir.

Je ne comprends pas les jeux chaotiques de la Reine Araignée – je doute que les hautes prêtresses elles-mêmes soient au fait des réels

19

desseins de cette immonde créature –, mais la portée de la présence d'un yochlol ne peut m'échapper, malgré mon piètre passé d'étudiant drow en religion. L'apparition d'un serviteur de Lolth signifie que la traque a été sanctifiée par la Reine Araignée. L'intervention d'un tel monstre au cours de ce combat ne présage rien de bon pour l'avenir de Castelmithral.

Ce ne sont bien entendu que des suppositions. Je ne sais pas si ma sœur Vierna a agi de concert avec quelque autre sinistre pouvoir de Menzoberranzan ou si, avec sa mort et la disparition du dernier membre de ma famille, les liens qui me rattachent à la cité drow ont été définitivement rompus.

Quand je contemple les yeux de Catti-Brie, quand je regarde les affreuses cicatrices de Bruenor, je me rappelle qu'il est dangereux de faire preuve d'optimisme. Mes maléfiques semblables m'ont pris un ami.

Ils n'en prendront pas d'autre.

Je ne trouverai aucune réponse à Castelmithral, je n'y serai jamais certain que les elfes noirs ruminent encore leur vengeance, à moins qu'un autre détachement surgisse de Menzoberranzan et vienne réclamer ma tête en surface. Comment pourrais-je, cet état de fait pesant sur mes épaules, me rendre à Lunargent, ou vers toute autre ville voisine, en reprenant mon mode de vie ordinaire ? Comment pourrais-je dormir en paix avec au fond de mon cœur la terreur bien réelle de voir les elfes noirs revenir et mettre une fois de plus mes amis en danger ?

L'apparente sérénité de Castelmithral, ce calme maussade, ne m'apprendra rien sur les projets des drows. Oui, pour le bien de mes amis, je dois connaître leurs intentions. Il ne reste hélas qu'un seul endroit où me rendre.

Wulfgar a donné sa vie pour que ses amis vivent. Mon sacrifice pourrait-il en bonne conscience être moindre ?

Drizzt Do'Urden

1

L'AMBITIEUX

Le mercenaire s'adossa contre le pilier du grand escalier de Tier Breche, au nord de l'immense caverne qui contenait Menzoberranzan, la cité drow. Jarlaxle ôta son chapeau à large rebord et passa la main sur son crâne chauve et lisse en marmonnant quelques jurons.

De nombreuses lumières étaient visibles dans la ville. Des torches brûlaient derrière les hautes fenêtres des demeures creusées dans les stalagmites naturelles. Des lumières dans la cité drow ! Nombreuses étaient les structures élaborées décorées par le doux scintillement des lueurs féeriques, la plupart teintées de pourpre ou de bleu, mais cela était différent.

Jarlaxle se retourna et grimaça quand son poids se porta sur sa jambe récemment blessée. Triel Baenre en personne, Maîtresse Matrone d'Arach-Tinilith et figurant parmi les prêtresses de plus haut rang de la cité, avait soigné cette blessure, mais il la soupçonnait d'avoir intentionnellement laissé son travail inachevé, pour qu'il souffre encore et se souvienne de l'échec de la capture de Drizzt Do'Urden, le rebelle.

— Cet éclat blesse mes yeux, dit une voix sarcastique derrière lui.

Jarlaxle se retourna et aperçut la fille aînée de Matrone Baenre, cette même Triel. Plus petite que la plupart des drows, elle mesurait presque trente centimètres de moins que lui mais avait une allure et une grâce indéniables. Jarlaxle comprenait plus que quiconque ses

21

pouvoirs – ainsi que son tempérament versatile – et prenait garde de se comporter avec prudence vis-à-vis de cette petite drow.

—Maudite lumière, dit-elle en s'approchant de lui, les yeux rivés sur la ville.

—C'est l'ordre de ta Matrone, lui rappela Jarlaxle.

Son œil libre évita le regard de Triel, l'autre dissimulé sous un cache noué autour de son crâne. Il replaça son chapeau et en rabattit le rebord devant lui afin d'essayer de masquer le sourire narquois provoqué par la grimace de la drow.

Triel n'était pas satisfaite de sa mère, ce que Jarlaxle avait deviné dès l'instant où Matrone Baenre avait commencé à faire allusion à ses plans. Triel, sans doute la plus fanatique prêtresse de la Reine Araignée, n'irait pas à l'encontre de Matrone Baenre, la Première Mère Matrone de la cité… sauf si Lolth lui en donnait l'ordre.

—Suis-moi, gronda-t-elle.

Elle fit demi-tour et entreprit de traverser Tier Breche, en direction du plus grand bâtiment, également le plus décoré, parmi les trois que comptait l'Académie drow, une immense structure construite suivant la forme d'une gigantesque araignée.

Jarlaxle gémit ostensiblement quand il obtempéra et se mit à boiter, perdant du terrain à chaque pas. Sa tentative de réclamer un peu plus de guérison ne fut toutefois pas couronnée de succès, Triel se contenta en effet de l'attendre à l'entrée du bâtiment, avec une patience qui ne lui était guère habituelle. Jarlaxle le savait ; Triel n'attendait jamais.

Dès qu'il entra dans le temple, le mercenaire fut assailli par une myriade d'arômes, allant de l'encens au sang séché des derniers sacrifices, tandis que des chants se faisaient entendre à chaque porte. Triel n'en tint pas compte et haussa les épaules devant les quelques disciples qui s'inclinèrent en la voyant arpenter les lieux. Déterminée, la fille Baenre se dirigea vers les niveaux supérieurs, les quartiers privés des maîtresses de l'école, et s'engagea dans un couloir étroit dont le sol semblait vivant car parsemé d'araignées grouillantes… dont quelques-unes atteignaient la hauteur du genou de Jarlaxle.

Elle s'arrêta devant deux portes aux ornements similaires et incita d'un geste le mercenaire à entrer par celle de droite. Ce

22

dernier hésita et cacha bien son trouble, auquel la drow s'était attendue.

Elle l'attrapa par l'épaule et le retourna brutalement.

— Tu es déjà venu ici ! l'accusa-t-elle.

— Uniquement le jour de ma sortie de l'école des guerriers, répondit Jarlaxle en se dégageant. Comme tous les diplômés de Melee-Magthere.

— Tu es déjà venu dans les niveaux supérieurs, gronda Triel, les yeux rivés sur le mercenaire, qui gloussa. Tu as hésité quand je t'ai demandé d'entrer dans cette pièce car tu sais que mes appartements se trouvent derrière l'autre porte, vers laquelle tu pensais te diriger.

— Je ne m'attendais pas à être convoqué ici, rétorqua Jarlaxle, essayant de changer de sujet.

Il avait en réalité été quelque peu pris au dépourvu de constater que Triel le surveillait de si près. Avait-il sous-estimé l'appréhension qu'éprouvait la drow au sujet des derniers projets de sa mère ?

Triel lui jeta un interminable regard appuyé, sans ciller et la mâchoire ferme.

— J'ai mes sources, finit-il par reconnaître.

Un autre long moment s'écoula sans que Triel cligne des paupières.

— Tu m'as demandé de venir, lui rappela Jarlaxle.

— Je te l'ai ordonné, rectifia la prêtresse.

Le mercenaire s'inclina exagérément et ôta vivement son chapeau, avec lequel il décrivit un large balayage. Les yeux de la fille de Baenre s'illuminèrent de rage.

— Arrête ! cria-t-elle.

— Alors arrête ta comédie ! répliqua Jarlaxle. Tu m'as demandé de venir à l'Académie, un endroit où je ne me sens pas à l'aise, et me voici. Tu as des questions et moi, peut-être, des réponses.

La réserve émise sur ce dernier point fit plisser des yeux Triel, qui savait aussi bien que n'importe qui dans la cité que Jarlaxle était un adversaire cachottier. Elle avait traité avec ce mercenaire rusé à de nombreuses reprises et n'était pas certaine de s'en être chaque fois sortie à son avantage. Elle se retourna et lui enjoignit de franchir le seuil de la porte de gauche. Après s'être de nouveau incliné avec

23

grâce, il s'exécuta et entra dans une pièce décorée ornée d'un épais tapis et baignée par une douce lueur magique.

—Retire tes bottes, lui ordonna Triel, qui ôta les siennes avant de poser le pied sur le sol pelucheux.

Adossé contre la tapisserie de l'entrée, Jarlaxle jeta un regard dubitatif à ses bottes, dont toute personne connaissant le mercenaire n'ignorait pas l'aspect magique.

—Très bien, concéda Triel, avant de fermer la porte et de passer devant lui pour s'installer dans un immense fauteuil rembourré.

Un bureau à cylindre était placé derrière elle, devant l'une des nombreuses tapisseries, celle-ci décrivant le sacrifice d'un elfe de la surface géant par une horde de drows en train de danser. Au-dessus de la victime se trouvait le spectre presque translucide d'une créature mi-drow mi-araignée, le visage magnifique et serein.

—Tu n'aimes pas les lumières de ta mère et pourtant, tu laisses ta chambre éclairée ? s'étonna Jarlaxle.

Triel se mordit la lèvre inférieure et plissa encore les yeux. Nombre de prêtresses conservaient leurs appartements privés faiblement éclairés afin de lire leurs ouvrages, l'infravision sensible à la chaleur n'étant guère utile quand il s'agissait de déchiffrer des runes. Certaines encres renfermaient une chaleur caractéristique durant plusieurs années mais elles étaient onéreuses et difficiles à obtenir, même pour un personnage aussi puissant que Triel.

Jarlaxle considéra l'expression sévère de la drow et songea qu'elle était en permanence furieuse après quelque chose.

—Les lumières semblent convenir au plan que ta mère a mis sur pied, enchaîna-t-il.

—Eh bien, es-tu arrogant au point de t'imaginer saisir les motivations de ma mère ? répondit-elle sur un ton cassant.

—Elle retournera à Castelmithral, dit-il ouvertement, sachant que Triel était depuis longtemps parvenue à la même conclusion.

—Tu crois ? demanda-t-elle évasivement.

Cette remarque sibylline freina le mercenaire. Il fit un pas vers un second fauteuil, moins rembourré, son talon claquant dans la manœuvre, malgré le tapis, incroyablement épais et doux.

Triel ricana, nullement impressionnée par les bottes magiques. Il était de notoriété publique que Jarlaxle pouvait marcher aussi bruyamment ou silencieusement qu'il le souhaitait sur tout type de surface. Ses nombreux bijoux, bracelets et breloques semblaient enchantés de la même façon car ils tintaient ou n'émettaient pas le moindre bruit selon les désirs du mercenaire.

—Si tu as fait un trou dans mon tapis, je le comble avec ton cœur, promit Triel quand Jarlaxle se laissa tomber sur le fauteuil en pierre recouvert de velours.

Puis il défroissa un pli sur l'accoudoir afin de faire apparaître sur le tissu la représentation d'une araignée *gee'antu* noir et jaune, version de l'Outreterre de la tarentule de la surface.

—Qu'est-ce qui te fait croire que ta mère ne s'y rendra pas? demanda Jarlaxle, ne tenant volontairement pas compte de la menace.

Toutefois, connaissant Triel Baenre, il se demanda sincèrement combien de cœurs étaient aujourd'hui piégés dans les fibres du tapis.

—Je crois ça, moi? dit la drow.

Jarlaxle laissa échapper un profond soupir. Il s'était douté que cette entrevue n'apporterait pas grand-chose, que Triel tenterait, au cours de cette discussion, de déterminer quelles informations le mercenaire avait déjà obtenues, tandis qu'elle n'en offrirait que très peu de son côté. Néanmoins, quand elle avait insisté pour qu'il vienne chez elle, au lieu de le rencontrer selon leur accord habituel, suivant lequel elle quittait Tier Breche pour le retrouver, il avait espéré quelque chose de plus important. Or il devenait de plus en plus évident pour lui que Triel n'avait voulu sa présence à Arach-Tinilith, en cet endroit sûr, que pour rester à l'abri des oreilles indiscrètes de sa mère.

Malgré ces précautions méticuleuses, ce rendez-vous capital tournait à la badinerie inutile.

Triel semblait tout aussi gênée. Elle se pencha soudain en avant, une expression féroce sur le visage.

—Elle réclame ce qui doit lui revenir! déclara-t-elle. (Les bracelets de Jarlaxle tintèrent quand il se tapota les doigts les uns contre les autres, songeant subitement qu'ils évoluaient désormais sur une piste intéressante, puis Triel se calma.) Régner sur Menzoberranzan ne suffit plus à quelqu'un comme Matrone Baenre. Elle doit élargir sa sphère d'influence.

— Je pensais que les ambitions de ta mère lui étaient inspirées par Lolth, fit remarquer Jarlaxle, sincèrement troublé par le dédain évident affiché par la drow.

— Peut-être, reconnut cette dernière. La Reine Araignée sera ravie de la conquête de Castelmithral, notamment si, en plus, cela débouche sur la capture de Drizzt Do'Urden, ce renégat. Mais il existe d'autres raisons.

— Blingdenpierre ? hasarda le mercenaire, se référant à la cité des svirfnebelins, les gnomes des profondeurs, ennemis traditionnels des drows.

— Entre autres, répondit Triel. Blingdenpierre n'est pas très éloignée des tunnels qui conduisent à Castelmithral.

— Ta mère a parlé de s'occuper proprement des svirfnebelins sur le chemin du retour, dit Jarlaxle, songeant qu'il devait lâcher quelques potins s'il voulait que Triel continue à s'ouvrir à lui.

Il lui semblait qu'elle était profondément gênée de dévoiler ainsi ses émotions et craintes les plus personnelles.

Triel hocha la tête et prit acte de cette information sans paraître surprise.

— Il y a d'autres raisons, répéta-t-elle. La tâche entreprise par Matrone Baenre est immense et nécessitera des alliés à chaque étape, peut-être même des illithids.

Le raisonnement de la fille du clan Baenre frappa Jarlaxle de plein fouet. Matrone Baenre avait longtemps entretenu une relation avec un illithid, une des créatures les plus dangereuses qu'il ait jamais vues. Il ne s'était jamais senti à l'aise en présence de ces humanoïdes à tête de pieuvre. Il survivait en comprenant et en devinant les intentions de ses ennemis, cependant ses talents s'avéraient cruellement inefficaces quand les illithids étaient concernés. Ces flagelleurs mentaux, comme on nommait les représentants de cette race malfaisante, ne pensaient pas de la même façon que les autres peuples et agissaient suivant des principes et des règles que personne, en dehors d'eux-mêmes, ne semblait connaître.

26

Toutefois, les elfes noirs avaient souvent connu le succès face à la communauté illithide. Menzoberranzan comprenait vingt mille guerriers chevronnés, tandis qu'on ne dénombrait qu'à peine une centaine d'illithids dans la région. Les craintes de Triel semblaient quelque peu exagérées.

Jarlaxle garda cette estimation pour lui. Au vu de la sinistre et instable humeur de son interlocutrice, il préférait écouter plutôt que s'exprimer.

Triel secoua la tête, la mine nettement revêche. Puis elle bondit de son siège, sa robe décorée d'araignées sur fond noir et violet bruissant quand elle se mit à tourner en rond.

— Ce ne sera pas le seul fait de la Maison Baenre, lui rappela Jarlaxle, espérant ainsi la réconforter. De nombreuses maisons laissent la lumière filtrer par leurs fenêtres.

— Mère a bien agi en unissant la cité, reconnut la prêtresse en ralentissant son pas nerveux.

— Mais tu as tout de même peur. Et tu as besoin d'informations afin d'être prête à réagir à toute éventualité.

Jarlaxle ne put réprimer un léger gloussement ironique. Triel et lui avaient été ennemis durant longtemps, ne s'accordant pas la moindre confiance… et avec raison ! Elle avait aujourd'hui besoin de lui ; sa position de prêtresse au sein d'une école isolée la tenait éloignée de la plupart des rumeurs murmurées dans la cité. En temps normal, ses prières destinées à la Reine Araignée lui fournissaient les informations dont elle avait besoin, mais pour l'heure, si Lolth approuvait les actes de Matrone Baenre – ce qui semblait une évidence – Triel serait laissée, littéralement parlant, dans les ténèbres. Il lui fallait un espion, et à Menzoberranzan, Jarlaxle et son réseau d'informateurs, Bregan D'aerthe, n'avaient pas d'équivalent.

— Nous avons besoin l'un de l'autre, répondit Triel sur un ton plein de sous-entendus en dévisageant le mercenaire. Mère s'aventure en terrain dangereux, c'est on ne peut plus clair. Si elle échoue, réfléchis à l'identité de la prochaine occupante du trône de la Maison régnante.

C'est indéniable, concéda en silence Jarlaxle. En tant que fille aînée de sa Maison, Triel se trouvait indiscutablement en première

27

ligne derrière Matrone Baenre et, en tant que Maîtresse Matrone d'Arach-Tinilith, elle occupait la position la plus puissante de la cité derrière les Matrones des huit Maisons régnantes et avait déjà établi un pouvoir considérable. Toutefois, à Menzoberranzan, où les semblants de lois n'étaient qu'une façade recouvrant un chaos sous-jacent, les socles du pouvoir avaient tendance à évoluer aussi rapidement que des lacs de lave.

—J'en apprendrai autant que possible, répondit Jarlaxle, avant de se lever pour quitter les lieux. Et je te le dirai.

Triel ne manqua pas la demi-vérité que contenaient les mots du mercenaire rusé mais elle devait accepter son offre.

Quelques instants plus tard, de retour sur les larges avenues courbes de Menzoberranzan, Jarlaxle passa devant les regards attentifs et les armes apprêtées des gardes postés sur presque chaque stalagmite, ainsi que sur les balcons ceignant de nombreuses stalactites. Il n'était nullement effrayé car son chapeau à large rebord était bien connu dans la ville et aucune Maison ne souhaitait entrer en conflit avec Bregan D'aerthe, la bande la plus mystérieuse – rares étaient ceux, dans la cité, qui savaient combien de membres elle comprenait –, dont les bases se trouvaient dissimulées dans de nombreux recoins et failles de l'immense caverne. Sa réputation n'était plus à faire et elle était tolérée par les Maisons régnantes. Les drows auraient pour la plupart cité Jarlaxle parmi les drows masculins les plus puissants de Menzoberranzan.

Le mercenaire se sentait si à l'aise qu'il remarquait à peine les regards insistants des dangereux gardes. Il était plongé dans ses pensées et tentait de déchiffrer les messages subtils émis au cours de sa rencontre avec Triel. Le projet avoué de conquérir Castelmithral semblait très prometteur. Jarlaxle s'était déjà rendu à la place forte naine, dont il avait aperçu les défenses. Bien que remarquables, elles paraissaient faibles face à la force d'une armée drow. Une fois Castelmithral conquis par Menzoberranzan et avec Matrone Baenre à la tête du tout, Lolth serait pleinement satisfaite et la Maison Baenre à l'apogée de sa gloire.

Comme l'avait fait remarquer Triel, Matrone Baenre obtiendrait son dû.

Le pouvoir absolu ? Cette idée s'attarda dans l'esprit de Jarlaxle. Il marqua une pause près de Narbondel, le gigantesque pilier qui faisait office d'horloge de Menzoberranzan, et un large sourire se dessina sur son visage noir.

— Le pouvoir absolu ? murmura-t-il.

Il comprit soudain l'inquiétude de Triel. Elle craignait que sa mère outrepasse ses limites, qu'elle risque un empire déjà imposant pour une acquisition supplémentaire. Tout en méditant sur cette idée, Jarlaxle y entrevit une portée plus profonde. *Supposons que Matrone Baenre soit victorieuse, que Castelmithral soit conquis et ensuite Blingdenpierre*, songea-t-il. Quels ennemis resterait-il alors pour menacer la cité drow, pour maintenir la cohésion hésitante de la hiérarchie de Menzoberranzan ?

En l'occurrence, pourquoi avait-on laissé survivre durant tous ces siècles Blingdenpierre, un repaire d'ennemis voisin de la cité drow ? Jarlaxle connaissait la réponse. Il savait que les gnomes servaient involontairement de ciment à l'unité des Maisons de Menzoberranzan. Avec un ennemi commun si proche, les luttes intestines incessantes des drows devaient être contrôlées.

Matrone Baenre cherchait donc à briser ce ciment, à inclure dans son empire non seulement Castelmithral mais également les pénibles gnomes. Triel ne craignait pas une défaite drow, pas davantage qu'une alliance avec la petite colonie d'illithids. Elle redoutait que sa mère réussisse et s'empare de ce qu'elle réclamait. Matrone Baenre était âgée, même selon les standards drows, et Triel était la mieux placée pour lui succéder à la tête de la Maison. Cette position aujourd'hui confortable serait nettement plus vacillante et dangereuse si Castelmithral et Blingdenpierre étaient pris. L'ennemi commun qui unissait les Maisons ne serait plus et Triel aurait à se soucier d'un affrontement en surface, loin de Menzoberranzan, où les représailles des alliés de Castelmithral seraient inévitables.

Si Jarlaxle comprenait ce que désirait Matrone Baenre, il se demandait désormais ce que Lolth, qui soutenait les plans de cette drow flétrie, avait en tête.

— Le chaos, trancha-t-il.

29

Menzoberranzan était calme depuis très, très longtemps. Certaines Maisons se battaient : c'était inévitable. La Maison Do'Urden et la Maison DeVir, toutes deux régnantes, avaient été anéanties, mais la structure générale de la cité demeurait solide et non menacée.

—Ah! Tu es charmante! lâcha Jarlaxle à voix haute en songeant à Lolth.

Il soupçonna soudain la déesse de désirer un nouvel ordre, un ménage rafraîchissant d'une cité devenue ennuyeuse. Il n'était guère étonnant que cela ne plaise pas à Triel, sur le point de la recevoir en héritage de sa mère.

Le mercenaire chauve, lui-même passionné par les complots et le chaos, rit de bon cœur et contempla Narbondel. La chaleur de l'horloge avait considérablement diminué et indiquait que la nuit de l'Outreterre était bien avancée. Il fit claquer ses talons sur la pierre et se mit en route pour Qu'ellarz'orl, le plateau surélevé de la paroi est de Menzoberranzan, le quartier où se trouvait la Maison la plus puissante de la ville. Il ne tenait pas à être en retard à son rendez-vous avec Matrone Baenre, à qui il devait relater son entrevue « secrète » avec sa fille aînée.

Il se mit à réfléchir à ce qu'il révélerait à la Mère Matrone ridée et comment il pourrait tourner ses mots à son avantage.

Décidément, Jarlaxle adorait les complots…

2

Mystères et adieux

Les yeux larmoyants après une nouvelle longue et épuisante nuit, Catti-Brie enfila une robe et traversa sa petite chambre, espérant trouver un peu de réconfort dans la lumière du jour. Ses épais cheveux auburn étaient aplatis d'un côté, ce qui provoquait un épi de l'autre, mais elle s'en moquait. Occupée à se frotter les yeux pour en chasser le sommeil, elle manqua de peu de trébucher sur le pas de la porte, puis elle s'immobilisa, soudain frappée par un détail qu'elle ne s'expliquait pas.

Elle fit courir ses doigts sur le bois de la porte, toujours perturbée, presque abasourdie par cette sensation que quelque chose ne se trouvait pas à sa place, que quelque chose n'allait pas. Même si elle avait eu dans un premier temps l'intention de prendre directement son petit déjeuner, elle se sentit obligée d'aller voir Drizzt.

Elle traversa rapidement le couloir jusqu'à la chambre de son ami et frappa à sa porte.

— Drizzt ? appela-t-elle après quelques instants.

Le drow ne répondant pas, elle tourna avec délicatesse la poignée et ouvrit le battant. Elle remarqua immédiatement que les cimeterres et la cape de voyage de Drizzt ne s'y trouvaient pas. Avant d'y réfléchir, ses yeux se posèrent sur le lit ; il était fait, les couvertures parfaitement pliées, ce qui n'était cependant pas inhabituel de la part de l'elfe noir.

Catti-Brie s'en approcha et en inspecta les plis, nets mais pas tirés, ce qui lui indiqua que ce lit était fait depuis longtemps, que personne n'y avait dormi cette nuit-là.

31

—Qu'est-ce que ça veut dire ? s'étonna-t-elle.

Elle jeta un rapide regard à la petite pièce puis revint dans le couloir. Il était déjà arrivé à Drizzt de s'absenter de Castelmithral sans prévenir, souvent de nuit. Il se rendait en général à Lunargent, la fabuleuse ville située à une semaine de marche vers l'est.

Pourquoi Catti-Brie éprouvait-elle cette fois le sentiment que quelque chose ne tournait pas rond ? Pourquoi cet événement pas si inhabituel que cela lui semblait-il ne pas cadrer ? Elle essaya de ne plus y penser et de chasser ses peurs profondes. *Je suis inquiète, c'est tout*, se dit-elle. Elle avait perdu Wulfgar et se faisait désormais trop de soucis pour ses autres amis.

Tout en méditant sur cette idée, elle avança jusqu'à une autre porte, à laquelle elle frappa, doucement, puis plus fort alors qu'aucune réponse ne parvenait ; elle était certaine que l'occupant de cette chambre n'était pas encore levé et parti. Un grognement se fit entendre dans la pièce.

Elle poussa le battant et alla s'agenouiller près du petit lit, dont elle ôta brusquement les couvertures. Elle découvrit un Régis endormi, qui se tortilla quand elle lui chatouilla les aisselles.

—Hé ! s'écria le halfelin grassouillet, remis des épreuves subies entre les mains de l'assassin Artémis Entreri.

Il s'éveilla instantanément et tira désespérément sur les couvertures.

—Où est Drizzt ? demanda Catti-Brie, en écartant avec davantage de vigueur les couvertures.

—Qu'est-ce que j'en sais ? protesta Régis. Je ne suis pas encore sorti de ma chambre ce matin !

—Lève-toi !

Catti-Brie fut elle-même surprise par la dureté de sa voix, de son ordre. La sensation désagréable était réapparue avec plus d'intensité. Elle observa la pièce, en quête de ce qui avait pu provoquer une telle anxiété.

C'est alors qu'elle aperçut la figurine de la panthère.

Le regard rivé sur cet objet, le bien le plus cher de Drizzt, elle se demanda ce qu'il faisait dans la chambre de Régis. Pourquoi Drizzt était-il parti sans l'emporter ? La jeune femme vit alors sa logique s'accorder avec ses émotions. Elle bondit par-dessus le lit et repoussa vers Régis plusieurs couvertures emmêlées – dans lesquelles il se hâta de se blottir – puis récupéra la panthère, avant de faire marche arrière et de tirer de nouveau sur les couvertures du halfelin têtu.

—Non ! cria Régis en tirant de son côté.

Il plongea la tête la première sur son matelas et remonta les coins de son oreiller autour de son visage à fossettes.

Catti-Brie l'attrapa par la peau du cou, le sortit du lit et le traîna à travers la chambre pour l'asseoir sur l'une des deux chaises en bois placées de chaque côté d'une petite table. Son oreiller toujours plaqué sur le visage, Régis s'effondra sur la table.

Catti-Brie agrippa fermement et en silence les coins de l'oreiller, se leva sans un bruit et tira soudain, l'arrachant aux mains du halfelin, surpris, dont la tête heurta brutalement le bois brut.

Grognant et gémissant, Régis se redressa sur la chaise, passa ses doigts boudinés dans ses mèches brunes bouclées, dont le volume intact malgré une longue nuit de sommeil.

—Quoi ? s'écria-t-il.

Catti-Brie posa brutalement la statuette de la panthère sur la table, devant le halfelin.

—Où est Drizzt ? demanda-t-elle encore, sur un ton égal.

—Sans doute dans la ville souterraine, marmonna Régis, tout en parcourant de sa langue ses dents pâteuses. Pourquoi ne demandes-tu pas à Bruenor ?

La mention du roi nain fit tiquer Catti-Brie. *Demander à Bruenor ?* railla-t-elle en silence. Celui-ci ne parlait quasiment plus à personne et se trouvait plongé dans un tel désespoir qu'il n'aurait probablement rien remarqué si la totalité de son clan s'était réveillée et avait disparu au milieu de la nuit !

—Bon, eh bien, Drizzt n'a pas pris Guenhwyvar, dit Régis, qui essayait de minimiser l'importance de cet événement.

Ses mots ne sonnèrent pas juste aux oreilles de la sensible jeune femme, dont les yeux, d'un bleu profond, se plissèrent alors qu'elle observait le halfelin de plus près.

—Quoi ? demanda innocemment ce dernier, qui sentait le feu de ce regard implacable.

—Où est Drizzt ? répéta Catti-Brie d'une voix dangereusement calme. Et pourquoi détiens-tu la panthère ?

Régis secoua la tête et se mit à gémir en prenant un air désespéré, puis il reposa avec emphase la tête sur la table.

Catti-Brie vit clair dans le jeu du petit être, qu'elle connaissait trop bien pour se laisser faire par sa comédie. Elle empoigna quelques mèches brunes et redressa la tête de Régis, puis l'attrapa par sa chemise de nuit de l'autre main. La brusquerie dont elle fit preuve stupéfia le halfelin, ce que remarqua la jeune femme, sans pour autant s'adoucir. Régis vola de sa chaise. Catti-Brie le porta sur trois pas rapides et le plaqua contre le mur.

Son visage renfrogné se détendit un court instant, le temps pour elle de palper de sa main libre le halfelin et de noter qu'il ne portait pas son pendentif orné du rubis magique, un objet dont il ne se séparait jamais. Ce nouveau détail, curieux et assurément anormal, la frappa et lui confirma que quelque chose n'allait pas du tout.

—Il y a forcément ici quelque chose qui cloche ! dit-elle, son air mauvais encore plus intense.

—Catti-Brie ! s'écria Régis en regardant ses pieds velus s'agiter à cinquante centimètres du sol.

—Et tu es au courant ! insista-t-elle.

—Catti-Brie ! gémit encore le halfelin, qui tentait de ramener cette fougueuse jeune femme à la raison.

Elle agrippa la chemise de nuit de Régis des deux mains, l'écarta du mur et l'y plaqua de nouveau, violemment.

—J'ai perdu Wulfgar, dit-elle, la mine sinistre, ce qui rappela à Régis qu'il n'avait peut-être pas affaire à une personne lucide.

Il ne savait que penser. La fille de Bruenor Marteaudeguerre avait toujours été l'élément pondéré du groupe, la calme influence qui maintenait la cohésion générale. L'équilibré Drizzt lui-même s'aidait de Catti-Brie. Mais aujourd'hui…

Régis discernait des promesses de souffrance au fond des yeux furieux de son amie.

Elle l'écarta de la paroi et l'y plaqua encore.

—Tu vas m'dire c'que tu sais ! dit-elle, sans s'énerver.

Le dos du halfelin le faisait souffrir, à présent. Il avait peur, très peur, autant pour Catti-Brie que pour lui-même. Son chagrin l'avait-il portée à ce point de désespoir ? Et pourquoi se trouvait-il soudain ballotté au milieu de cette affaire ? Tout ce que Régis attendait de la vie était un bon lit et un repas encore meilleur.

—Nous devrions aller voir Brue…, commença-t-il.

Catti-Brie l'interrompit d'une gifle en plein visage.

Il porta la main à sa joue cuisante et la sentit enfler, sans ciller et un regard incrédule posé sur la jeune femme.

Cette violente réaction avait manifestement autant surpris les deux amis ; il vit des larmes naître dans les yeux doux de la fille du roi. Elle tremblait et Régis ignorait de quelle façon elle allait réagir.

Il réfléchit un long moment à la situation et en vint à se demander quelle différence quelques jours et cinq semaines pouvaient bien faire.

—Drizzt est reparti chez lui, dit-il doucement, agissant toujours comme l'exigeait l'instant présent.

Il se soucierait plus tard des conséquences.

Catti-Brie parut quelque peu se détendre.

—C'est ici, chez lui, dit-elle. Tu ne penses sûrement pas au Valbise ?

—Menzoberranzan.

Catti-Brie n'aurait pas été davantage blessée par un carreau d'arbalète reçu dans le dos que par ce simple mot. Elle reposa Régis et recula en titubant, avant de s'asseoir sur le bord du lit.

—Il a en réalité laissé la panthère pour toi, expliqua le halfelin. Il tient énormément à vous deux.

Ces mots apaisants ne chassèrent pas l'expression de terreur apparue sur le visage de Catti-Brie. Régis regretta de ne plus posséder son rubis, dont les pouvoirs envoûtants indéniables auraient calmé son amie.

—Ne le dis pas à Bruenor, ajouta-t-il. D'autant que Drizzt n'ira peut-être pas jusque-là. (Il songea qu'une transformation de la vérité serait crédible.) Il a dit qu'il irait voir Alustriel pour essayer de décider où se rendre.

Ce n'était pas tout à fait exact – Drizzt avait seulement précisé qu'il s'arrêterait peut-être à Lunargent afin d'y constater la

35

confirmation de ses craintes –, mais Régis décida que Catti-Brie avait besoin de se voir offrir un peu d'espoir.

—Ne le dis pas à Bruenor, répéta-t-il avec davantage de conviction.

Catti-Brie leva les yeux vers lui avec une expression parmi les plus pitoyables dont Régis ait jamais été témoin.

—Il reviendra, poursuivit-il avant de se précipiter et de s'asseoir à côté d'elle. Tu connais Drizzt. Il reviendra.

C'en était trop pour Catti-Brie. Elle ôta délicatement la main de Régis de son bras et se leva. Elle jeta un nouveau regard à la figurine de la panthère, posée sur la petite table, mais n'eut pas la force de s'en saisir.

Elle sortit sans un bruit de la chambre et revint dans la sienne, où elle s'effondra mollement sur son lit.

⚔ ⚔ ⚔ ⚔ ⚔

Vers midi, Drizzt se reposa dans les ombres fraîches d'une grotte, bien loin de la porte est de Castelmithral. L'air de ce début d'été était chaud et la brise venue des glaciers montagneux ne tempérait que très peu les puissants rayons du soleil planté dans un ciel sans nuages.

Le drow ne dormit ni longtemps ni bien. Son repos fut troublé par des pensées de Wulfgar, de ses amis, ainsi que par des images et souvenirs lointains de cet affreux endroit, Menzoberranzan.

Affreux et splendide, à l'instar des elfes noirs qui l'avaient sculpté.

Il prit son repas à l'entrée de la petite grotte, baigné par la chaleur de cet après-midi lumineux et accompagné par les cris de nombreux animaux. Comme cet endroit était différent de son Outreterre natale ! C'était merveilleux !

Il jeta son biscuit sec dans la poussière et frappa le sol du poing.

Tout aussi merveilleux était le faux espoir qui s'était agité devant ses yeux désespérés. Il n'avait jamais rien cherché d'autre dans la vie qu'échapper aux siens et vivre en paix. Il était alors venu à la surface et, peu après, il avait décidé que cet endroit – où les abeilles

36

bourdonnaient et les oiseaux gazouillaient, où le soleil réchauffait et le clair de lune était somptueux – deviendrait son foyer à la place des éternelles ténèbres des galeries qui couraient loin en dessous.

Drizzt Do'Urden avait choisi la surface, mais qu'avait provoqué ce choix ? Il l'avait conduit à rencontrer de nouveaux et précieux amis qu'il avait, par sa simple présence, piégés du fait de son sinistre héritage. Il avait causé la mort de Wulfgar, sur les ordres de la propre sœur de Drizzt, et à la mise en danger prochaine de Castelmithral.

Cela signifiait que, si ce choix n'était pas le bon, il lui était impossible de rester.

Le drow discipliné se calma rapidement et reprit un peu de nourriture, qu'il força à franchir le nœud de colère coincé dans sa gorge. Tout en reprenant des forces, il réfléchit à son trajet. La route qui s'étendait devant lui le ferait quitter les montagnes et déboucher sur un village nommé Pengallen. Drizzt s'y était récemment rendu mais ne souhaitait pas y retourner.

Il décida finalement de ne pas suivre la route. À quoi le fait de passer par Lunargent lui servirait-il ? Il doutait que Dame Alustriel y soit présente, la saison commerciale battant son plein. Et s'il l'avait trouvée, qu'aurait-elle pu lui dire qu'il ne savait pas déjà ?

Non, Drizzt avait déjà déterminé son but final et n'avait pas besoin d'Alustriel pour le lui confirmer. Il rassembla ses affaires et soupira en songeant à quel point le chemin lui semblait vide sans sa chère panthère. Il se mit en route sous les rayons du soleil, droit vers l'est, quittant ainsi la route qui filait vers le sud-est.

⚔ ⚔ ⚔ ⚔ ⚔

Son estomac ne se plaignait pas que l'heure du petit déjeuner, puis celle du déjeuner, soient passées, tandis qu'elle restait immobile sur son lit, comme prise dans une toile d'araignée de désespoir. Elle avait perdu Wulfgar, quelques jours à peine avant leur mariage, et Drizzt, qu'elle aimait presque autant qu'elle avait aimé le barbare, était lui aussi parti, à présent. Il lui semblait que son monde s'écroulait autour d'elle. Cet édifice fait de pierres s'envolait, tel du sable soufflé par le vent.

37

Catti-Brie avait été une combattante toute sa jeune vie durant. Elle ne se souvenait pas de sa mère et ne conservait que quelques images de son père, tué au cours d'un raid de gobelins à Dix-Cités alors qu'elle n'était encore qu'une enfant. Bruenor Marteaudeguerre l'avait prise sous son aile et élevée comme sa propre fille ; elle avait joui d'une vie heureuse parmi les nains du clan de Bruenor. Cependant, à l'exception de Bruenor, ces nains avaient été des amis et non une famille. Catti-Brie s'en était construit une nouvelle peu à peu : d'abord Bruenor, puis Drizzt, ensuite Régis et enfin Wulfgar.

Wulfgar était désormais mort et Drizzt, retourné sur son territoire maudit, n'avait d'après elle que peu de chances de revenir.

Comme elle se sentait impuissante face à ces événements ! Elle avait vu Wulfgar mourir, elle l'avait vu frapper une voûte à coups de hache pour la faire écrouler sur sa propre tête afin qu'elle puisse échapper aux griffes du monstrueux yochlol. Elle avait tenté de l'aider mais elle avait échoué et, au final, il n'était resté qu'un amas de gravats et *Crocs de l'égide*.

Au cours des semaines qui avaient suivi, elle avait vacillé au bord de la folie, tandis qu'elle essayait en vain de surmonter ce chagrin paralysant. Elle avait souvent pleuré mais était toujours parvenue à se reprendre après les premiers sanglots, grâce à une profonde inspiration et une volonté farouche. Elle n'avait pu parler qu'à Drizzt.

Celui-ci était désormais parti et elle pleurait, une rivière de larmes qui inondaient ses traits faussement délicats. Elle voulait revoir Wulfgar ! Elle répétait aux dieux qui voulaient bien l'écouter qu'il était trop jeune pour lui être enlevé, avec tant d'exploits encore à accomplir.

Ses sanglots se muèrent en un grondement féroce, un refus ferme. Les oreillers volèrent dans la chambre, bientôt suivis par les couvertures, roulées en boule. Elle retourna ensuite le lit, pour le simple plaisir d'entendre son cadre en bois craquer contre le sol dur.

—Non !

Ce cri avait jailli du plus profond d'elle-même, du ventre de la combattante. La perte de Wulfgar n'était pas juste mais elle ne pouvait rien y faire.

Le départ de Drizzt ne l'était pas plus, pas dans son esprit blessé, mais elle ne pouvait rien…

Cette pensée s'attarda. Toujours tremblante, mais ayant désormais repris le contrôle d'elle-même, elle s'assit à côté du lit retourné. Elle comprenait pourquoi le drow était parti en secret, pourquoi Drizzt s'était, comme d'habitude, chargé seul de son fardeau.

— Non, répéta-t-elle.

Elle ôta ses vêtements de nuit, attrapa une couverture pour essuyer la sueur dont elle était couverte, puis enfila un pantalon et une chemise. Elle ne s'attarda pas à réfléchir, craignant de changer d'avis si elle pensait à ses actes de façon trop rationnelle. Elle endossa sans plus attendre une souple cotte de mailles de mithral fin, si délicatement ouvragée par les nains qu'on la remarquait à peine après qu'elle l'eut recouverte de sa tunique sans manches.

Toujours aussi agitée, Catti-Brie chaussa ses bottes, se saisit de sa cape et de ses gants de cuir, puis traversa en coup de vent la pièce vers le placard. Elle y trouva sa ceinture à fourreau, son carquois et *Taulmaril*, le *Cherchecœur*, son arc magique. Elle courut de sa chambre jusqu'à celle du halfelin et ne frappa qu'une fois sur la porte avant de s'y précipiter.

Régis était encore au lit – quelle surprise – l'estomac rempli d'un petit déjeuner qui avait été suivi sans interruption d'un déjeuner. Il était tout de même éveillé, et pas vraiment ravi de voir Catti-Brie se ruer encore sur lui.

Elle le hissa en position assise et il la regarda avec curiosité. Des sillons de larmes parcouraient ses joues et des vaisseaux rouges apparaissaient aux coins de ses magnifiques yeux bleus. Ayant passé la plus grande partie de sa vie en tant que voleur, Régis avait survécu en comprenant les gens, il ne lui fut donc guère difficile de deviner les raisons qui se cachaient derrière l'empressement soudain de son amie.

— Où as-tu mis la panthère ? lui demanda Catti-Brie. (Régis la regarda un long moment, puis elle le secoua brutalement.) Dis-le-moi, vite ! J'ai déjà perdu trop de temps.

— Pour quoi faire ? demanda Régis, même s'il connaissait déjà la réponse.

39

— Donne-la-moi, c'est tout, insista-t-elle.

Quand Régis lorgna sans y prendre garde vers son bureau, Catti-Brie s'y précipita et en fouilla brutalement les tiroirs un par un.

— Drizzt ne va pas apprécier, dit calmement Régis.

— Qu'il aille aux Neuf Enfers, alors! répliqua Catti-Brie.

Elle mit enfin la main sur la figurine et la leva devant elle, émerveillée par ses formes somptueuses.

— Tu penses que Guenhwyvar te guidera jusqu'à lui, lâcha Régis, sur un ton plus affirmatif qu'interrogatif. (Son amie plaça la statuette dans une bourse accrochée à sa ceinture et ne prit pas la peine de lui répondre, puis se dirigea vers la porte.) Imagine que tu le rattrapes. À quoi lui servirais-tu dans une cité drow? Une humaine s'y ferait quelque peu remarquer, tu ne penses pas?

Le sarcasme du halfelin arrêta net Catti-Brie, qui se mit pour la première fois à réfléchir à ce qu'elle avait l'intention de faire. Régis avait raison! Comment pourrait-elle entrer à Menzoberranzan? Et si elle y parvenait, comment pourrait-elle seulement voir le sol devant elle?

— Non! finit-elle par crier, sa logique anéantie par un sentiment d'impuissance grandissant. Je vais le rejoindre, quoi qu'il arrive. Je ne resterai pas à attendre qu'on m'apprenne qu'un autre de mes amis a été tué!

— Fais-lui confiance, supplia Régis, qui commençait à penser qu'il lui serait impossible de retenir l'impétueuse Catti-Brie.

Celle-ci secoua la tête et reprit la direction de la porte.

— Attends! s'écria Régis, ce qui la fit se retourner.

Il se trouvait dans une position délicate. Il lui semblait qu'il était de son devoir de courir prévenir Bruenor, le général Dagna ou n'importe quel nain ou allié connu afin de retenir Catti-Brie, physiquement s'il le fallait. Elle était folle; sa décision de rejoindre Drizzt n'avait aucun sens.

Néanmoins il comprenait son désir et la soutenait de tout son cœur.

— Si c'était moi qu'étais partie et qu'Drizzt avait voulu m'suivre…, commença-t-elle.

Régis acquiesça. Si Catti-Brie, ou n'importe lequel d'entre eux, s'était précipitée vers un danger apparent, Drizzt Do'Urden

40

se serait élancé et aurait combattu sans se soucier de ses chances. Drizzt, Wulfgar, Catti-Brie et Bruenor avaient parcouru plus de la moitié du continent à sa recherche quand Entreri l'avait enlevé. Il avait connu cette jeune femme alors qu'elle n'était qu'une enfant et l'avait toujours énormément estimée, mais il n'en avait jamais été aussi fier qu'en cet instant précis.

—Une présence humaine handicapera Drizzt à Menzoberranzan, dit-il encore.

—J'm'en fiche, répondit Catti-Brie dans un souffle, sans comprendre où Régis voulait en venir.

Régis sauta de son lit et traversa la chambre en un éclair. Catti-Brie se raidit, pensant qu'il allait la plaquer, mais il ne fit que la frôler avant d'ouvrir les tiroirs inférieurs de son bureau.

—Alors ne sois pas humaine, déclara-t-il en lançant le masque magique à la guerrière.

Celle-ci l'attrapa et resta immobile, paralysée par la surprise, tandis que Régis la frôlait de nouveau et regagnait son lit en courant.

Entreri s'était servi du masque pour entrer à Castelmithral. Grâce à sa magie, il s'était si parfaitement déguisé en Régis que les amis du halfelin, Drizzt compris, n'y avaient vu que du feu.

—Drizzt va vraiment passer par Lunargent, dit Régis.

Cette information surprit Catti-Brie, qui pensait que le drow aurait simplement atteint l'Outreterre par les cavités inférieures de Castelmithral. En y réfléchissant, elle songea que Bruenor y avait disposé de nombreux gardes, dont les ordres étaient de garder les portes fermées et verrouillées.

—Une dernière chose, dit Régis, tandis que son amie accrochait le masque à sa ceinture. (Elle se tourna vers le lit et vit le halfelin debout sur le matelas déplacé, une dague incrustée de bijoux dans la main.) Je n'aurai pas besoin de ceci, pas ici, avec Bruenor et ses milliers de nains à mes côtés.

Il tendit l'arme mais Catti-Brie ne s'en empara pas immédiatement.

Elle avait déjà vu cette dague, la dague d'Artémis Entreri. L'assassin l'avait même plaquée sur son cou, ce qui lui avait ôté tout son courage. Elle s'était alors sentie plus impuissante, plus fillette

41

qu'à aucun moment de sa vie. Elle n'était pas certaine de pouvoir prendre cette arme, d'être capable de la porter.

— Entreri est mort, lui assura Régis, qui ne comprenait pas vraiment son hésitation.

Catti-Brie hocha la tête, l'air absent, la tête pleine de souvenirs de l'époque où elle était prisonnière de l'assassin. Elle se remémora l'odeur terreuse de cet homme, qu'elle assimilait à l'arôme du mal absolu. Elle avait été si impuissante… comme lorsque le plafond s'était écroulé sur Wulfgar. Serait-elle de nouveau impuissante, alors que Drizzt avait peut-être besoin d'elle ?

Elle serra la mâchoire et se saisit de la dague, qu'elle empoigna fermement et glissa dans sa ceinture.

— Ne dis rien à Bruenor.

— Il le saura. J'aurais peut-être réussi à détourner sa curiosité à propos du départ de Drizzt – Drizzt s'en va souvent – mais il remarquera vite que tu n'es plus là.

Catti-Brie n'avait rien à répondre à cela mais, une fois de plus, elle ne s'en souciait guère. Elle devait rejoindre Drizzt. Telle était sa quête, sa façon de reprendre le contrôle d'une vie bouleversée en si peu de temps.

Elle se précipita vers le lit et étreignit Régis avec force, avant de l'embrasser vigoureusement sur la joue.

— Au revoir, mon ami ! s'exclama-t-elle en le relâchant sur le matelas. Au revoir !

Puis elle disparut. Régis resta là, le menton calé dans ses mains potelées. Tant de choses avaient changé au cours de ces dernières heures. D'abord Drizzt, et désormais Catti-Brie. Wulfgar n'étant plus parmi eux, il ne restait à Castelmithral des cinq compagnons que Régis et Bruenor.

Bruenor ! Régis roula sur le côté et poussa un gémissement, puis s'enfouit le visage dans les mains en songeant au puissant nain. Si Bruenor apprenait un jour qu'il avait aidé Catti-Brie à suivre sa dangereuse idée, il le mettrait en pièces.

Régis n'arrivait pas à imaginer comment l'apprendre au roi nain. Il se prit soudain à regretter sa décision et se sentit stupide d'avoir laissé ses émotions, sa sympathie, entraver ses capacités de jugement. Il comprenait le besoin de Catti-Brie et estimait qu'elle avait raison de se lancer à la poursuite de Drizzt, si c'était ce qu'elle désirait – c'était une adulte, après tout, et une guerrière accomplie – mais Bruenor ne le comprendrait pas.

Le halfelin prit soudain conscience que Drizzt ne l'accepterait pas davantage, ce qui le fit gémir de nouveau. Il n'avait pas tenu la promesse faite au drow, il avait révélé le secret dès le premier jour ! Et sa faute avait précipité Catti-Brie vers le danger.

—Drizzt va me tuer ! pleurnicha-t-il.

La tête de Catti-Brie réapparut dans le cadre de la porte, avec un sourire épanoui et vivant comme Régis ne lui en avait pas vu depuis très, très longtemps. Il eut alors la sensation de revoir l'amie pleine d'entrain que lui et les autres avaient fini par aimer, la jeune femme énergique qui avait disparu quand la voûte s'était effondrée sur Wulfgar. Le rouge s'était même envolé de ses yeux, désormais remplacé par un éclat joyeux.

—J'espère bien qu'y reviendra t'tuer ! le taquina-t-elle, avant de lui envoyer un baiser et disparaître.

—Attends ! s'écria Régis, sans conviction.

Il était en réalité soulagé que Catti-Brie ne se soit pas arrêtée. Il lui semblait toujours avoir agi de façon irrationnelle, voire stupide, et n'avait pas perdu de vue qu'il lui faudrait rendre des comptes à Bruenor comme à Drizzt. Néanmoins, ce dernier sourire de son amie, qui avait de toute évidence retrouvé l'étincelle de sa vie, avait mis fin au débat.

3

LE BLUFF DE BAENRE

Le mercenaire approcha en silence de l'extrémité ouest du domaine Baenre, se glissant d'ombre en ombre pour atteindre la clôture en toile d'araignée argentée qui entourait l'endroit. Comme tous ceux qui se présentaient à la Maison Baenre, qui comprenait vingt immenses stalagmites creuses et trente stalactites décorées, Jarlaxle fut de nouveau impressionné. Selon les standards de l'Outreterre, où l'espace était un luxe, cet endroit était vaste, long de près de huit cents mètres et large de la moitié.

Tout était merveilleux dans les structures de la Maison Baenre. Pas un détail n'avait été négligé ; des esclaves sculptaient sans cesse de nouveaux motifs sur les quelques zones qui n'en étaient pas encore pourvues. Les touches magiques, l'œuvre de Gromph, fils aîné de Matrone Baenre et Archimage de Menzoberranzan, n'étaient pas moins spectaculaires, des lueurs féeriques violettes et bleues éclairant les piliers de façon à inspirer crainte et respect.

La clôture de l'enceinte, haute de six mètres mais qui semblait minuscule en regard des gigantesques stalagmites, figurait parmi les plus merveilleuses créations de Menzoberranzan. Certains prétendaient qu'il s'agissait d'un présent de Lolth, même si aucun résident de la cité, peut-être à l'exception de la vieille Matrone Baenre, ne s'y trouvait depuis suffisamment longtemps pour avoir été témoin de sa construction. Cette barrière était constituée de fibres aussi solides que du fer, épaisses comme un bras drow et enchantées de façon à agripper et retenir tout intrus plus efficacement qu'une toile

45

d'araignée. Les armes drows les plus acérées, incontestablement les lames les plus finement aiguisées de Toril, étaient incapables d'altérer les brins de la clôture des Baenre. Une fois pris, aucun monstre, quelle que soit sa force, aucun géant ni même aucun dragon ne pouvait espérer s'en libérer.

En temps normal, ceux qui rendaient visite à la Maison Baenre se dirigeaient vers l'une des portes symétriques disposées autour de l'enceinte. Une sentinelle y prononçait le mot de passe du jour et les fibres s'écartaient pour créer un trou.

Jarlaxle n'était pas un visiteur comme les autres. Matrone Baenre lui ayant ordonné de garder secrètes ses allées et venues en ce lieu, il attendait dans l'ombre, parfaitement caché, tandis que quelques soldats poursuivaient leur patrouille d'un pas tranquille. Il remarqua que ces derniers n'étaient pas particulièrement sur le qui-vive. Pourquoi l'auraient-ils été, avec les forces Baenre pour les soutenir ? Cette Maison comportait au moins deux mille cinq cents soldats compétents et solidement armés et pouvait se vanter de compter seize hautes prêtresses dans ses rangs. Aucune autre Maison de la cité – ni aucune association de cinq d'entre elles – ne représentait une telle force.

Le mercenaire jeta un coup d'œil à la colonne de Narbondel pour déterminer combien de temps il devrait encore patienter. Il s'était à peine retourné vers le domaine des Baenre quand une corne résonna, claire et puissante, suivie d'une autre.

Un chant, une mélodie murmurée, s'éleva de l'intérieur de l'enceinte. Quatre soldats se précipitèrent à leurs postes et se mirent au garde-à-vous, armes solennellement présentées devant eux. Ce spectacle était caractéristique de l'honneur de Menzoberranzan, ces exercices précis et disciplinés ridiculisaient les allégations ennemies selon lesquelles les elfes noirs étaient trop indisciplinés pour s'unir pour une cause ou se défendre ensemble. Les mercenaires non drows, en particulier les nains gris, payaient souvent des sommes importantes en or et gemmes pour seulement assister au spectacle de la relève de la garde de la Maison Baenre.

Des filets de lumières orange, rouge, verte, bleue et violette s'élevèrent sur les stalagmites et en rejoignirent d'autres, similaires, partis d'en haut, des dents déchiquetées que formaient les stalactites du territoire des Baenre. Cet effet était généré par des emblèmes enchantés de la Maison, tandis que des elfes noirs montaient des lézards souterrains capables d'évoluer au sol, sur les murs et même au plafond.

La musique se poursuivait. Les filets étincelants formaient sur plusieurs hauteurs de multiples motifs brillants, dont beaucoup reprenaient des silhouettes d'arachnides. Cet événement se déroulait deux fois par jour, chaque jour, et tout drow suffisamment proche pour l'apercevoir s'arrêtait et le contemplait systématiquement. La relève de la garde de la Maison Baenre était à Menzoberranzan un symbole de l'incroyable pouvoir de cette famille, ainsi que de la loyauté éternelle de la cité envers Lolth, la Reine Araignée.

Comme le lui avait ordonné Matrone Baenre, Jarlaxle se servit de ce spectacle comme d'une diversion. Il se glissa jusqu'à la clôture, ôta son chapeau, qui resta accroché dans son dos, et se couvrit le visage d'un masque de velours noir pourvu de huit pattes d'araignée. Après un rapide coup d'œil, le mercenaire se mit à escalader, une main après l'autre, les épais brins comme s'ils étaient en fer ordinaire. Aucun sort magique n'aurait pu reproduire cet effet, aucun sort de lévitation, de téléportation, ou de toute autre forme de déplacement magique, n'aurait pu conduire quiconque de l'autre côté de la barrière. Seul le rare et précieux masque en forme d'araignée, emprunté à Gromph Baenre par Jarlaxle, était capable de faire entrer aussi facilement quelqu'un dans l'enceinte bien gardée.

Jarlaxle passa une jambe par-dessus la barrière puis se glissa de l'autre côté, avant de soudain se figer, ayant aperçu un éclair orangé sur sa droite. Ce serait une catastrophe s'il se faisait prendre. Le garde ne lui poserait sans doute aucun problème – tout le monde sur ce domaine connaissait bien le mercenaire – mais Matrone Baenre lui arracherait certainement la peau si elle apprenait qu'il avait été découvert.

La lueur s'éteignit presque aussitôt et, alors que les yeux de Jarlaxle s'adaptaient à la lumière changeante, il aperçut un jeune drow avenant aux cheveux proprement coupés ras, monté sur un imposant lézard dressé et une lance marbrée de trois mètres de long en main. Une lance de mort, il le savait. Enchantée à basse température, sa pointe avide et acérée révélait son froid fatal à ses yeux sensibles à la chaleur.

—Salut à toi, Berg'inyon Baenre, émit-il en se servant du langage des signes des drows.

Berg'inyon était le plus jeune fils de Matrone Baenre, chef des soldats montés du clan Baenre, ni ennemi ni inconnu pour le leader mercenaire.

—À toi également, Jarlaxle, lui répondit Berg'inyon. Ponctuel, comme toujours.

—Comme l'exige ta mère, rappela Jarlaxle.

Berg'inyon sourit et fit signe au nouveau venu de poursuivre son chemin, puis il éperonna sa monture et gravit en galopant une stalagmite pour rejoindre sa patrouille, qui évoluait sur la voûte.

Jarlaxle appréciait le plus jeune drow Baenre, avec qui il avait passé beaucoup de temps récemment afin d'en apprendre davantage sur Drizzt Do'Urden. En effet, Berg'inyon avait autrefois été un camarade de classe du drow rebelle, à Melee-Magthere, et s'était souvent entraîné avec le drow aux cimeterres. Les assauts de Berg'inyon étaient fluides et presque parfaits, aussi, le fait de savoir que Drizzt avait vaincu le jeune Baenre ne faisait qu'accentuer le respect qu'éprouvait Jarlaxle pour le renégat.

Il regrettait presque la disparition prochaine de Drizzt Do'Urden.

Une fois la clôture franchie, il rangea le masque à l'aspect d'araignée dans une poche et poursuivit d'un pas nonchalant sa route à l'intérieur du domaine, son chapeau révélateur toujours dans le dos et sa cape serrée sur les épaules, dissimulant ainsi sa tunique sans manches. Il lui était néanmoins impossible de cacher son crâne chauve, une caractéristique inhabituelle, et il devina que plus d'un garde Baenre le reconnut quand il approcha tranquillement de la concrétion la plus massive de la Maison, l'immense stalagmite déco-rée où vivaient les nobles de la famille Baenre.

Ces soldats ne firent pas attention à lui, ou tout du moins ils n'en donnèrent pas l'impression, comme ils en avaient sans doute reçu l'ordre. Cela fit presque rire le mercenaire ; tant de complications auraient pu être évitées en passant simplement par une entrée plus commune. Tout le monde, Triel comprise, savait parfaitement qu'il se trouvait là. Tout se résumait à un jeu de semblants et d'intrigues, duquel Matrone Baenre était la maîtresse.

—*Z'ress!* cria le mercenaire.

Il s'agissait de l'équivalent drow de « force », qui était le mot de passe pour ce monticule. Il poussa la porte de pierre, qui se rétracta immédiatement par le sommet de son montant.

Il salua ensuite d'un geste les gardes invisibles – probablement des esclaves minotaures géants, comme les affectionnait Matrone Baenre – en s'engageant dans l'étroit couloir et passa entre plusieurs fentes où étaient à coup sûr apprêtées plusieurs lances de mort.

L'intérieur de la stalagmite était éclairé, ce qui contraignit Jarlaxle à marquer une pause afin de permettre à ses yeux de se réhabituer au spectre de la lumière visible. Des dizaines de femmes drows allaient et venaient, leurs uniformes Baenre argent et noir épousant de près leurs silhouettes séduisantes. Les yeux se tournèrent tous vers le nouvel arrivant – le chef de Bregan D'aerthe était considéré comme très attirant à Menzoberranzan – et Jarlaxle dut réprimer un rire devant l'air lubrique avec lequel ces femmes drows le dévoraient du regard. Certains elfes noirs s'indignaient de tels comportements mais, de son point de vue, l'évident désir de la gent féminine drow lui conférait davantage de pouvoir.

Il approcha de l'épais pilier noir situé au centre de la pièce circulaire, puis il passa la main sur le marbre lisse et localisa le point de pression qui ouvrait une section de la paroi courbée.

Jarlaxle y trouva Dantrag Baenre, le maître d'armes de la Maison, négligemment adossé contre l'intérieur du mur, et devina aussitôt que le combattant l'attendait. À l'image de son plus jeune frère, Dantrag était séduisant, grand – plus près d'un mètre quatre-vingts que d'un mètre cinquante – et svelte, les muscles parfaitement dessinés. Ses yeux étaient d'une couleur ambre inhabituelle, même s'ils viraient au rouge quand il était gagné par l'excitation, tandis que ses cheveux blancs étaient rassemblés en une queue-de-cheval.

En tant que maître d'armes de la Maison Baenre, Dantrag était mieux équipé pour le combat que tous les autres drows de la cité. Sa cape noire et brillante en cotte de mailles scintilla quand il se retourna, si parfaitement ajustée à son corps qu'elle paraissait être une seconde peau. Il portait à sa ceinture deux épées, dont une seule, curieusement, était de facture drow, parmi les plus admirables que Jarlaxle connaissait. L'autre, que l'on disait prise à un habitant de la surface, était réputée posséder sa propre volonté de tuer et pouvait trancher des pierres sans s'émousser le moins du monde.

L'effronté combattant leva un bras pour saluer le mercenaire, exhibant ainsi ostensiblement l'un de ses bracelets de force magiques, constitués de plusieurs lanières serrées d'un matériau noir et sur lesquels étaient disposés des anneaux de mithral étincelants. Dantrag n'avait jamais révélé l'utilité de ces ornements mais certains les soupçonnaient de lui faire bénéficier d'une protection magique. Jarlaxle avait eu l'occasion d'observer Dantrag en train de se battre et trouvait cette idée cohérente, de tels bracelets défensifs n'ayant rien d'extraordinaire. Le mercenaire était davantage stupéfait par le fait qu'au combat Dantrag frappait son adversaire le premier nettement plus souvent que l'inverse.

Jarlaxle n'était toutefois pas certain de ses soupçons, Dantrag Baenre restant, même sans ses bracelets ou autres artifices magiques, l'un des meilleurs combattants de Menzoberranzan. Son rival principal avait été Zaknafein Do'Urden, père et mentor de Drizzt, mais Zaknafein était mort à présent, sacrifié à cause d'actes blasphématoires envers la Reine Araignée. Cela ne laissait qu'Uthegental, l'immense et puissant maître d'armes de la Maison Barrison Del'Armgo, la Deuxième Maison de la cité, comme rival à la hauteur du dangereux Dantrag. Connaissant l'orgueil de ces deux drows, Jarlaxle pensait qu'ils s'affronteraient un jour en secret pour un combat à mort, uniquement pour déterminer qui était le meilleur.

Une telle éventualité intriguait le mercenaire, qui ne comprenait pas un orgueil si destructeur. Nombreux étaient eux qui, l'ayant déjà vu se battre, auraient affirmé qu'il valait bien ces deux guerriers, mais Jarlaxle ne se lancerait jamais dans ce genre de défi. Il était à ses yeux stupide de se battre pour son orgueil, notamment quand de telles armes et talents redoutables pouvaient servir à dénicher des trésors plus importants. *Comme ces bracelets, peut-être ?* songea-t-il. Permettraient-ils à Dantrag de piller le cadavre d'Uthegental ?

Avec la magie, tout était possible. Jarlaxle esquissa un sourire sans cesser d'observer Dantrag ; il adorait la magie exotique et il ne se trouvait en Outreterre nulle collection d'objets magiques plus complète que celle de la Maison Baenre.

Comme ce cylindre dans lequel il était entré et qui semblait banal ; une cavité circulaire dotée d'un trou dans son plafond, à la gauche de Jarlaxle, ainsi que d'un autre au sol, sur sa droite.

Il adressa un hochement de tête à Dantrag, qui, d'un signe de la main, lui indiqua de se porter sur sa gauche. Jarlaxle se dirigea donc vers le trou et fut enveloppé par des étincelles de magie, qui l'élevèrent peu à peu dans les airs, jusqu'au premier étage du monticule géant. Il traversa aussitôt la pièce, d'aspect identique au rez-de-chaussée, vers un autre trou qui le conduirait au deuxième étage.

Dantrag apparut à son tour tandis que Jarlaxle s'élevait déjà vers le deuxième. Le maître d'armes s'approcha en un clin d'œil et retint par le bras le mercenaire, qui s'apprêtait à ouvrir la porte d'accès au deuxième étage. Dantrag désigna de la tête un autre trou, celui qui menait directement au troisième étage et à la salle du trône privée de Matrone Baenre.

Le troisième étage ? songea Jarlaxle en suivant le guerrier, avant de s'élever de nouveau. *La salle du trône privée de Matrone Baenre ?* En temps normal, la Première Mère Matrone recevait au deuxième étage.

— Un invité est déjà présent aux côtés de Matrone Baenre, expliqua Dantrag en langage gestuel quand la tête de Jarlaxle émergea.

Ce dernier acquiesça et s'écarta afin de laisser Dantrag ouvrir la marche mais celui-ci n'actionna pas la porte ; il sortit d'une poche une poudre argentée brillante. Avec un clin d'œil au mercenaire, il en jeta une poignée sur la paroi du fond. Quelques étincelles se produisirent et la poudre forma une toile d'araignée, qui s'étira ensuite vers l'extérieur, à l'image des portes Baenre, faisant ainsi apparaître une ouverture.

— Après toi, émit Dantrag, en langage des signes.

Jarlaxle observa le combattant sournois et tenta de repérer une éventuelle traîtrise. Cette porte, de toute évidence extra-dimensionnelle, allait-elle le propulser sur quelque infernal autre plan d'existence ?

51

Dantrag était un adversaire froid, dont les traits, magnifiques et ciselés, les pommettes hautes, ne révélèrent rien au regard scrutateur, généralement efficace, de Jarlaxle. Celui-ci s'engagea malgré tout dans l'ouverture, estimant que Dantrag était trop fier pour le piéger ainsi. S'il avait voulu se débarrasser de lui, il se serait servi de ses armes et non d'une ruse de sorcier.

Le fils Baenre rejoignit le mercenaire dans un espace extra-dimensionnel restreint voisin de la salle du trône de Matrone Baenre. Il conduisit ensuite son invité le long d'un léger filament argenté, jusqu'au fond de la petite pièce, où se trouvait une autre ouverture.

Là, juchée sur un immense trône de saphir, se tenait la vieille Matrone Baenre, le visage rayé de milliers de traits, comme des fils de toiles d'araignée. Jarlaxle contempla un long moment le trône avant de lever les yeux sur la Mère Matrone, et se passa la langue sur les lèvres sans y prendre garde. Près de lui, Dantrag gloussa quand il comprit le désir du mercenaire. Au bout de chaque accoudoir du trône était disposé un immense diamant d'au moins trente carats.

Le trône lui-même était sculpté dans le plus pur saphir noir, véritable puits étincelant qui invitait à s'y plonger, parmi les formes qui se tortillaient à l'intérieur de cette noirceur. Certaines rumeurs prétendaient qu'il s'agissait des âmes torturées de ceux qui n'étaient pas restés fidèles à Lolth et qui, en retour, avaient été changés en hideux driders et résidaient désormais dans une dimension d'un noir d'encre emprisonnée dans le fabuleux trône de Matrone Baenre.

Ce détail calma Jarlaxle ; s'il pouvait y penser, jamais il ne se montrerait idiot au point d'essayer de dérober l'un de ces diamants ! Il regarda ensuite Matrone Baenre, derrière laquelle deux scribes discrets prenaient activement des notes. À gauche de la Première Mère Matrone se trouvait Bladen'Kerst, la fille la plus âgée encore dans la Maison, la troisième de la fratrie derrière Triel et Gromph. Jarlaxle l'aimait encore moins que Triel car elle était sadique à l'extrême. Il avait en plusieurs occasions cru être contraint de la tuer pour se défendre. Cela aurait engendré une situation compliquée, même s'il soupçonnait Matrone Baenre de souhaiter en secret la mort de l'odieuse Bladen'Kerst. La puissante Mère Matrone elle-même ne pouvait pas contrôler cette drow.

À la droite de Matrone Baenre se tenait un autre personnage haï par Jarlaxle; l'illithid Methil El-Viddenvelp, le conseiller à tête de pieuvre de Matrone Baenre. Il était, comme toujours, vêtu de sa robe rouge assez quelconque, dont les manches étaient suffisamment longues pour lui permettre de dissimuler ses maigres mains à trois griffes. Jarlaxle aurait aimé que cet être immonde porte également un masque et une capuche. Cette tête surdimensionnée et violacée, d'où partaient quatre tentacules, à la place de la bouche, ainsi que ces yeux, d'un blanc laiteux et dépourvus de pupilles, figuraient parmi les choses les plus écœurantes que le mercenaire ait jamais vues. En temps normal, si un profit pouvait en découler, il savait passer outre à l'apparence d'un être mais il préférait limiter au minimum ses contacts avec les affreux, mystérieux et surtout mortels illithids.

La plupart des drows entretenant des sentiments similaires envers ces créatures, Jarlaxle fut momentanément étonné de constater que Matrone Baenre avait ainsi mis en avant El-Viddenvelp, puis il en comprit la raison quand son regard se porta sur la drow qui faisait face à la Matrone.

Elle était maigre et petite, encore moins grande que Triel, et semblait plus faible. Sa robe noire n'avait rien d'extraordinaire et elle ne portait aucun autre ornement, ce qui ne correspondait en aucun cas à la tenue d'une Mère Matrone. Cette drow, K'yorl Odran, en était pourtant une et dirigeait les Oblodra, qui formaient la Troisième Maison de Menzoberranzan.

— K'yorl? signa Jarlaxle, dont le visage trahissait l'incrédulité, en s'adressant à Dantrag.

K'yorl figurait parmi les dirigeantes les plus méprisées de Menzoberranzan. À titre personnel, Matrone Baenre la haïssait et avait à de nombreuses reprises déclaré que la cité se porterait mieux sans la pénible Odran. La seule chose qui avait empêché la Maison Baenre de détruire les Oblodra était le fait que les membres féminins de la Troisième Maison possédaient de mystérieux pouvoirs mentaux. Si quelqu'un pouvait comprendre les motivations et les pensées secrètes de l'énigmatique et dangereuse K'yorl, c'était bien El-Viddenvelp, l'illithid.

53

— Trois cents, dit K'yorl.

Matrone Baenre se carra dans son trône, un air revêche sur le visage.

— Dérisoire, répondit-elle.

— C'est la moitié de mon effectif esclave, précisa K'yorl, avec son habituel rictus, signe que la drow, pas si rusée que cela, mentait.

Matrone Baenre gloussa, avant de s'interrompre brutalement. Elle s'avança sur son siège, ses mains fines reposant sur les fabuleux diamants et sans abandonner son air renfrogné, puis ses yeux couleur rubis se plissèrent jusqu'à se réduire à deux fentes. Elle marmonna quelques mots à mi-voix et leva la main. La somptueuse gemme, ainsi découverte, se mit à luire d'une vie intérieure et lança un rayon de lumière violette concentrée, qui frappa le drow qui accompagnait K'yorl. Cet être, plutôt ordinaire, fut englouti sous une pluie crépitante d'énergie pourpre. Il se mit à hurler et leva les mains pour lutter contre les vagues dévorantes.

Matrone Baenre leva l'autre main et un second rayon se joignit au premier. Le drow n'était désormais plus qu'une silhouette violette.

Jarlaxle vit K'yorl froncer les sourcils et fermer les yeux. Elle les rouvrit presque aussitôt et dévisagea El-Viddenvelp, stupéfaite. Le mercenaire était suffisamment expérimenté pour deviner que, en cette fraction de seconde, un combat mental s'était déroulé et avait apparemment été remporté par le flagelleur mental, ce qui ne l'étonna pas.

Le malheureux drow Oblodra, qui n'était alors déjà plus qu'une ombre, s'effaça encore et finit par disparaître. Il n'existait plus.

K'yorl Odran lâcha un grondement féroce, manifestement sur le point d'exploser, mais Matrone Baenre, plus implacable que n'importe quel drow, ne recula pas.

De façon inattendue, K'yorl afficha de nouveau son large sourire.

— Ce n'était qu'un mâle, lâcha-t-elle sur un ton léger.

— K'yorl! gronda Baenre. Cette mission est sanctifiée par Lolth, tu vas coopérer!

—Des menaces? rétorqua K'yorl.

Matrone Baenre se leva, avança de quelques pas et leva la main à hauteur de la joue de la drow déterminée, qui, bien que calme, ne put s'empêcher de tressaillir. Matrone Baenre portait sur cette main une énorme bague en or, dont les quatre anneaux coupés évoquaient les huit pattes d'une araignée et dont le saphir bleu-noir géant étincelait. K'yorl savait que ce bijou contenait une *velsharess orbb* vivante, une reine araignée, une cousine nettement plus dangereuse de la veuve noire de la surface.

—Tu dois en saisir l'importance, murmura Matrone Baenre.

Jarlaxle fut abasourdi – et il remarqua que Dantrag porta aussitôt la main à la poignée de son épée, comme s'il avait l'intention de bondir de la bulle de vision extradimensionnelle pour y tuer l'effrontée Oblodra – de voir K'yorl repousser d'une claque la main de Matrone Baenre.

—Les Barrison Del'Armgo sont d'accord, dit cette dernière, sans perdre son calme, une main levée pour empêcher sa dangereuse fille et son conseiller illithid d'intervenir.

K'yorl sourit, ce qui était un bluff grossier, la Mère Matrone de la Troisième Maison ne pouvant pas rester insensible au fait de voir les deux premières alliées sur une mission qu'elle souhaitait éviter.

—Tout comme les Faen Tlabbar, ajouta sournoisement Matrone Baenre.

Cette Maison était la quatrième de la cité et représentait le rival le plus détesté des Oblodra. Les paroles de Matrone Baenre constituaient une évidente menace, car avec les deux Premières Maisons, les Baenre et les Barrison Del'Armgo à leurs côtés, les Faen Tlabbar ne tarderaient pas à écraser les Oblodra et à s'emparer de la troisième position dans la hiérarchie de la cité.

Matrone Baenre se rassit sur son trône de saphir, sans jamais quitter K'yorl du regard.

—Je n'ai pas beaucoup de drows, dit K'yorl.

C'était la première fois que Jarlaxle entendait cette arriviste Oblodra s'exprimer de façon humble.

—Non, mais tu possèdes de nombreux kobolds consommables! répliqua Matrone Baenre. Et n'essaie pas de nous faire croire que

55

tu n'en as que six cents. Les tunnels de Griffe-Gorge situés sous la Maison Oblodra sont interminables.

—Je vous en donnerai trois mille, répondit K'yorl, apparemment décidée à marchander.

—Dix fois plus! (K'yorl ne réagit pas et se contenta de redresser la tête et de considérer la Première Mère Matrone, qui entra à son tour dans la négociation:) Je ne tolérerai pas moins de vingt mille. Les défenses du bastion nain seront solides et nous aurons besoin de beaucoup de soldats sacrifiables pour y entrer.

—C'est un prix exorbitant.

—Vingt mille kobolds ne valent pas une vie drow, rappela Baenre. (Elle ajouta, juste pour l'effet:) Aux yeux de Lolth…

K'yorl commença à répondre avec véhémence mais elle fut aussitôt interrompue par Matrone Baenre, qui se mit à crier, son cou élancé paraissant encore plus fin tant sa mâchoire était contractée et tendue vers l'avant:

—Épargne-moi tes menaces! Pour Lolth, ce problème dépasse les rivalités entre Maisons drows et je te promets, K'yorl, que l'insoumission de la Maison Oblodra contribuera à l'ascension des Faen Tlabbar!

Jarlaxle, les yeux écarquillés de surprise, se tourna vers Dantrag, qui n'eut aucune explication à lui apporter. Le mercenaire n'avait encore jamais entendu ou entendu parler d'une menace si ouverte d'une Maison contre une autre. K'yorl ne se permit cette fois ni sourire ni réplique spirituelle. Alors qu'il observait cette drow, qui luttait en silence pour conserver son calme, Jarlaxle entrevit des germes d'anarchie. K'yorl et la Maison Oblodra n'oublieraient pas de sitôt la menace de Matrone Baenre et, au vu de l'arrogance de celle-ci, d'autres Maisons devaient sans aucun doute entretenir un ressentiment similaire. Il hocha la tête en songeant à son entrevue avec la redoutable Triel, qui hériterait vraisemblablement de cette situation explosive.

—Vingt mille, si l'on parvient à regrouper autant de ces petits rats agaçants, concéda K'yorl, qui avait retrouvé son calme.

La Mère Matrone de la Maison Oblodra fut alors congédiée. Quand elle pénétra dans le cylindre de marbre, Dantrag tira sur un filament de toile d'araignée et s'éleva, depuis la bulle extra-dimensionnelle, jusqu'à la salle du trône.

Jarlaxle lui emboîta le pas et avança d'un pas léger jusqu'à faire face au trône, devant lequel il s'inclina profondément. La plume de diatryma plantée dans son chapeau balaya le sol dans la manœuvre.

— Superbe performance, félicita-t-il Matrone Baenre. Je suis ravi d'avoir été autorisé à assister à…

— La ferme, l'interrompit agressivement Matrone Baenre, adossée dans son fauteuil. (Sans cesser de sourire, le mercenaire se redressa.) K'yorl est une dangereuse nuisance. Je n'en demanderai pas beaucoup à ses drows, même si leurs étranges pouvoirs mentaux pourraient s'avérer utiles pour briser la volonté de nains résistants. Nous n'attendons d'eux que les kobolds. Puisque cette vermine se reproduit comme des rats, leur sacrifice ne sera pas une grande perte.

— Et après la victoire ? osa demander Jarlaxle.

— Ce sera à K'yorl d'en décider.

D'un geste, Matrone Baenre enjoignit aux autres, scribes compris, de quitter la pièce. Il fut alors clair pour tous qu'elle avait l'intention de confier à la bande de Jarlaxle une mission d'espionnage – au minimum – sur la Maison Oblodra.

Tous quittèrent les lieux sans protester, à l'exception de la maléfique Bladen'Kerst, qui marqua un temps d'arrêt pour jeter un regard haineux au mercenaire. Elle haïssait Jarlaxle autant que les autres drows masculins, qu'elle ne considérait que comme des mannequins d'entraînement sur lesquels affiner ses techniques de torture.

Jarlaxle fit passer son cache d'un œil à l'autre et lui adressa au passage un clin d'œil lubrique.

Bladen'Kerst se tourna immédiatement vers sa mère, comme pour demander la permission de frapper cet impertinent et stupide mâle, mais Matrone Baenre la repoussa d'un geste.

— Vous souhaitez que Bregan D'aerthe surveille de près la Maison Oblodra, dit Jarlaxle dès qu'il se retrouva seul avec Baenre. Ce n'est pas une tâche facile…

57

—Non, l'interrompit Matrone Baenre. Il serait impossible, même pour Bregan D'aerthe, d'espionner aisément cette Maison mystérieuse.

Le mercenaire fut ravi d'entendre la drow soulever ce détail à sa place. Il réfléchit à la conséquence inattendue de ces paroles, puis fit un grand sourire et s'inclina bas quand il comprit la manœuvre de Matrone Baenre. Celle-ci voulait que les autres, et en particulier El-Viddenvelp, l'imaginent en train de charger Bregan D'aerthe d'espionner la Maison Oblodra. Elle contraignait ainsi K'yorl à chercher des fantômes qui n'existaient pas.

—Je me fiche de K'yorl, mis à part mon besoin d'esclaves, poursuivit Matrone Baenre. Si elle n'obéit pas aux ordres qu'elle a reçus sur ce problème, la Maison Oblodra sera alors lâchée dans Griffe-Gorge et oubliée.

Ce ton terre à terre, qui dénotait l'assurance de la Mère Matrone, impressionna le mercenaire.

—Les Deuxième et Troisième Maisons rangées à vos côtés, quel choix reste-t-il à K'yorl? demanda-t-il.

Matrone Baenre médita cette question, comme si Jarlaxle lui avait rappelé un détail. Elle finit par ne plus y penser et enchaîna sans plus attendre:

—Nous n'avons pas le temps de parler de votre entrevue avec Triel, dit-elle, ce qui fit davantage qu'étonner Jarlaxle, pour qui cela était la raison principale de sa venue à la Maison Baenre. Je veux que vous commenciez à établir notre route vers le domaine des nains. J'aurai besoin de cartes des chemins prévus, ainsi que de descriptions détaillées des différentes approches finales possibles de Castelmithral, de façon que Dantrag et ses généraux puissent prévoir au mieux l'offensive.

Jarlaxle acquiesça, peu désireux de discuter les instructions de la Mère Matrone au caractère épouvantable.

—Nous pourrions envoyer des espions plus loin dans le complexe nain, commença-t-il avant, une fois de plus, d'être interrompu par l'impatiente Baenre.

—Inutile, dit-elle simplement.

—Notre dernière expédition n'est pas entrée dans Castelmithral, rappela-t-il après avoir dévisagé la drow, surpris.

Matrone Baenre retroussa les lèvres en un sourire parfaitement maléfique, un rictus immonde qui rendit Jarlaxle impatient d'apprendre la révélation qui allait suivre. Lentement, la Mère Matrone sortit de sa robe extraordinaire une chaîne au bout de laquelle pendait une bague, d'un blanc osseux et apparemment sculptée dans une grosse dent.

—Connaissez-vous ceci ? demanda-t-elle en brandissant l'objet.

—On dit qu'il s'agit de la dent d'un roi nain, dont l'âme torturée est piégée dans la bague.

—Un roi nain, répéta Matrone Baenre. Or il n'existe pas tant de royaumes nains que cela, voyez-vous.

Le mercenaire fronça les sourcils, puis son visage s'éclaira.

—Castelmithral ?

La vieille drow hocha la tête.

—Le destin m'a fait profiter d'une merveilleuse coïncidence. Dans cette bague se trouve l'âme de Gandalug Marteaudeguerre, premier roi de Castelmithral, saint patron du clan Marteaudeguerre.

Jarlaxle se mit à songer à toute allure aux possibilités offertes. Il n'était dans ce cas guère étonnant que Lolth ait ordonné à Vierna de se lancer à la recherche de son frère rebelle ! Drizzt n'était qu'un lien avec la surface, qu'un pion sur un immense échiquier de conquête.

—Gandalug me parle, expliqua Matrone Baenre, d'une voix ravie qui tenait presque d'un ronronnement. Il se souvient des chemins qui mènent à Castelmithral.

Sos'Umptu Baenre fit alors son entrée, n'accordant aucune attention à Jarlaxle, qu'elle frôla pour se présenter devant sa mère. Contrairement à ce qu'imaginait le mercenaire, la Mère Matrone ne reprocha pas à sa fille cette intrusion. Elle se tourna vers elle et lui adressa un regard teinté de curiosité avant de l'autoriser à s'exprimer.

—Matrone Mez'Barris Armgo s'impatiente, déclara Sos'Umptu.

Jarlaxle comprit que la nouvelle venue sous-entendait que cette personne se trouvait dans la chapelle, puisque Sos'Umptu était responsable de la merveilleuse chapelle Baenre, qu'elle ne quittait que rarement. Il prit le temps de réfléchir à cette information. Mez'Barris était la Mère Matrone de la Maison Barrison Del'Armgo, Deuxième Maison de la cité. Pourquoi se trouvait-elle sur le domaine Baenre si, comme l'avait prétendu Matrone Baenre, les Barrison Del'Armgo avaient déjà donné leur aval à l'expédition ?

Pourquoi donc ?

— Peut-être auriez-vous dû d'abord rencontrer Matrone Mez'Barris, souligna-t-il avec un air entendu. La vieille Matrone accepta sa remarque de bon gré ; elle prouvait que son espion favori pensait clairement.

— K'yorl présentait plus de difficultés, répondit Baenre. La faire attendre l'aurait rendue encore plus exécrable qu'à l'ordinaire. Mez'Barris est nettement plus posée et perçoit beaucoup mieux les occasions. Elle donnera son accord à la guerre contre les nains. (Elle s'approcha du mercenaire puis se dirigea vers le cylindre de marbre, où l'attendait déjà Sos'Umptu, avant de lui adresser un sourire mauvais.) D'autre part, maintenant que la Maison Oblodra fait partie de l'alliance, quel choix reste-t-il à Mez'Barris ?

Cette vieille peau est incroyable, songea Jarlaxle. *Incroyable.* Il jeta un dernier regard empli de regrets sur les merveilleux diamants fixés aux accoudoirs du trône Baenre, lâcha un profond soupir et sortit en compagnie des deux drows de l'immense place forte de la Maison Baenre.

4

LE FEU DANS SES YEUX

Enveloppée dans sa cape grise afin de dissimuler la dague et le masque que Régis lui avait donnés, Catti-Brie fut assaillie par des sentiments mêlés quand elle approcha des appartements privés de Bruenor ; elle espérait à la fois que le nain s'y trouverait et qu'il en serait parti.

Comment pouvait-elle s'en aller sans voir Bruenor, son père, une dernière fois ? Le nain ne lui paraissait pourtant plus que l'ombre de lui-même, inerte et dans l'attente de la mort. Elle ne voulait pas le voir ainsi, elle ne voulait pas emporter cette image de lui en Outreterre.

Elle leva la main pour frapper à la porte du salon de Bruenor, puis se ravisa et l'entrouvrit délicatement avant d'y jeter un regard. Elle aperçut un nain, debout non loin de l'âtre où brûlait un feu, mais il ne s'agissait pas du roi. Gaspard Pointepique, le guerroyeur effréné, sautillait en tournant sur lui-même, apparemment occupé à essayer d'attraper une mouche agaçante. Il portait – comme toujours – son armure aux pointes acérées, ses gantelets à pointes et ses piques de coude, ainsi que d'autres pointes mortelles disposées selon tous les angles possibles. L'armure grinçait tandis que le nain se retournait et sautait, le bruit le plus irritant que Catti-Brie ait jamais entendu. Le casque gris de Gaspard était posé sur la chaise placée à côté de lui, sa pointe supérieure aussi grande que son propriétaire. La jeune femme vit que, sans cet accessoire, le guerroyeur était presque chauve, ses derniers cheveux fins et noirs

61

collés sur les côtés de son crâne faisant plus bas place à une énorme barbe noire broussailleuse.

Catti-Brie ouvrit un peu plus la porte et vit Bruenor, assis devant le feu peu agité et essayant, l'air absent, de retourner une bûche afin de raviver les braises. Le faible coup qu'il porta sur le morceau de bois fit grimacer Catti-Brie, qui se rappela une époque, pas si lointaine, où le turbulent roi aurait simplement tendu le bras et poussé la bûche récalcitrante de sa main nue.

Après un nouveau regard sur Pointepique – qui mangeait à présent quelque chose, dont Catti-Brie espérait vivement que ce ne soit pas la mouche – elle entra dans la pièce, non sans avoir vérifié que sa cape cachait correctement les objets qu'elle portait.

—Salut, toi! lança Gaspard tout en mâchant.

Bien qu'écœurée de le voir dévorer une mouche, Catti-Brie fut encore plus surprise de constater qu'il parvenait à la mâcher si longtemps!

—Tu devrais t'laisser pousser la barbe! poursuivit-il, comme d'habitude.

Depuis leur première rencontre, le nain crasseux n'avait cessé de lui répéter qu'elle serait très séduisante si elle parvenait à devenir barbue.

—J'y travaille, répondit-elle, sincèrement heureuse de trouver ce ton léger. J'te jure que je m'suis pas rasé l'visage depuis qu'on s'connaît.

Elle tapota le sommet du crâne du guerroyeur, ce qu'elle regretta dès qu'elle sentit la pellicule poisseuse qui recouvrait désormais sa main.

—Brave fille, la complimenta Gaspard, avant de se lancer par petits bonds à la poursuite d'un autre insecte.

—Où vas-tu? demanda sèchement Bruenor avant même que sa fille l'ait salué.

Celle-ci soupira de dépit; comme il lui tardait de voir Bruenor sourire de nouveau! Elle remarqua le bleu sur le front de son père, la partie ouverte de la blessure enfin passée à l'état de croûte. Il s'était, disait-on, lancé dans une diatribe quelques nuits auparavant et s'était écrasé la tête contre une lourde porte en bois, tandis que deux

62

nains plus jeunes tentaient de le retenir. Cet hématome conjugué à la cicatrice voyante qui courait de son front au côté de sa mâchoire, traversant au passage une orbite aujourd'hui vide, donnait au vieux nain un air des plus meurtris !

— Où vas-tu ? demanda-t-il encore, avec colère.

— À Calmepierre, mentit Catti-Brie, se référant à la ville des barbares, le peuple de Wulfgar, située vers les montagnes, en passant par la sortie est de Castelmithral. La tribu construit un cairn pour honorer la mémoire de Wulfgar.

La jeune femme fut quelque peu surprise de la facilité avec laquelle ce mensonge lui était venu ; si elle avait toujours su amadouer Bruenor, souvent grâce à des demi-vérités ou des formules sémantiques qui dissimulaient les faits bruts, elle ne lui avait jamais menti si effrontément.

Elle songea à l'importance de ses projets et poursuivit, regardant le nain droit dans les yeux :

— Je veux être là-bas avant le début de la construction. Il faut qu'elle soit parfaite, Wulfgar n'en mérite pas moins.

L'unique œil valide Bruenor parut se voiler et prit un aspect encore plus morne, puis le nain blessé se détourna de sa fille et se remit à bouger sans but les bûches, après avoir tout de même légèrement hoché la tête en signe de consentement. Ce n'était un secret pour personne à Castelmithral : Bruenor n'aimait pas parler de Wulfgar ; il avait même frappé un prêtre qui insistait sur le fait que *Crocs de l'égide* ne pouvait, d'après la tradition, être mis à la place d'honneur dans la salle de Dumathoïn puisque ce marteau de guerre avait appartenu à un humain et non pas à un nain.

Ayant remarqué que l'armure de Pointepique avait cessé de grincer, Catti-Brie se retourna et vit le guerroyeur, près de la porte, qui les regardait d'un air triste. Après un signe de tête, il sortit discrètement – autant que le pemettait son armure rouillée.

Catti-Brie n'était pas la seule à souffrir en voyant le pitoyable vieillard qu'était devenu Bruenor Marteaudeguerre.

— Ils t'apprécient tous, dit-elle à son père, qui semblait ne pas écouter. Tout le monde, à Castelmithral, dit du bien de son roi blessé.

63

—La ferme, lâcha Bruenor entre ses dents, toujours assis et contemplant le feu timide.

Cette menace creuse ne constituait pour Catti-Brie qu'un autre rappel de la chute de son père. Autrefois, quand Bruenor Marteaudeguerre suggérait à quelqu'un de se taire, cette personne obéissait ou Bruenor se chargeait de la réduire au silence. Cependant, depuis ses affrontements avec le prêtre et la porte, le feu intérieur du roi, à l'image de celui de l'âtre, s'étiolait peu à peu.

—T'as l'intention d'taper sur des bûches jusqu'à la fin d'tes jours ? demanda Catti-Brie, essayant ainsi de provoquer un conflit, de souffler sur les braises de l'orgueil de Bruenor.

—Si ça m'plaît, riposta le nain d'une voix trop calme.

Sa fille poussa un nouveau soupir et remonta ostensiblement sa cape sur sa hanche, ce qui dévoila le masque magique et la dague incrustée de bijoux d'Entreri. Bien que déterminée à entreprendre seule son aventure et à ne pas en toucher un mot à son père, elle espérait que ce dernier aurait encore suffisamment de vie en lui pour remarquer ces deux détails.

De longues minutes s'écoulèrent, dans un silence uniquement brisé par le craquement occasionnel de braises et les sifflements d'un bois encore trop vert.

—J'rentrerai un d'ces jours ! finit-elle par aboyer, énervée, avant de se diriger vers le couloir.

Bruenor lui adressa un vague signe de la main sans prendre la peine de se retourner.

Elle s'arrêta près de la porte, qu'elle ouvrit puis referma en douceur, sans quitter la pièce. Elle attendit quelques instants, n'en croyant pas ses yeux de voir son père rester devant le feu à tapoter négligemment les bûches. Elle traversa alors la pièce en silence et entra dans la chambre du nain.

Elle s'approcha de l'immense bureau en chêne – un cadeau du peuple de Wulfgar – dont le bois était poli et sur les côtés duquel étaient gravés des motifs de *Crocs de l'égide*, le puissant marteau de guerre forgé par Bruenor. Elle s'interrompit un long moment, malgré la nécessité pour elle de sortir de cette pièce avant que son père comprenne ce qu'elle faisait, et contempla ces gravures qui lui

64

rappelaient Wulfgar. Elle ne se remettrait jamais de cette perte. Elle le comprenait mais elle savait également que le temps du chagrin touchait à sa fin, en ce qui la concernait. Elle devait s'occuper de vivre. *En particulier en ce moment*, songea-t-elle, alors qu'un autre de ses amis se trouvait vraisemblablement en danger.

Elle trouva ce qu'elle cherchait dans un coffre de pierre posé sur le bureau ; un petit médaillon accroché à une chaîne en argent, cadeau d'Alustriel, la Dame de Lunargent, à Bruenor. Celui-ci avait été tenu pour mort, perdu dans Castelmithral lors du premier passage des compagnons en ce lieu. Il s'en était échappé un peu plus tard, évitant au passage les nains gris malfaisants qui revendiquaient la possession de Castelmithral, puis, avec l'aide d'Alustriel, il avait retrouvé Catti-Brie à Longueselle, un village situé au sud-ouest. Drizzt et Wulfgar étaient quant à eux partis bien avant cela en direction du sud, à la recherche de Régis, enlevé par l'assassin Entreri.

Alustriel avait alors donné ce médaillon magique à Bruenor. Cet objet, qui renfermait un minuscule portrait de Drizzt, permettait au nain de suivre le drow. La bonne direction et la distance à couvrir pour retrouver Drizzt se déterminaient en fonction de la chaleur magique qui en émanait.

Cette babiole métallique était pour le moment froide, plus encore que l'air de la chambre. Catti-Brie comprit que Drizzt se trouvait déjà très loin d'elle.

Elle ouvrit le médaillon et contempla l'image parfaite de son cher ami drow, tout en se demandant si elle devait l'emporter avec elle. Il lui serait de toute façon sans doute possible de suivre Drizzt grâce à Guenhwyvar, si elle parvenait à retrouver sa piste, sans compter qu'elle gardait à l'esprit que, quand il apprendrait la vérité de la bouche de Régis, Bruenor s'enflammerait et se lancerait à leur poursuite.

Catti-Brie aimait cette image de son père furieux, elle voulait tant qu'il charge à ses côtés pour l'aider à sauver Drizzt, hélas ce n'était qu'un espoir d'enfant, irréaliste et en fin de compte dangereux.

Elle referma le médaillon et serra le poing dessus, puis elle se glissa hors de la chambre de Bruenor et traversa le salon – le nain à la barbe rousse était toujours assis devant le feu, ses pensées perdues

65

à des millions de kilomètres – avant de se précipiter dans les couloirs des niveaux supérieurs, consciente que ses nerfs ne tiendraient pas si elle ne partait pas sans tarder.

Une fois à l'extérieur, elle regarda encore le médaillon, sachant qu'en l'emportant elle ôtait toute chance à Bruenor de la suivre. Elle était seule.

C'est ainsi, décida-t-elle. Elle glissa la chaîne autour du cou et prit la direction des montagnes, espérant atteindre Lunargent pas trop longtemps après Drizzt.

⚔ ⚔ ⚔ ⚔ ⚔

Il progressait aussi discrètement et silencieusement que possible dans les rues sombres de Menzoberranzan, ses yeux sensibles à la chaleur luisant d'un rouge rubis. Il ne souhaitait qu'une seule chose : retrouver la base de Jarlaxle, retrouver le drow qui reconnaissait sa valeur.

Un cri strident éclata soudain sur le côté :

— *Waela rivvil !*

Il s'arrêta net et s'adossa contre un amas de pierres, près d'une stalagmite inoccupée. Il avait souvent entendu ces mots auparavant : toujours ces deux mots, prononcés avec dérision.

— *Waela rivvil !* répéta la drow en avançant vers lui, une baguette brune terminée par des tentacules dans une main.

Ces trois excroissances d'un peu plus de deux mètres se tortillaient indépendamment et avec avidité, comme impatientes de le frapper méchamment. *Au moins, cette drow n'est pas munie de l'un de ces fouets équipés de crocs*, se dit-il en songeant aux armes qui se terminaient par plusieurs têtes de serpent et dont se servaient nombre de prêtresses drows de haut rang.

Il ne tenta pas de résister quand elle se plaça devant lui, il baissa les yeux avec respect, comme le lui avait appris Jarlaxle. Il la soup-çonnait de vouloir se déplacer tout aussi discrètement que lui : sinon pourquoi une prêtresse, suffisamment puissante pour manier l'un de ces cruels fouets, se faufilerait-elle sans un bruit dans cette ruelle, au cœur du quartier le moins renommé de Menzoberranzan ?

Elle débita quelques mots drows de sa voix mélodieuse, trop rapidement pour que le nouveau venu la comprenne. Il comprit les mots *quarth*, qui signifiait « ordonne » et *harl'il'cik*, ou « agenouiller », auxquels il s'attendait de toute façon, vu qu'on lui ordonnait sans cesse de s'agenouiller.

Il se baissa donc, docilement et sans perdre une seconde, malgré la douleur qu'il éprouva quand ses genoux heurtèrent la pierre dure.

La drow fit lentement quelques pas autour de lui, lui offrant ainsi une vue sur ses jambes bien galbées. Elle alla jusqu'à tirer la tête de l'intrus en arrière pour lui permettre de contempler son visage, indéniablement superbe, alors qu'elle susurrait son propre nom.

—Jerlys.

Elle se baissa, comme pour l'embrasser, puis le frappa. Une gifle cuisante sur la joue. Il porta aussitôt les mains à son épée et son poignard, avant de se calmer en songeant aux conséquences d'un tel acte.

La drow continua à marcher autour de lui, s'adressant à lui tout autant qu'à elle-même. Elle répéta plusieurs fois *Iblith*, qui signifiait « excrément », ce à quoi il répondit par *abban*, c'est-à-dire « allié », comme le lui avait enseigné Jarlaxle.

—*Abban del darthiir!* lui cria-t-elle en le frappant encore sur la nuque, ce qui manqua de peu de lui écraser le visage contre le sol.

Il n'avait pas tout à fait compris cette phrase mais il lui semblait que « *darthiir* » avait quelque chose à voir avec les fées et les elfes de la surface. Il commença alors à se dire qu'il se trouvait cette fois dans de sérieux ennuis et qu'il ne lui serait pas facile de se débarrasser de cette drow.

—*Abban del darthiir!* hurla encore Jerlys, qui le frappa encore par-derrière, cette fois avec son fouet-serpent et non plus sa main.

Les trois appendices s'abattirent violemment sur son épaule droite. Il porta la main sur la blessure et s'écroula, son bras droit inerte, tandis que des vagues de douleur lui parcouraient le corps.

Jerlys frappa de nouveau, toujours dans son dos, mais son mouvement subit lui épargna d'être touché une fois de plus par les trois tentacules.

Son esprit se mit galoper. Il savait devoir agir vite. Cette drow le raillait et faisait claquer son fouet contre les murs de la ruelle et sur son dos ensanglanté. Il était certain d'avoir surpris cette créature au cours d'une mission secrète ; il ne sortirait sans doute pas vivant de cette rencontre.

Il fut soudain étourdi par un tentacule, qui le heurta sur l'arrière du crâne, son bras droit toujours inerte, affaibli par la magie des trois coups simultanés.

Il devait agir. Sa main gauche s'approcha de sa hanche droite, où se trouvait son poignard, puis il changea d'avis et la fit passer de l'autre côté.

—*Abban del darthiir !* cria encore Jerlys, dont le bras plongea en avant.

Il se retourna brusquement pour faire face à ce coup et son épée, de facture non drow, s'éclaira rageusement quand elle intercepta les tentacules. Un éclat vert se produisit alors et un tentacule fut sectionné, toutefois un autre parvint à se frayer un chemin malgré la parade et le toucha en plein visage.

—*Jivvin !* s'écria la drow, signifiant ainsi qu'elle appréciait ce «jeu», allant jusqu'à le remercier de sa réaction stupide, qui pimentait quelque peu cette affaire.

—Joue donc avec ça ! lui répondit-il en se fendant, l'épée brandie.

Il fut soudain englouti dans une sphère de ténèbres invoquée.

—*Jivvin !* s'exclama Jerlys en riant, avant de le frapper de nouveau.

Cependant, cet adversaire n'en était pas à son premier combat face à un elfe noir. La drow eut ainsi la surprise de ne pas le trouver dans le globe.

Il se présenta sur le côté de la zone obscurcie, un bras pendant mais l'autre s'agitant de-ci de-là avec une merveilleuse dextérité d'épéiste. Cela dit, il avait face à lui une drow, parfaitement formée dans les arts du combat et armée d'un fouet-serpent. Elle para son assaut, le contra et le toucha de nouveau, le tout sans cesser de rire.

Elle ne comprenait pas son adversaire.

68

Celui-ci plongea une fois de plus en avant et pivota sur la gauche, comme pour poursuivre son attaque avec un coup tournoyant de haut en bas. Au lieu de cela, il inversa sa prise sur son arme, se repositionna sur la droite et leva son épée comme s'il s'était agi d'une lance.

La pointe de l'arme plongea goulûment dans la poitrine de la drow surprise, donnant naissance à quelques étincelles quand elle perça la fine armure métallique drow.

Il enchaîna avec un salto et, des deux pieds, il frappa la poignée encore tremblante de l'épée, qui s'enfonça davantage dans le torse de la créature maléfique.

Cette dernière s'effondra contre la pile de pierres et s'immobilisa, presque encore debout, soutenue par le mur inégal de la stalagmite et ses yeux rouges figés en un regard vide.

— Dommage, Jerlys, murmura-t-il à son oreille. (Il déposa délicatement un baiser sur sa joue en se saisissant de la poignée de son épée, tout en écrasant volontairement les tentacules, qu'il cloua ainsi au sol.) Que de plaisirs nous aurions pu connaître.

Il retira l'épée et grimaça en songeant aux implications de la mort de cette drow. D'un autre côté, il ne pouvait nier la satisfaction qu'il éprouvait de reprendre un minimum de contrôle sur sa vie. Il n'avait pas survécu à tant de combats pour finir esclave !

Il quitta la ruelle peu de temps après, une fois Jerlys et son fouet enterrés sous les pierres, et reprit son chemin.

5

PAR-DELÀ LES ANNÉES

Drizzt sentit les regards posés sur lui. Des regards elfiques, il le savait, et probablement accompagnés de flèches apprêtées. Il poursuivit sa route à travers le Boilune comme si de rien n'était, ses armes remisées et la capuche de sa cape vert forêt ôtée, révélant ainsi sa longue chevelure blanche et sa peau noire elfique.

Le soleil progressait paresseusement parmi les arbres, verts et feuillus, et éclaboussait la forêt de points jaune pâle, que Drizzt n'évitait pas, autant pour montrer aux elfes de la surface qu'il n'était pas un drow comme les autres qu'en raison du plaisir sincère qu'il éprouvait sous la chaleur des rayons du soleil. Le sentier était large et plat, ce qui était plutôt inattendu dans une forêt qu'on imaginait sauvage et épaisse.

Les minutes formèrent bientôt une heure et, tandis que la nature foisonnait autour de lui, Drizzt commençait à se demander s'il parviendrait à traverser le Boilune sans incident. Il ne cherchait bien entendu aucun ennui et ne souhaitait que poursuivre, puis mener à bien, sa mission.

Il atteignit quelque temps après une petite clairière, où plusieurs rondins avaient été disposés en carré autour d'un feu entouré de pierres. Drizzt devina aussitôt qu'il ne s'agissait pas d'un campement ordinaire mais d'un lieu de rendez-vous établi, un endroit où camper partagé par ceux qui respectaient la souveraineté de la forêt et des créatures qui vivaient dans ses branches abritées.

Il fit le tour de l'endroit, en scrutant les arbres, et finit par apercevoir plusieurs marques sur le lit de mousse qui recouvrait le pied d'un immense chêne. Malgré l'œuvre du temps, qui avait brouillé ces traces, l'une représentait un ours dressé sur ses pattes arrière et l'autre un sanglier. Ces dessins avaient été réalisés par des rôdeurs. Drizzt hocha la tête et examina les branches basses de l'arbre, où il découvrit un creux bien dissimulé. Il tendit le bras avec prudence et en sortit un sac de nourriture séchée, une hache, ainsi qu'une gourde remplie d'un vin délicieux. Il ne se servit que d'un petit gobelet de vin et regretta de n'avoir rien à ajouter dans la cache, puisqu'il aurait besoin de toutes les provisions qu'il portait, voire davantage, au cours de son long et dangereux périple en Outreterre.

Après s'être servi de la hache pour couper quelques branches mortes, il rangea les provisions et dessina sa propre marque de rôdeur, la licorne, dans la mousse étalée à la base du tronc, puis il s'approcha de la bûche la plus proche pour lancer le feu qui chaufferait son repas.

— Tu n'es pas un drow comme les autres, dit soudain une voix mélodieuse derrière lui, avant même la fin de la cuisson.

Ces mots avaient été prononcés en langue elfique, sur un ton typique – plus chantant que des paroles humaines – des elfes.

Drizzt se retourna lentement, sachant que plusieurs arcs étaient sans doute encore braqués sur lui en différents endroits, et ne vit qu'une seule elfe. Une jeune demoiselle, encore plus jeune que lui, même s'il n'avait en théorie atteint que le dixième de sa durée de vie. Elle était vêtue des couleurs de la forêt – une cape verte, qui ressemblait à celle de Drizzt, une tunique et des jambières marron – tandis qu'un arc de bonne taille était calé sur son épaule et une fine épée accrochée à sa ceinture. Ses cheveux noirs brillaient tant qu'ils paraissaient bleus et sa peau était si pâle qu'elle reflétait cette lueur bleutée. Ses yeux, tout aussi brillants, étaient d'un bleu pailleté d'or. Drizzt avait deviné qu'il contemplait une elfe d'argent, ou elfe de la lune.

Au cours des années durant lesquelles il avait vécu à la surface, Drizzt Do'Urden avait connu quelques elfes de la surface, qui s'étaient avérés de bons elfes. Il n'avait cependant rencontré qu'une seule fois dans sa vie des elfes d'argent, lors de son premier voyage à la surface, au cours d'un raid d'elfes noirs qui avait vu ses semblables massacrer un petit clan d'elfes. Cet affreux souvenir lui revint brutalement alors qu'il se trouvait face à cette splendide et délicate créature. Seule une elfe d'argent avait survécu à cet épisode ; une jeune enfant que Drizzt avait secrètement cachée derrière le corps mutilé de sa mère. Cet acte de trahison envers les drows malfaisants avait eu de sérieuses répercussions et coûté à la famille de Drizzt les faveurs de Lolth, puis, en fin de compte, la vie de Zaknafein, le père de Drizzt.

Le rôdeur contemplait donc une fois de plus une elfe d'argent, une jeune femme âgée de peut-être trente ans et dont les yeux étincelaient. Il se sentit pâlir. Était-ce dans cette région qu'il était venu avec les drows ?

— Tu n'es pas un drow comme les autres, répéta l'elfe, toujours en langue elfique mais les yeux désormais brillants de colère et sur un ton sévère.

Drizzt resta les bras ballants. Il se rendit compte qu'il devait répondre mais ne trouvait rien à dire… ou plutôt, il ne parvenait pas à faire franchir à ses mots le nœud qui s'était formé dans sa gorge.

Les yeux de la jeune femme se plissèrent, sa mâchoire inférieure se mit à trembler et elle porta d'instinct la main à la poignée de son épée.

— Je ne suis pas un ennemi, articula enfin Drizzt, ayant compris qu'il allait devoir parler ou, plus probablement, se battre.

L'elfe fondit sur lui en un clin d'œil, épée brandie.

Drizzt ne dégaina pas ses armes, les mains écartées et le visage impassible. L'inconnue s'approcha et, soudain, changea d'expression, comme si elle avait remarqué quelque chose dans les yeux du drow.

Elle se mit à hurler et à abattre son arme mais Drizzt, trop vif pour elle, bondit en avant et lui bloqua les bras avant de la serrer contre lui, au point qu'il lui fut bientôt impossible de continuer à l'agresser. Il s'attendait à la voir le griffer, ou même le mordre, mais il fut surpris de la voir s'affaisser mollement dans ses bras et s'effondrer, le visage enfoui dans sa poitrine et les épaules secouées par des sanglots.

Avant d'avoir eu le temps de prononcer quelques mots de réconfort, Drizzt sentit la pointe mordante d'une épée elfique sur sa nuque. Il lâcha aussitôt la jeune femme et, les bras de nouveau écartés, il vit un autre elfe, plus âgé et d'allure plus rude mais d'une beauté similaire, surgir des arbres et la recueillir, puis l'aider à quitter la clairière.

—Je ne suis pas un ennemi, répéta Drizzt.

—Pourquoi traverses-tu le Boilune? demanda en langue commune l'elfe caché derrière lui.

—Tes mots sont justes, répondit le rôdeur, quelque peu distrait, les pensées encore fixées sur l'étonnante jeune elfe. Je ne veux que traverser le Boilune, d'ouest en est, et je n'agresserai personne, ni les elfes ni la forêt.

—La licorne, dit un autre elfe, un peu plus loin derrière lui, non loin du grand chêne.

Drizzt comprit que ce nouveau venu avait remarqué sa marque dans la mousse, puis fut soulagé de sentir l'épée s'écarter de sa nuque.

Il demeura immobile un long moment, pensant que c'était aux elfes de parler, jusqu'à enfin rassembler sa volonté et se retourner... pour constater que les elfes de la lune avaient disparu dans les buissons.

Il songea à les poursuivre, hanté par la vision de cette jeune elfe, mais comprit que ce n'était pas son rôle de les déranger ici, dans leur forêt. Il acheva rapidement son repas, s'assura que l'endroit était aussi propre qu'à son arrivée, rassembla son matériel et reprit sa route.

Il aperçut un autre phénomène étonnant après à peine plus de un kilomètre de marche. Un cheval noir et blanc, entièrement sellé et la bride parée de clochettes, se trouvait là, calme et silencieux. Il frappa le sol de ses sabots quand il vit le drow arriver.

Ce dernier se mit à parler doucement en approchant. L'animal se calma nettement et alla jusqu'à saluer Drizzt d'un coup de museau quand celui-ci l'eut rejoint. Cette bête était magnifique, musclée et bien pansée, malgré sa taille moyenne. Sa robe était parsemée de taches noires et blanches, ainsi que sa tête, où un œil était entouré de blanc et l'autre semblait caché sous un masque noir.

Drizzt fouilla les environs du regard mais ne remarqua pas d'autres traces sur le sol. Ce cheval était peut-être un cadeau des elfes qui lui était destiné, toutefois il n'en était pas certain et ne voulait en aucun cas dérober la monture de quiconque.

74

Il flatta l'animal sur le cou et entreprit de reprendre sa marche. Il n'avait effectué que quelques pas quand le cheval s'ébroua et se retourna. Il galopa quelques secondes autour du drow et finit par s'immobiliser devant lui sur le sentier.

Curieux, Drizzt répéta la manœuvre et dépassa la bête, qui ne tarda pas à lui emboîter le pas avant de se replacer devant lui.

—T'ont-ils demandé de faire ça? lui demanda simplement Drizzt en lui caressant le museau, avant d'élever la voix. Le lui avez-vous demandé? Je demande aux elfes du Boilune si ce cheval m'est destiné.

Drizzt ne reçut pour réponse que le jacassement de protestation de quelques oiseaux dérangés par les cris du drow.

Il haussa les épaules et songea qu'il relâcherait le cheval à l'orée du bois, qui ne se trouvait pas si loin. Il y grimpa et s'élança au galop sur le sentier large et plat.

Il atteignit l'extrémité est du Boilune en fin d'après-midi, alors que les ombres étaient déjà allongées depuis les immenses arbres. S'imaginant que les elfes lui avaient prêté cette monture afin qu'il quitte leur royaume au plus vite, il arrêta le cheval, alors qu'il n'avait pas encore quitté le sous-bois, dans l'intention d'en descendre et de le renvoyer vers la forêt.

Un mouvement dans la vaste prairie, un peu plus loin, attira l'attention du rôdeur, qui aperçut un elfe juché sur un grand étalon noir, juste au-delà des buissons, et qui regardait dans sa direction. L'elfe porta les mains à la bouche et émit un sifflement strident. Le cheval de Drizzt bondit et s'extirpa des ombres pour se lancer dans l'herbe épaisse.

L'elfe disparut aussitôt dans la végétation et Drizzt ne tenta pas de ralentir sa monture; il avait compris que les elfes avaient choisi de l'aider, de leur façon lointaine. Il accepta donc ce présent et poursuivit son chemin.

Avant de s'arrêter pour la nuit, Drizzt remarqua que le cavalier elfe suivait une route parallèle à la sienne, plus au sud. Leur confiance n'était apparemment pas illimitée.

75

Catti-Brie n'avait pas l'habitude des villes. Elle avait traversé Luskan, survolé les splendeurs de la puissante Eauprofonde à bord d'un chariot magique et arpenté les rues de la grande ville du Sud, Portcalim. Cependant, rien de tout cela n'approchait le spectacle qui l'attendait quand elle découvrit les larges avenues courbes de Lunargent. Elle s'y était déjà rendue auparavant, mais à l'époque elle était prisonnière d'Artémis Entreri et n'avait pas vraiment remarqué les élégantes flèches et la conception fluide de cette merveilleuse cité.

Lunargent était une ville dédiée aux philosophes et aux artistes, une ville reconnue pour sa tolérance. Un architecte pouvait y laisser son imagination donner naissance à des flèches de trente mètres de hauteur, tandis qu'un poète pouvait se placer à un coin de rue et y déclamer son art, gagnant ainsi honnêtement et correctement sa vie grâce à ce que les passants lui offraient.

Malgré le sérieux de sa quête et le fait de savoir qu'elle marcherait bientôt dans les ténèbres, Catti-Brie ne put empêcher un large sourire de se dessiner sur son visage. Elle comprit alors pourquoi Drizzt avait si souvent quitté Castelmithral pour venir ici ; elle n'avait jamais imaginé que le monde puisse être si varié et extraordinaire.

Suivant une impulsion soudaine, elle s'engagea sur le côté d'un bâtiment et fit quelques pas dans une ruelle sombre mais propre. Elle sortit alors la figurine de la panthère et la posa devant elle, sur les pavés.

— Viens, Guenhwyvar, appela-t-elle à voix basse.

Elle ignorait si Drizzt avait déjà fait venir l'animal dans cette cité et si elle enfreignait ou non une règle, néanmoins elle pensait que Guenhwyvar devait connaître cet endroit. Curieusement, il lui semblait qu'à Lunargent elle était libre de suivre les envies que lui dictait son cœur.

Une fumée grise enveloppa la statuette, puis se mit à tournoyer et prit peu à peu forme. La panthère massive, trois cents kilos de félin musclé et d'un noir d'encre, les épaules dépassant la hauteur de la taille de Catti-Brie, apparut devant cette dernière. L'animal tourna la tête sur le côté, comme pour essayer de déterminer où il se trouvait.

76

—Nous sommes à Lunargent, Guen, murmura Catti-Brie. (Le félin secoua la tête, donnant l'impression de se réveiller, puis émit un grondement sourd.) Reste près de moi. J'sais pas si t'as le droit d'être ici mais j'voulais au moins qu'tu sentes cet endroit. (Ils sortirent côte à côte de la ruelle.) Es-tu déjà venue ici, Guen ? Je cherche Dame Alustriel. Tu sais peut-être où la trouver ?

La panthère toucha la jambe de Catti-Brie et avança, décidée, suivie par la jeune femme. De nombreuses têtes se retournèrent au passage de l'étonnant couple, cette femme salie par la route et sa compagne peu ordinaire, mais ces regards restèrent inoffensifs et personne ne se mit à hurler de terreur ni ne s'enfuit en courant.

Quand elle parvint sur une vaste avenue, Guenhwyvar déboucha presque la tête la première sur deux elfes en pleine discussion, lesquels bondirent en arrière par réflexe avant d'observer la panthère et sa maîtresse.

—Superbe ! dit l'un d'entre eux d'une voix chantante.

—Incroyable ! convint son compagnon, qui tendit lentement la main vers l'animal, comme pour tester sa réaction. Puis-je ?

Catti-Brie n'y vit pas d'objection et acquiesça.

Le visage de l'elfe se fit rayonnant quand il parcourut de ses doigts gracieux le cou musclé de Guenhwyvar. Avec un sourire qui semblait suffisamment large pour avaler ses oreilles, il se tourna vers son ami, qui ne s'était pas approché.

—Oh ! Achète cette panthère ! concéda-t-il, enthousiaste.

Catti-Brie grimaça et Guenhwyvar aplatit les oreilles, tout en lâchant un rugissement dont l'écho se répercuta à travers la ville.

Catti-Brie savait que les elfes étaient vifs mais ces deux-là furent hors de vue avant même qu'elle ait eu le temps de leur expliquer leur méprise.

—Guenhwyvar ! murmura-t-elle sévèrement à l'animal, dont les oreilles étaient toujours aplaties.

Celles-ci revenues en position normale, la panthère se dressa sur son arrière-train et posa ses épaisses pattes sur les épaules de Catti-Brie, à qui elle donna un léger coup de tête et se tortilla pour se frotter contre sa joue lisse. La jeune femme dut lutter pour simplement conserver son équilibre et il lui fallut un bon moment pour expliquer au félin que ses excuses étaient acceptées.

Quelques doigts pointés accompagnèrent les regards quand ils se remirent en route et plus d'un passant traversa l'avenue pour éviter la femme et la panthère. Catti-Brie était consciente d'avoir trop attiré l'attention ; elle commençait à se sentir stupide d'avoir fait si vite venir Guenhwyvar en cet endroit. Elle voulait à présent la renvoyer sur le plan Astral mais elle ne voyait pas comment le faire sans attirer davantage de curieux.

Elle ne fut guère surprise quand, quelques instants plus tard, une patrouille de soldats armés, vêtus des nouveaux uniformes argent et bleu clair de la garde de la cité, la cernèrent à une distance prudente.

— La panthère est avec vous, déclara l'un d'entre eux.

— Guenhwyvar, répondit Catti-Brie. Et je suis Catti-Brie, fille de Bruenor Marteaudeguerre, huitième roi de Castelmithral.

L'homme hocha la tête et sourit, ce qui la soulagea.

— C'est bien la panthère du drow ! intervint un autre soldat.

Il rougit aussitôt de s'être exprimé sans y avoir été invité, puis regarda son chef et baissa aussitôt les yeux.

— Oui, Guen est l'amie de Drizzt Do'Urden, confirma Catti-Brie. Est-il en ville ?

Elle n'avait pas pu se retenir de poser cette question, même si, en toute logique, elle aurait préféré s'adresser à Alustriel, à même de lui fournir une réponse plus complète.

— Pas à ma connaissance, mais Lunargent est honorée par votre présence, princesse de Castelmithral, répondit le chef de la patrouille, qui s'inclina.

Catti-Brie se mit à rougir, peu habituée ou gênée par un tel traitement.

Elle cacha sa déception concernant cette nouvelle et se rappela que retrouver Drizzt ne serait sans doute pas facile. Même si son ami était passé par Lunargent, il avait probablement agi en toute discrétion.

— Je dois m'entretenir avec Dame Alustriel, expliqua-t-elle.

— Vous auriez dû être escortée depuis la porte, rouspéta le soldat, agacé par ce manquement au protocole.

Catti-Brie comprit la colère de son interlocuteur et se rendit compte qu'elle avait peut-être involontairement créé des ennuis aux soldats postés au pont de Lune, la structure invisible qui enjambait la large Rauvin.

— Ils ne connaissaient pas mon nom ni la raison de ma venue, se hâta-t-elle de préciser. J'ai pensé qu'il valait mieux entrer seule en ville et voir ce que je pouvais y trouver.

— Ils n'ont pas posé de questions au sujet d'une telle… (Il se reprit sagement avant de prononcer le mot « bestiole ») panthère ?

— Guen ne m'accompagnait pas à ce moment, répondit sans réfléchir Catti-Brie qui se troubla quand elle songea aux millions de questions qu'elle venait certainement de provoquer.

Par chance, les gardes n'insistèrent pas sur ce point. On leur avait suffisamment décrit la jeune femme exaltée pour qu'ils soient convaincus qu'elle était bel et bien la fille de Bruenor Marteaudeguerre. Ils l'escortèrent, ainsi que Guenhwyvar, et à bonne distance, à travers la ville, jusqu'au mur d'enceinte est, où se dressait l'élégant et ravissant palais de Dame Alustriel.

Priée de patienter seule dans une antichambre, Catti-Brie décida de conserver Guenhwyvar à ses côtés. La présence de la panthère accorderait une crédibilité à son récit et, si Drizzt était passé par ici, ou s'il y était encore, elle le sentirait.

Les minutes s'écoulèrent sans que rien ne se produise et la dynamique jeune femme eut tôt fait de s'ennuyer. Elle s'approcha d'une porte latérale, l'ouvrit délicatement et découvrit un cabinet de toilette décoré, qui comprenait une cuvette, une petite table aux moulures en or et un grand miroir, au-dessus duquel étaient rangés un assortiment de peignes et de brosses, une collection de petites ampoules, ainsi qu'un coffret ouvert contenant de nombreux sachets de teinture différents.

Curieuse, la jeune femme regarda par-dessus son épaule pour s'assurer que tout était calme puis avança et s'assit. Elle s'empara d'une brosse, qu'elle passa rapidement dans ses cheveux auburn épais et emmêlés, tout en songeant qu'elle devait être la plus présentable possible devant la Dame de Lunargent. Elle se rembrunit quand elle remarqua une saleté sur sa joue. Elle plongea la main dans la cuvette d'eau et se nettoya sommairement le visage, puis esquissa un sourire quand elle s'estima propre.

Elle vérifia de nouveau que personne n'était entré dans le vestibule, où Guenhwyvar, confortablement installée sur le sol, leva la tête et grogna.

—Oh! Tais-toi, lui dit Catti-Brie, avant de retourner dans le cabinet et d'en inspecter les fioles.

Elle ôta le capuchon de l'un des récipients et en renifla le contenu. Ses yeux bleus s'écarquillèrent de surprise quand elle sentit un puissant parfum. De l'autre côté de la porte, Guenhwyvar se manifesta de nouveau et éternua, ce qui fit rire Catti-Brie.

—Je te comprends! lui dit-elle.

Catti-Brie poursuivit son examen des ampoules, fronçant les sourcils devant certaines et éternuant devant plus d'une, pour finalement en dénicher une dont l'odeur lui plaisait. Elle évoquait pour elle un champ de fleurs sauvages, non pas surpuissant mais simplement beau et subtil, comme le fond sonore d'une journée de printemps.

Elle fit un bond – et manqua de peu de se planter la fiole dans le nez au passage – quand une main s'abattit sur son épaule.

Elle se retourna et en eut le souffle coupé. Alustriel – c'était elle! – se tenait là, ses cheveux argentés tombant jusqu'au milieu du dos et des yeux brillants comme Catti-Brie n'en avait jamais vu... à part peut-être ceux de Wulfgar, qui étaient de la couleur du ciel. Ce souvenir la fit souffrir.

Alustriel, splendide et élancée, dépassait de quinze bons centimètres Catti-Brie, qui mesurait pourtant un mètre soixante-cinq. Elle était vêtue d'une robe pourpre d'une somptueuse soie, dont les nombreux pans semblaient à la fois suivre et dissimuler ses courbes féminines, dans un effet des plus séduisants. Elle portait également une haute couronne en or parée de gemmes.

Guenhwyvar et la Dame n'étaient apparemment pas étrangères l'une pour l'autre. En effet, la panthère était tranquillement allongée près d'elle, les yeux fermés de contentement.

Pour une raison qui lui échappait, cela contraria Catti-Brie.

—Je me demandais quand nous nous retrouverions enfin, dit calmement Alustriel.

80

Catti-Brie essaya gauchement de reboucher la fiole et de la reposer sur la table mais Alustriel interrompit son geste de ses longues et fines mains – Catti-Brie se sentit alors comme une petite fille ridicule! – puis poussa l'ampoule dans la sacoche que la jeune aventurière portait à sa ceinture.

— Drizzt me parle souvent de toi, et avec tendresse, poursuivit Alustriel.

Ces paroles perturbèrent aussi Catti-Brie. Ce n'était peut-être pas intentionnel, elle en avait conscience, mais il lui semblait qu'Alustriel se comportait de façon un peu trop condescendante. Dans ses vêtements crasseux après son voyage et avec ses cheveux à peine coiffés, elle ne se sentait pas à l'aise face à cette extraordinaire femme.

— Suis-moi dans mes appartements privés, nous y serons mieux pour discuter, lui proposa la Dame, qui enjamba la panthère. Viens, Guen!

Le félin leva aussitôt la tête et sortit de sa léthargie.

— Guen? articula en silence Catti-Brie.

Elle n'avait jamais entendu personne, en dehors d'elle et, très rarement, de Drizzt, s'adresser de façon si familière à l'animal. Quelque peu vexée, elle vit Guenhwyvar suivre docilement Alustriel hors de la pièce.

Elle se sentait désormais très mal à l'aise dans ce palais qui lui avait d'abord paru enchanteur. Alustriel ouvrait la marche dans les couloirs et leur faisait traverser des pièces magnifiques. Catti-Brie ne cessait de regarder derrière elle, craignant de laisser des traces de boue sur les sols impeccables.

Elle fut incapable de rendre leur regard aux domestiques et autres invités – *les vrais nobles*, songea la jeune femme – qui se présentèrent devant l'invraisemblable procession. Elle se sentait petite, minuscule, en suivant la grande et superbe Alustriel.

Elle fut soulagée quand elles entrèrent dans le salon privé de la maîtresse des lieux et que cette dernière referma la porte derrière elles.

Guenhwyvar ne tarda pas à s'installer sur un canapé recouvert d'une épaisse tenture. Les yeux de Catti-Brie s'agrandirent de stupéfaction.

81

—Descends de là! murmura-t-elle sévèrement à la panthère.

Alustriel se contenta de glousser en passant près de l'animal, dont elle caressa distraitement la tête avant de faire signe à son invitée de s'asseoir.

Catti-Brie jeta un nouveau regard furieux à Guenhwyvar, se sentant vaguement trahie, et se demanda combien de fois la panthère s'était affalée sur ce canapé.

—À quoi dois-je la présence de la fille du roi Bruenor dans mon humble cité? s'enquit Alustriel. Je me serais mieux préparée si j'avais su que tu venais.

—Je cherche Drizzt, répondit sèchement Catti-Brie, que son ton, plus agressif qu'elle l'avait souhaité, fit grimacer tandis qu'elle s'asseyait.

Une expression intriguée apparut aussitôt sur le visage de la Dame.

—Drizzt? Je ne l'ai pas vu depuis un certain temps. J'espérais que tu m'apprendrais que lui aussi était en ville, ou au moins en route.

Malgré ses doutes – elle pensait que Drizzt essayait de l'éviter et qu'Alustriel suivrait sans hésiter ses désirs –, Catti-Brie crut ces mots. Alustriel, sincèrement et de toute évidence déçue, se reprit rapidement et enchaîna poliment:

—Bon… Et comment va ton père? Et le beau Wulfgar?

L'expression d'Alustriel changea brutalement, comme si elle venait de comprendre quelque chose de terrible.

—Votre mariage? hasarda-t-elle, alors que Catti-Brie serrait les lèvres. Je m'apprêtais à me rendre à Castelmithral…

Catti-Brie renifla et rassembla ses forces.

—Wulfgar est mort, lâcha-t-elle sur un ton égal. Et mon père n'a plus rien à voir avec le Bruenor que vous connaissez. Je suis à la recherche de Drizzt, qui a quitté le castel.

—Que s'est-il passé?

La guerrière se leva.

—Guenhwyvar! appela-t-elle, ce qui réveilla la panthère. J'ai pas l'temps d'raconter tout ça. Si Drizzt est pas venu à Lunargent, j'ai déjà trop abusé d'votre temps et du mien.

Elle se dirigea vers la porte, non sans remarquer la légère teinte bleutée qui y était apparue tandis que le bois du battant semblait se serrer contre le verrou. Elle s'en approcha tout de même et en actionna la poignée, sans effet.

Elle inspira profondément, compta jusqu'à dix, puis jusqu'à vingt, et se retourna vers Alustriel.

—Un ami a besoin d'moi, dit-elle d'une voix glaciale et agressive. Vous feriez mieux d'ouvrir cette porte.

Au cours des jours à venir, quand elle repenserait à ce moment, Catti-Brie aurait du mal à croire qu'elle avait menacé Alustriel, souveraine de la cité continentale la plus grande et la plus influente du Nord-Ouest! Elle avait élevé la voix contre l'un des mages les plus puissants de tout le Nord!

Cependant, en cet instant précis, la jeune femme pensait ce qu'elle disait.

—Je peux t'aider mais tu dois d'abord tout me raconter, proposa Alustriel, clairement inquiète.

—Drizzt n'en a pas le temps, gronda Catti-Brie.

Elle tira de nouveau inutilement sur la porte verrouillée par la magie, puis la frappa du poing avant de jeter par-dessus son épaule un regard furieux sur la Dame, qui s'était levée et s'approchait lentement d'elle. Guenhwyvar était restée sur le canapé mais avait dressé la tête et considérait les deux femmes avec attention.

—Je dois le retrouver, dit Catti-Brie.

—Et où vas-tu chercher? répondit Alustriel, les mains ouvertes en signe de non-agression.

Cette simple question apaisa d'un coup la fureur de la jeune femme. Où chercher? Par où commencer? Elle se sentait impuissante, ici, en ce lieu où elle n'était qu'une étrangère. Impuissante et idiote. Elle ne voulait qu'une chose; rentrer chez elle et retrouver son père et ses amis, retrouver Wulfgar et Drizzt, et que tout redevienne comme avant… comme avant l'arrivée des elfes noirs à Castelmithral.

6

SIGNE DIVIN

Le matin suivant, Catti-Brie se réveilla dans une somptueuse chambre, dans un lit douillet entouré de draperies en dentelles qui laissaient le lever de soleil saluer son regard endormi. Elle n'était pas habituée à un tel confort, elle n'était pas même pas habituée à dormir si loin du sol.

Elle avait refusé un bain la veille, malgré les promesses d'Alustriel, qui lui avait assuré que les huiles et savons exotiques la recouvriraient de bulles et la détendraient. Pour Catti-Brie, élevée parmi les nains et aussi sensible qu'eux, c'était ridicule et, pire, un aveu de faiblesse. Elle se baignait souvent, certes, mais dans les eaux glacées d'un torrent montagneux et sans huiles odorantes importées de contrées lointaines. Drizzt lui avait dit que les elfes noirs étaient capables de suivre un ennemi à son odeur à des kilomètres dans les cavernes tortueuses de l'Outreterre, il lui semblait donc stupide de s'enduire d'huiles aromatiques et d'ainsi peut-être aider ses ennemis.

Ce matin-là, toutefois, avec les rayons du soleil tombant en cascade sur les rideaux vaporeux et le bassin de nouveau rempli d'une eau fumante, elle se mit à réfléchir.

— Vous êtes vraiment têtue, accusa-t-elle, Alustriel en silence comprenant que cette vapeur était sans doute due à la magie de la Dame.

Elle considéra les fioles alignées et songea à l'interminable route poussiéreuse qui l'attendait, à ce périple dont elle ne reviendrait peut-être jamais. Quelque chose monta alors en elle, comme un besoin de céder à ses envies, juste une fois. Avant que son côté pragmatique reprenne le dessus, elle se déshabilla et s'installa dans le bassin, tandis que d'épaisses bulles éclataient autour d'elle.

Dans un premier temps, elle ne cessa de regarder en direction de la porte, puis elle se laissa aller dans la baignoire, parfaitement détendue, la peau chaude et parcourue de picotements.

—Je te l'avais bien dit.

Catti-Brie, qui s'était presque rendormie, se redressa en sursaut, avant de se rallonger aussitôt, gênée, quand elle remarqua que Dame Alustriel était accompagnée d'un nain bizarre, à la barbe et aux cheveux blancs et portant des vêtements lâches en soie.

—À Castelmithral, on a l'habitude de frapper avant d'entrer dans la chambre de quelqu'un, fit remarquer Catti-Brie, reprenant un peu de sa dignité.

—J'ai frappé, répondit Alustriel. Tu étais perdue dans la chaleur de ton bain.

Catti-Brie dégagea ses cheveux mouillés de son visage et laissa dans la manœuvre une bonne quantité de mousse sur sa joue. Elle parvint à conserver son orgueil et à ne pas y faire attention quelques instants, puis elle l'ôta d'un geste rageur.

Alustriel sourit légèrement.

—Vous pouvez vous retirer, lâcha la jeune femme à la dame digne.

—Drizzt se rend en effet à Menzoberranzan, déclara cette dernière. (Catti-Brie se redressa de nouveau, angoissée, sa gêne balayée par cette importante nouvelle.) Je me suis aventurée dans le monde des esprits la nuit dernière. On y trouve beaucoup de réponses. Drizzt est passé au nord de Lunargent, par le Boilune, et a filé en droite ligne vers les montagnes qui entourent le col de l'Orque défunt. (Catti-Brie demeura interloquée.)

» C'est par là-bas qu'il a pour la première fois quitté l'Outreterre, dans une grotte située à l'est de ce col légendaire. Je suppose qu'il va y retourner par le même chemin.

—Conduisez-moi là-bas, demanda la jeune femme en se levant, trop attentive pour songer à la pudeur.

86

—Je te fournirai des montures, dit Alustriel, qui lui tendit une épaisse serviette. Des chevaux enchantés qui te permettront de progresser à grande vitesse. Ce trajet ne devrait pas te prendre plus de deux jours.

—Vous ne pouvez pas m'y envoyer instantanément grâce à votre magie ? s'étonna Catti-Brie sur un ton dur, comme si elle soupçonnait Alustriel de ne pas faire tout son possible pour l'aider au mieux.

—Je ne sais pas où se trouve cette grotte, expliqua la dame aux cheveux d'argent.

Catti-Brie cessa de se sécher et faillit lâcher ses vêtements, qu'elle avait rassemblés, et lui jeta un regard vide et désespéré. Et Alustriel d'ajouter, une main levée pour rassurer son invitée :

—C'est pourquoi je suis venue avec Fret.

—Fredegar Cassepierre, rectifia le nain d'une étrange voix mélodieuse, avant de balayer du bras l'air de façon théâtrale et de s'incliner gracieusement.

Catti-Brie se fit la réflexion qu'il ressemblait à un elfe piégé dans un corps de nain, puis elle fronça les sourcils en l'observant de plus près ; elle avait fréquenté des nains toute sa vie mais n'en avait jamais rencontré de ce genre. Sa barbe était soigneusement taillée, sa robe parfaitement propre et sa peau n'était pas marquée par la dureté ou le caractère rocailleux typique de sa race. Elle estima qu'il s'agissait là d'une conséquence d'un abus de bains et d'huiles parfumées et jeta un regard méprisant sur la baignoire qui fumait encore.

—Fret faisait partie du groupe qui a le premier repéré Drizzt hors de l'Outreterre poursuivit Alustriel. Une fois celui-ci parti, ma sœur curieuse et ses compagnons ont remonté la piste du drow et localisé la grotte, l'entrée des profonds tunnels. (Elle marqua une longue pause avant de poursuivre, sur un ton et avec une expression qui trahissaient son inquiétude pour Catti-Brie.) J'hésite à t'en indiquer le chemin.

Les yeux bleus de Catti-Brie se plissèrent, puis elle enfila rapidement son pantalon. Elle n'allait pas se laisser regarder de haut, pas même par Alustriel, et ne laisserait pas les autres décider de ses actes.

—Je vois, dit la Dame en hochant la tête.

Qu'elle ait si vite saisi ses intentions figea Catti-Brie.

87

Alustriel enjoignit d'un geste à Fret de récupérer le sac de Catti-Brie. Un air revêche se dessina sur le visage du nain soigné quand il approcha de cet objet crasseux, qu'il souleva prudemment du bout de deux doigts. Il jeta un regard suppliant à sa maîtresse puis, voyant qu'elle ne prenait même pas la peine de se tourner vers lui, il quitta la chambre.

— Je ne vous ai pas demandé de compagnon de voyage, lâcha brusquement Catti-Brie.

— Fret te servira de guide jusqu'à l'entrée, pas plus loin. Ton courage est admirable, bien qu'un peu aveugle.

Alustriel disparut avant que la jeune femme trouve les mots pour lui répondre.

Catti-Brie resta debout quelques instants, des gouttelettes d'eau ruisselant de ses cheveux mouillés sur son dos nu, puis chassa la sensation de n'être qu'une petite fille dans un monde immense et dangereux, d'être véritablement minuscule à côté de la grande et puissante Dame Alustriel.

Néanmoins ses doutes persistèrent.

Deux heures plus tard, après un bon repas et une vérification de leurs provisions, Catti-Brie et Fret quittèrent Lunargent par la porte est, la porte de Sundabar, accompagnés par Alustriel et un groupe de soldats, lesquels se tenaient à une distance respectueuse de leur souveraine tout en ouvrant l'œil.

Une jument noire et un poney gris au poil hirsute attendaient les deux voyageurs.

— Est-ce indispensable ? demanda Fret, peut-être pour la vingtième fois depuis qu'ils avaient quitté le château. Une carte détaillée ne suffirait-elle pas ?

Alustriel ne répondit que par un sourire. Fret avait en horreur tout ce qui était susceptible de le salir comme tout ce qui l'éloignait de son devoir de conseiller préféré d'Alustriel. La route qui s'enfonçait dans les étendues sauvages, jusqu'au col de l'Orque défunt, rentrait à coup sûr dans ces deux catégories.

— Ces fers à cheval sont enchantés ; vos montures fileront comme le vent, expliqua Alustriel à Catti-Brie, avant de jeter un coup d'œil par-dessus son épaule en direction du nain qui grommelait.

Catti-Brie ne fit aucun effort pour répondre et ne remercia pas la souveraine pour son aide. Elle ne lui avait pas adressé la parole depuis leur discussion, en début de matinée, et s'était comportée d'une façon clairement froide.

—Avec un peu de chance, tu parviendras à la grotte avant Drizzt, poursuivit Alustriel. Raisonne-le et convaincs-le de rentrer, je t'en prie. Sa place n'est plus en Outreterre.

—C'est à lui de décider où est sa «place», rétorqua Catti-Brie, qui, en réalité, sous-entendait que c'était à elle de décider de la sienne.

—Bien entendu, convint la Dame de Lunargent, qui lui adressa de nouveau ce sourire : ce rictus entendu qui donnait à Catti-Brie la sensation d'être rabaissée. Je ne t'empêche pas de faire quoi que ce soit. J'ai fait de mon mieux pour t'aider en fonction de ton choix, sans tenir compte du fait que je l'estime judicieux ou non.

—Il fallait que vous ajoutiez cette dernière pique, dit Catti-Brie, après avoir poussé un soupir méprisant.

—Ne suis-je pas autorisée à avoir mon opinion ?

—Si, vous pouvez même la donner à tous ceux qui voudront l'entendre.

Bien que comprenant les raisons du comportement de la jeune humaine, Alustriel fut profondément surprise.

Catti-Brie soupira encore et éperonna sa jument, qui se mit à avancer au pas.

—Tu l'aimes, dit Alustriel.

Totalement surprise, Catti-Brie tira violemment sur les rênes afin d'immobiliser sa monture et lui fit effectuer un quart de tour.

—Le drow, ajouta la Dame, davantage pour insister sur sa dernière phrase et révéler son sentiment sincère que pour clarifier quelque chose qui ne nécessitait de toute évidence aucune explication.

Catti-Brie se mordit la lèvre, comme si elle cherchait quelque chose à répondre, puis remit brusquement sa monture dans le sens de la marche et l'éperonna.

—La route est longue, geignit Fret.

—Alors dépêche-toi de revenir, lui dit Alustriel. Avec Catti-Brie et Drizzt.

—Comme vous voudrez, ma Dame, répondit docilement le nain, avant de lancer son poney au galop. Comme vous voudrez.

Alustriel resta longtemps à la porte est, bien après le départ des deux voyageurs. C'était un des moments, pas si rares que cela, où la Dame de Lunargent regrettait le poids des responsabilités du gouvernement. Elle aurait sincèrement préféré attraper elle aussi un cheval et partir avec Catti-Brie, quitte à s'aventurer en Outreterre si nécessaire, pour retrouver l'étonnant drow qui était devenu son ami.

Mais elle n'en ferait rien. Après tout, Drizzt Do'Urden n'était qu'un pion parmi une infinité d'autres dans le vaste monde, un monde qui demandait sans cesse audience à la cour surchargée de la Dame de Lunargent.

—Bonne chance, fille de Bruenor, murmura la magnifique femme aux cheveux argentés. Bonne chance et adieu.

⚔ ⚔ ⚔ ⚔ ⚔

Drizzt fit ralentir sa monture sur la piste caillouteuse qui grimpait dans la montagne. La brise était chaude et le ciel clair mais un orage avait frappé la région quelques jours auparavant et le sentier était encore légèrement boueux. Finalement, de crainte que son cheval glisse et se brise une jambe, il en descendit et ouvrit prudemment la route pour l'animal.

Il avait aperçu l'elfe qui le filait à plusieurs reprises ce matin-là. En effet, les pistes étaient plutôt dégagées et les deux cavaliers étaient rarement éloignés l'un de l'autre, du fait des incessantes descentes et ascensions. Aussi Drizzt ne fut-il pas particulièrement surpris quand, au détour d'une courbe, il vit son poursuivant approcher par une piste parallèle.

L'elfe à la peau pâle marchait également devant sa monture et adressa un signe de tête approbateur à Drizzt quand il vit que ce dernier faisait de même. Il s'arrêta, encore à cinq mètres du drow, comme s'il ne savait pas comment réagir.

90

—Si tu me suis pour surveiller le cheval, tu ferais aussi bien de chevaucher, ou marcher, à mes côtés, dit Drizzt. (L'elfe acquiesça de nouveau et fit avancer son étalon noir jusqu'à se porter à la hauteur de la monture noir et blanc de Drizzt, qui jeta un regard devant lui, sur la piste qui montait vers la montagne.) Je n'aurai plus besoin du cheval à partir de ce soir. Je ne sais même pas si je l'utiliserai encore aujourd'hui, à vrai dire.

—Tu n'as pas l'intention de revenir de ces montagnes? demanda l'elfe.

Drizzt se passa la main dans sa chevelure blanche lâchée, surpris par le caractère irrévocable de cette remarque, ainsi que par sa pertinence.

—Je cherche un bosquet, non loin d'ici, qui fut autrefois la demeure de Montolio DeBrouchee, dit-il.

—Le rôdeur aveugle.

Drizzt fut étonné que l'elfe ait su de qui il parlait. Il l'observa attentivement; rien chez l'elfe de la lune n'indiquait qu'il soit un rôdeur, et pourtant il connaissait Montolio.

—Il est logique que le nom de Montolio DeBrouchee ait survécu dans les légendes, estima-t-il à voix haute.

—Qu'en est-il de celui de Drizzt Do'Urden? dit l'elfe de la lune, décidément surprenant, avant de sourire devant l'expression du drow. Eh oui, je te connais, l'elfe noir.

—Tu as dans ce cas un avantage sur moi, fit remarquer Drizzt.

—Je m'appelle Tarathiel. Ce n'est pas un hasard si nous nous sommes montrés lors de ta traversée du Boilune. Quand le petit clan dont je fais partie a découvert que tu avais des projets, nous avons décidé qu'il serait mieux pour toi de rencontrer Ellifain.

—La jeune femme?

Tarathiel opina du chef, ses traits presque translucides sous les rayons du soleil.

—Nous ne savions pas comment elle réagirait face à un drow. Nous te présentons nos excuses.

Drizzt les accepta d'un signe.

—Elle n'appartient pas à ton clan, devina-t-il. Ou du moins, ce n'était pas le cas du temps de sa jeunesse. (Tarathiel ne répondit pas

91

et l'air curieux qui se dessina sur son visage montra à Drizzt qu'il se trouvait sur la bonne voie, ce qui l'encouragea à poursuivre, malgré ses craintes de la confirmation attendue :) Son peuple a été massacré par des drows.

—Qu'en sais-tu ? s'enquit Tarathiel, dont la voix avait, pour la première fois, pris une nuance dure.

—Je faisais partie de ce raid, reconnut Drizzt. (Tarathiel porta la main à son épée mais Drizzt, vif comme l'éclair, lui bloqua le poignet.) Je n'ai tué aucun elfe. Les seuls que j'avais envie de combattre étaient ceux qui m'avaient accompagné à la surface.

Les muscles de Tarathiel se décontractèrent et il ôta sa main de son arme.

—Ellifain ne se souvient que très peu de cette tragédie. Elle en parle plutôt dans ses rêves qu'en journée, et alors elle tient des propos peu cohérents. (Il marqua une pause et regarda Drizzt droit dans les yeux.) Elle parlait d'un regard violet. Nous ne savions pas quoi faire de ce détail. Quand nous l'interrogions, elle était incapable de fournir de réponse. Le violet n'est pas une couleur très courante pour des yeux drows, d'après nos légendes.

—En effet, confirma Drizzt, la voix distante alors qu'il se remémorait cette affreuse journée si lointaine.

C'était bien l'elfe ! Celle pour qui le jeune Drizzt Do'Urden avait tout risqué, celle dont le regard lui avait montré sans le moindre doute que la façon de vivre des siens ne correspondait pas à ce que ressentait son cœur.

—Ainsi, quand nous avons entendu parler de Drizzt Do'Urden, un ami drow – aux yeux violets – du roi nain qui avait reconquis Castelmithral, nous avons estimé qu'il serait mieux pour Ellifain d'affronter son passé, expliqua Tarathiel.

Drizzt hocha vaguement la tête, encore plongé dans le passé.

L'elfe de la lune n'insista pas. Apparemment, Ellifain n'avait pas été loin d'être anéantie par la vision de son passé.

Il refusa ensuite de quitter Drizzt quand celui-ci lui demanda de repartir avec les deux chevaux. Ils se retrouvèrent donc, un peu plus tard ce jour-là, chevauchant ensemble sur une piste étroite sur un haut col, un chemin dont Drizzt se souvenait parfaitement. Il pensait à Montolio, Mooshie, son mentor de la surface, le vieux rôdeur aveugle, qui savait tirer à l'arc grâce à l'aide du ululement de sa chouette. C'était lui qui avait fait découvrir au jeune Drizzt une déesse incarnant les émotions qui s'agitaient dans son cœur, ainsi que les préceptes qui guidaient la conscience du drow renégat. Il s'agissait de Mailikki, la Dame de la Forêt, et depuis l'époque où il avait vécu avec Montolio, Drizzt Do'Urden n'avait cessé de suivre ses conseils silencieux.

Drizzt sentit un flux d'émotions monter en lui quand la piste s'écarta de la crête et grimpa davantage à travers une zone de rochers brisés. Il était terrifié à l'idée de ce qu'il allait trouver. Peut-être une horde d'orques – ces misérables humanoïdes étaient bien trop nombreux dans la région – avait-elle investi le merveilleux bosquet du vieux rôdeur. Et s'il avait été ravagé par un incendie, qui n'aurait laissé qu'une cicatrice désolée sur la terre ?

Ils atteignirent un épais taillis d'arbres et poursuivirent leur route sur une piste étroite mais bien tracée, Drizzt en tête. Il vit un peu plus loin le bois s'éclaircir puis, au-delà, un petit champ. Il arrêta son cheval et se retourna vers Tarathiel.

—Le bosquet, expliqua-t-il en descendant de sa monture, aussitôt imité par l'elfe de la lune.

Ils attachèrent les bêtes dans le taillis et se glissèrent, côte à côte, jusqu'à l'orée du bois.

Le bosquet de Mooshie mesurait peut-être soixante mètres de profondeur, du nord au sud, et la moitié en largeur. De grands pins s'élevaient vers le ciel – aucun incendie n'avait sévi ici – et les ponts en corde mis en place par le rôdeur aveugle étaient encore visibles, courant d'arbre en arbre, à différentes hauteurs. Le petit mur de pierres était lui aussi intact, il n'y manquait pas un caillou, tandis que l'herbe était basse.

—Quelqu'un vit ici, en déduisit Tarathiel, cet endroit n'étant de toute évidence pas retourné à l'état sauvage.

Quand il se retourna vers Drizzt, il vit que ce dernier, la mine sinistre, avait dégainé ses cimeterres, dont l'un brillait d'une douce lueur bleuâtre.

93

Il encocha une flèche dans son grand arc et ne tarda pas à suivre le drow, qui avait quitté le buisson et s'était approché en un éclair du mur de pierres.

— J'ai repéré de nombreuses traces d'orques depuis que nous sommes entrés dans la montagne, murmura-t-il après un hochement de tête, tout en tendant la corde de son arme. On y va ? Pour Montolio ?

Drizzt acquiesça à son tour et se dressa pour voir par-dessus le mur. Il s'attendait à voir des orques, qui deviendraient peu après des orques morts.

Il se figea et se bras tombèrent mollement contre ses flancs, tandis qu'il avait soudain du mal à respirer.

Tarathiel lui donna un coup de coude, en quête d'une explication, puis, n'en voyant aucune venir, il se leva lui aussi.

Il ne vit rien dans un premier temps mais il suivit le regard fixe de Drizzt, tourné vers le sud, en direction d'une petite trouée dans les arbres, où une branche bougeait, comme si elle venait d'être effleurée par quelque chose. Tarathiel aperçut un éclat blanc dans les ombres, un peu plus loin. *Un cheval*, songea-t-il.

L'animal sortit de l'obscurité ; un puissant coursier à la robe d'un blanc étincelant et dont les yeux, extraordinaires, luisaient d'un rose embrasé. Enfin, son front était paré d'une corne d'ivoire, qui mesurait facilement la moitié de la taille de l'elfe. La licorne regarda en direction des compagnons, tapota le sol et s'ébroua.

Tarathiel eut la bonne idée de se baisser et de tirer Drizzt, toujours stupéfait, près de lui.

— Une licorne ! articula-t-il en silence au drow.

Drizzt porta instinctivement la main sous sa cape de voyage et empoigna le pendentif en forme de tête de licorne que Régis lui avait sculpté dans un os de truite.

Tarathiel désigna l'épais taillis et suggéra qu'ils feraient mieux de s'en aller, ce à quoi le drow répondit en secouant la tête. Ayant retrouvé son calme, Drizzt jeta un nouveau coup d'œil par-dessus le mur.

L'endroit était déserté, sans aucun signe trahissant la proximité de la licorne.

94

—Partons d'ici, dit Tarathiel dès qu'il se rendit lui aussi compte que le puissant coursier s'était éloigné. Sois satisfait de voir le bosquet de Montolio bien entretenu.

Drizzt s'assit sur le mur, les yeux rivés sur les pins entremêlés. Une licorne! Le symbole de Mailikki, le symbole le plus pur du monde naturel. Il n'existait pas, aux yeux d'un rôdeur, d'animal plus parfait, et pour Drizzt, il ne pouvait se trouver de meilleur gardien pour le bosquet de Montolio DeBrouchee. Il aurait aimé rester ici quelque temps, il aurait adoré apercevoir encore la créature insaisissable, mais il n'ignorait pas que le temps pressait et que les sombres tunnels l'attendaient.

Il adressa un sourire à Tarathiel et se retourna pour quitter cet endroit… et vit le chemin qui traversait le petit champ bloqué par la puissante licorne.

—Comment a-t-elle fait ça? dit Tarathiel.

Il était désormais inutile de chuchoter, l'animal les observant tout en en frappant le sol et en agitant la tête.

—Il, rectifia Drizzt, qui avait remarqué la barbe blanche de la bête, caractéristique de la licorne mâle.

Une pensée lui traversa l'esprit; il glissa ses cimeterres dans leurs fourreaux et, d'un bond, quitta le mur.

—Comment a-t-*il* fait ça? se reprit Tarathiel. Je n'ai pas entendu de bruit de sabots. (Les yeux de l'elfe de la lune se mirent soudain à briller et il regarda de nouveau vers le bosquet.) Ou alors ils sont plusieurs!

—Il n'y en a qu'un seul, assura Drizzt. La licorne est un animal quelque peu magique et celle-ci l'a prouvé en se glissant derrière nous.

—Va vers le sud, murmura Tarathiel. Je partirai vers le nord. Si nous ne menaçons pas cet animal… (Il s'interrompit, voyant que le drow s'éloignait déjà du mur.) Fais attention. Les licornes sont magnifiques mais on les dit dangereuses et imprévisibles.

Drizzt leva une main pour ordonner le silence à l'elfe et continua à avancer d'un pas lent. La licorne hennit et agita brusquement sa tête massive, ce qui fit voler sa crinière. Puis elle fit claquer un sabot contre le sol, ce qui creusa un trou de bonne taille dans la terre.

—Drizzt Do'Urden, avertit Tarathiel.

En toute logique, Drizzt aurait dû faire demi-tour. La licorne aurait pu facilement le renverser et l'écraser sur la prairie, or l'immense animal semblait de plus en plus nerveux à chaque pas du drow.

Toutefois, la bête ne prit pas la fuite, pas plus qu'elle ne baissa sa grande corne en vue d'embrocher Drizzt, qui se trouva bientôt à seulement quelques pas d'elle, avec la sensation d'être minuscule comparé au splendide coursier.

Il tendit la main, lentement, avec délicatesse, et sentit les poils externes de l'épaisse robe brillante, puis avança encore d'un pas et caressa le cou musclé de la licorne.

Le drow respirait à peine. Il aurait tant aimé que Guenhwyvar se trouve à ses côtés pour admirer cette merveille de la nature. Il regrettait également l'absence de Catti-Brie, qui aurait tout autant que lui apprécié cette vision.

Il se retourna vers Tarathiel, qui, assis sur le mur, souriait avec contentement. Quand il afficha soudain une expression de surprise, Drizzt se retourna et vit que sa main balayait l'air.

La licorne était partie.

DEUXIÈME PARTIE

PRIÈRES SANS RÉPONSES

Je n'ai pas été si déchiré devant une décision à prendre depuis le jour où j'ai quitté Menzoberranzan. Je me suis assis près de l'entrée d'une grotte et j'ai regardé les montagnes qui s'étendaient devant moi, dos aux tunnels qui plongeaient en Outreterre.

J'avais imaginé que ce serait à cet instant que débuterait mon aventure. En partant de Castelmithral, je n'avais guère songé à la première partie de mon périple, qui devait me conduire jusqu'à cette grotte, tenant pour évident qu'il ne se produirait rien de remarquable au cours de ce trajet.

J'avais aperçu Ellifain, la jeune elfe que j'avais sauvée plus de trois décennies auparavant, alors qu'elle n'était encore qu'une enfant terrorisée. Je voulais la retrouver, lui parler et l'aider à surmonter le traumatisme qu'avait constitué cet affreux raid drow. Je voulais m'éloigner de cette grotte et rattraper Tarathiel, puis chevaucher à ses côtés jusqu'au Boilune.

Néanmoins, je ne pouvais ignorer les raisons qui m'avaient conduit ici. J'avais deviné dès le départ que le fait de revoir le bosquet de Montolio, où j'avais tant d'agréables souvenirs, se révélerait une expérience émotionnelle, voire spirituelle. Il avait été mon premier ami à la surface, mon mentor, celui qui m'avait présenté Mailikki. Je suis incapable de trouver les mots pour traduire la joie que j'ai ressentie en découvrant que son bosquet était sous la protection d'une licorne.

Une licorne! J'ai vu une licorne, le symbole de ma déesse, le summum de la perfection naturelle! Je suis peut-être le premier de ma race à avoir touché cette douce crinière et senti les muscles du cou d'un tel animal, le premier à avoir rencontré une licorne en toute amitié. Repérer des traces du passage d'une licorne est un plaisir rare, mais en apercevoir une l'est davantage. Peu de personnes au sein des Royaumes peuvent prétendre avoir approché une licorne, encore moins en avoir touché une.

Moi, je l'ai fait.

Était-ce un signe de ma déesse? Ma foi me porte à croire que c'était le cas, que Mailikki a communiqué avec moi d'une façon tangible et saisissante. Mais quelle en fut la signification?

Je prie rarement. Je préfère parler à ma déesse au travers de mes actes quotidiens et par l'intermédiaire de mes émotions sincères. Je n'ai pas besoin de m'expliquer par des paroles mesquines, en les adaptant de façon à me présenter sous un jour plus favorable. Si Mailikki est avec moi, alors elle connaît la vérité, elle sait comment je me comporte et ce que je ressens.

J'ai tout de même prié dans la grotte, cette nuit-là. J'ai demandé de l'aide, quelque chose qui me ferait comprendre l'apparition de la licorne. Cette dernière m'avait autorisé à la toucher, elle m'avait accepté, ce qui constitue le plus grand honneur possible pour un rôdeur. Mais qu'impliquait cet honneur?

Mailikki me disait-elle qu'ici, à la surface, j'étais – et je continuerais à être – accepté, et que donc je ne devais pas la quitter? Ou bien l'apparition de la licorne reflétait-elle l'approbation de la déesse quant à mon choix de retourner à Menzoberranzan?

Ou encore, la licorne n'était-elle pas une sorte d'«adieu» spécial de Mailikki?

Cette dernière pensée m'a hanté toute la nuit. Pour la première fois depuis mon départ de Castelmithral, j'ai alors commencé à réfléchir à ce que moi, Drizzt Do'Urden, je pouvais perdre. J'ai pensé à mes amis, Montolio et Wulfgar, qui avaient quitté ce monde, ainsi qu'aux autres, que je ne reverrais probablement jamais.

Une foule de questions m'assaillit. Bruenor se remettrait-il jamais de la perte de son fils adoptif? Catti-Brie surmonterait-elle son propre chagrin? L'étincelle enchantée et son amour pur de la vie

100

reviendraient-ils un jour dans ses yeux bleus ? Poserais-je de nouveau ma tête lasse sur les flancs musclés de Guenhwyvar ?

Plus que jamais, j'ai alors voulu quitter la grotte, rentrer à Castelmithral, retrouver mes amis, malgré leur peine, et les aider, les écouter, simplement les étreindre.

De nouveau, je n'ai pu laisser de côté ce qui m'avait mené dans cette grotte. Si je pouvais retourner à Castelmithral, mes semblables à la peau noire pouvaient en faire autant. Je ne me reprochais pas la mort de Wulfgar : je ne pouvais pas deviner que les elfes noirs surgiraient. D'un autre côté, il était évident que je savais tout de Lolth et de son avidité permanente. Si les drows revenaient et éteignaient cette étincelle – adorée ! – dans les yeux de Catti-Brie, alors Drizzt Do'Urden aurait la sensation de mourir mille fois des façons les plus horribles.

J'ai prié toute la nuit sans recevoir d'aide. En fin de compte, comme toujours, j'en suis venu à prendre conscience qu'il me fallait suivre le chemin qu'au fond de mon cœur j'estimais le bon. Je devais croire que ce que ressentait mon cœur correspondait à la volonté de Mailikki.

J'ai laissé le feu crépiter à l'entrée de cette grotte. J'avais besoin de sa lumière, d'y puiser du courage le plus longtemps possible tandis que je descendais dans le tunnel. Tandis que je plongeais dans les ténèbres.

Drizzt Do'Urden

7

Une mission à terminer

Berg'inyon Baenre était suspendu à l'envers sur la voûte de l'immense caverne, solidement attaché à la selle de son lézard. Il lui avait fallu un certain temps pour s'habituer à cette position, mais, en tant que commandant des soldats montés sur lézards, il passait de nombreuses heures à observer la ville depuis cet endroit surélevé qui lui conférait un avantage certain.

Un mouvement sur le côté, derrière plusieurs stalactites, attira l'attention du jeune guerrier. Il abaissa sa longue lance – elle mesurait trois mètres – d'une main, tandis qu'il portait l'autre sur la poignée de son arbalète de poing apprêtée, sans pour autant lâcher la bride de sa monture.

— Je suis le fils de la Maison Baenre, dit-il à haute voix, s'imaginant que cela suffirait à refroidir les ardeurs d'un éventuel importun.

Il regarda autour de lui, en quête de renforts, et plongea sa main libre dans une bourse accrochée à sa ceinture, afin d'en sortir son miroir à signaux, dont une des faces était recouverte de métal chauffé et qui servait à communiquer avec les créatures dotées d'infravision. Des dizaines d'autres cavaliers de la Maison Baenre se trouvaient non loin de là et surgiraient à l'appel de Berg'inyon.

— Je suis le fils de la Maison Baenre, répéta-t-il.

Le plus jeune des Baenre se détendit dès qu'il aperçut son frère Dantrag émerger des concrétions, juché sur un lézard souterrain encore plus massif que le sien. L'aîné des Baenre avait une curieuse

103

allure avec sa queue-de-cheval tombante depuis le sommet de sa tête renversée.

—Moi aussi, dit-il en faisant rapidement avancer sa monture aux pieds collants afin de rejoindre son frère.

—Que fais-tu ici ? s'étonna Berg'inyon. Et comment t'es-tu approprié cette monture sans ma permission ?

Dantrag étouffa un rire.

—Me l'approprier ? Je suis le maître d'armes de la Maison Baenre. J'ai simplement pris le lézard et je n'ai pas besoin de l'autorisation de Berg'inyon pour ça. (Le jeune Baenre jeta un regard rouge brillant à Dantrag sans rien ajouter.) Tu oublies qui t'a formé, mon frère.

Cette affirmation était pertinente ; Berg'inyon n'oublierait jamais, c'était impossible, que Dantrag avait été son mentor. Ce dernier lui posa ensuite une question qui manqua de peu de le désarçonner :

—Es-tu préparé à affronter de nouveau les semblables de Drizzt Do'Urden ? C'est une éventualité à envisager puisque nous allons partir pour Castelmithral.

Berg'inyon poussa discrètement un long soupir, on ne peut plus troublé. Drizzt et lui avaient été camarades de classe à Melee-Magthere, l'école des guerriers. Formé par Dantrag, Berg'inyon s'y était inscrit avec le ferme espoir d'y devenir le meilleur parmi ses condisciples. Drizzt Do'Urden, le renégat, le traître, l'avait battu et lui avait pris cet honneur chaque année. Aux yeux de tous, Berg'inyon avait donné entière satisfaction à l'Académie. Aux yeux de tous sauf à ceux de Dantrag.

—Es-tu préparé à l'affronter ? insista ce dernier, sur un ton plus sérieux et coléreux.

—Non, répondit le jeune drow à son frère, dont le visage séduisant était paré d'un sourire moqueur.

Berg'inyon savait que son frère l'avait forcé à répondre à cette question pour une raison bien précise ; Dantrag voulait s'assurer que son cadet savait où se trouvait sa place – à l'écart, en tant que spectateur – s'ils devaient rencontrer ensemble le maudit Do'Urden.

Il savait également pourquoi son frère voulait être le premier à affronter Drizzt. Celui-ci avait été formé par Zaknafein, le principal rival de Dantrag, le seul maître d'armes de Menzoberranzan dont les talents de combattant étaient plus estimés que les siens. D'après l'opinion générale, Drizzt était au moins devenu l'égal de son mentor. Ainsi, si Dantrag prenait le dessus sur Drizzt, il sortirait enfin de l'ombre écrasante de Zaknafein.

— Tu nous as tous les deux affrontés, dit Dantrag, avec un air sournois. Dis-moi, cher frère, qui est le meilleur ?

Il était impossible pour Berg'inyon de répondre à cette question. Il n'avait pas lutté contre Drizzt Do'Urden – ni même à ses côtés – depuis plus de trente ans.

— Drizzt te découperait en deux, dit-il néanmoins, uniquement pour faire enrager son aîné arriviste.

Dantrag réagit si vite que Berg'inyon ne vit pas sa main bouger. Le maître d'armes abattit son épée dangereusement acérée sur la lanière supérieure de la selle de son frère, qu'il coupa aisément, malgré l'enchantement qui la solidifiait. De l'autre main, et tout aussi vivement, il ôta la bride de la bouche du lézard, tandis que Berg'inyon tombait de son siège.

Le jeune Baenre se retourna en chutant et fit appel à la magie innée commune à tous les drows, plus intense chez les nobles. Il cessa bientôt de tomber et, grâce à un sort de lévitation, il ne tarda pas à remonter, sa lance mortelle toujours en main, jusqu'à la hauteur de son frère qui riait.

— Matrone Baenre te tuerait si elle apprenait que tu m'as ridiculisé devant des soldats, signa-t-il.

— Mieux vaut voir ta fierté touchée que ta gorge tranchée, répondit Dantrag, avant de repartir en direction des stalactites.

De retour près de son lézard, Berg'inyon entreprit de renouer la lanière et de rattacher la bride. Il avait prétendu que Drizzt était un meilleur combattant mais au vu de ce que venait de lui faire subir Dantrag, un assaut parfait en deux temps qui ne lui avait pas laissé la moindre chance de riposter, le jeune Baenre doutait de ses propres mots. Il estimait que Drizzt Do'Urden serait celui à plaindre si les deux guerriers en venaient à s'affronter.

Cette pensée lui procura une certaine satisfaction. Depuis l'époque de l'Académie, il vivait dans l'ombre de Drizzt, à peu près autant que Dantrag dans celle de Zaknafein. Si son frère battait Drizzt, alors les frères Baenre s'affirmeraient comme les combattants les plus redoutables. La réputation de Berg'inyon grandirait simplement du fait de son statut de protégé de Dantrag. Cette idée lui plaisait, il appréciait le fait de gagner quelque chose sans avoir à affronter face à face ce diable aux yeux violets qu'était Drizzt Do'Urden.

Ce combat s'achèvera peut-être même de façon encore plus magistrale, osa-t-il songer. Peut-être Dantrag tuerait-il Drizzt et ensuite, alors épuisé et sans doute blessé, ferait-il une proie facile pour l'épée de Berg'inyon. Son statut et sa réputation en bénéficieraient car il représenterait alors le choix logique pour remplacer son frère décédé dans le rôle convoité de maître d'armes.

Le jeune Baenre évolua dans les airs pour retrouver sa place sur la selle réparée, un grand sourire aux lèvres tandis qu'il pensait à ce qu'allait lui apporter le voyage à venir vers Castelmithral.

⚔ ⚔ ⚔ ⚔ ⚔

—Jerlys, murmura le drow, le visage fermé.

—Jerlys Horlbar? dit Jarlaxle.

Le mercenaire s'adossa contre la paroi brute de la stalagmite pour réfléchir à cette nouvelle alarmante. Jerlys Horlbar était une Mère Matrone, l'une des deux hautes prêtresses qui présidaient la Maison Horlbar, la Douzième Maison de Menzoberranzan. Elle gisait là, sous un amas de gravats, son fouet-serpent détruit à côté d'elle.

—On a bien fait de le suivre, fit remarquer le soldat avec ses doigts, davantage pour apaiser le mercenaire que pour lui apprendre une information pertinente.

Bien sûr que c'était une bonne chose que Jarlaxle ait ordonné de suivre l'auteur de ces faits. Il était dangereux, incroyablement dangereux, mais en considérant une Mère Matrone, haute prêtresse de la Reine Araignée, étendue, morte et découpée par une épée, il se demandait si lui aussi n'avait pas sous-estimé ce personnage.

—On peut le signaler et se dégager de toute responsabilité, suggéra un autre membre de Bregan D'aerthe.

Jarlaxle estima dans un premier temps que l'idée était bonne. Le cadavre de la Mère Matrone serait découvert et une enquête approfondie serait lancée, par la Maison Horlbar si personne d'autre ne s'en chargeait. Les suspicions de culpabilité par déduction étant monnaie courante à Menzoberranzan, en particulier pour un tel crime, il ne voulait pas être entraîné dans une guerre clandestine avec la Douzième Maison, pas maintenant, alors que tant d'autres événements importants se préparaient.

Les circonstances le conduisirent ensuite à envisager une autre éventualité. Si malheureux que semble cet assassinat, il pouvait toujours en tirer profit. Il restait au moins un élément imprévisible dans le jeu auquel Matrone Baenre prenait part, un facteur inconnu susceptible de faire évoluer le chaos imminent à des niveaux de gloire encore plus élevés.

—Enterrez-la encore, signa Jarlaxle. Plus profondément mais pas trop. Je veux que le cadavre soit découvert mais pas avant un certain temps.

Sans un bruit, malgré ses lourdes bottes et ses bijoux, le chef mercenaire s'apprêta à quitter les lieux.

—Et le rendez-vous? lui demanda un de ses hommes.

Jarlaxle secoua la tête et quitta la ruelle isolée. Il savait où trouver l'assassin de Jerlys Horlbar. Il savait aussi comment se servir de cette information contre lui afin de s'assurer sa loyauté, qui tenait de l'esclavage, envers Bregan D'aerthe, ou encore à d'autres fins. Jarlaxle était conscient de devoir agir avec une grande prudence. Il ne devait pas franchir la mince frontière qui sépare les complots de la guerre ouverte.

Ce que personne dans la cité ne savait mieux faire que lui.

⚔ ⚔ ⚔ ⚔ ⚔

Uthegental va prendre de l'importance dans les jours à venir.

Dantrag Baenre grinça des dents quand cette pensée s'insinua dans son esprit. Il en devinait la source, ainsi que la signification

107

subtile. Le maître d'armes de la Maison Barrison Del'Armgo, la principale rivale des Baenre, et lui-même étaient considérés comme les deux plus grands combattants de la cité.

Matrone Baenre se servira de ses talents, prévint le message télépathique suivant.

Dantrag dégaina son épée, qu'il avait volée à la surface, et l'observa. Sa lame, incroyablement affûtée, brillait sur toute sa longueur d'une fine traînée rouge et les deux rubis incrustés dans le pommeau sculpté en forme de démon luisaient, comme animés d'une vie intérieure.

La main de Dantrag se referma dessus et se réchauffa, tandis que *Khazid'hea*, le *Couperet*, poursuivait sa communication.

Il est puissant et se battra bien lors du raid sur Castelmithral. Il a autant que toi – peut-être plus – soif du sang du jeune Do'Urden, l'héritier de Zaknafein.

Dantrag ricana quand il perçut cette dernière remarque, uniquement formulée parce que *Khazid'hea* voulait raviver sa colère. L'épée, qui considérait Dantrag comme un partenaire et non comme un maître, savait pouvoir mieux le manipuler quand il était furieux.

Après de nombreuses décennies passées à manier *Khazid'hea*, Dantrag ne l'ignorait pas non plus, aussi se força-t-il à conserver son calme.

— Personne ne désire plus que moi la mort de Drizzt Do'Urden, affirma-t-il à l'arme dubitative. Matrone Baenre s'assurera que ce soit moi, et non Uthegental, qui aie l'occasion de tuer le renégat. Elle ne voudra pas que les honneurs qui accompagneront inévitablement un tel exploit retombent sur un guerrier de la Deuxième Maison.

La ligne rouge de l'épée s'intensifia encore et se réfléchit dans les yeux ambrés du drow.

Tue Uthegental et sa tâche n'en sera que plus aisée, proposa *Khazid'hea*.

Cette suggestion fit rire Dantrag, ce qui fit briller encore plus violemment les yeux de *Khazid'hea*.

— Le tuer ? répéta-t-il. Tuer quelqu'un que Matrone Baenre estime important pour la mission à venir ? Elle m'écorcherait vif !

Mais pourrais-tu le tuer ?

Dantrag rit encore ; cette question n'avait pour but que de le railler, de le pousser au combat que *Khazid'hea* désirait depuis si longtemps. C'était une épée fière, au moins autant que Dantrag ou Uthegental, et son souhait le plus cher était de se trouver aux mains de l'incontestable meilleur maître d'armes de Menzoberranzan, que ce soit l'un ou l'autre.

— Je l'espère pour toi, répondit Dantrag en inversant les rôles avec sa fougueuse épée. Uthegental préfère son trident à l'épée. S'il me bat, alors *Khazid'hea* pourrait bien finir dans le fourreau d'un combattant moins doué.

Il se servirait de moi.

Dantrag rengaina son arme sans même répondre à cette ridicule affirmation. Également lasse de ce badinage inutile, *Khazid'hea* se tut pour ruminer ses pensées.

L'épée avait fait naître une certaine inquiétude chez Dantrag, qui n'ignorait pas l'importance du combat à venir. S'il abattait le jeune Do'Urden, il en recevrait toute la gloire, cependant si Uthegental y parvenait avant lui, Dantrag ne serait alors considéré que comme le deuxième meilleur guerrier de la cité, un rang dont il ne pourrait se débarrasser qu'en retrouvant et tuant Uthegental. Il savait aussi que de tels événements ne raviraient pas sa mère. Il avait enduré une existence affreuse du temps de Zaknafein Do'Urden, Matrone Baenre le pressant sans cesse de tuer le légendaire maître d'armes.

Cette fois, elle ne lui laisserait sans doute même pas cette option. Berg'inyon s'affirmant peu à peu comme un excellent combattant, Matrone Baenre pourrait tout simplement sacrifier Dantrag et offrir la position enviée de maître d'armes à son plus jeune fils. Si elle parvenait à justifier cela en citant les qualités de Berg'inyon, cela sèmerait davantage de doute parmi la population quant à savoir quelle Maison possédait le meilleur maître d'armes.

La solution était simple : Dantrag devait tuer Drizzt.

8

Ne pas être à sa place

Sans un murmure, il progressait dans les galeries obscures, ses yeux luisant d'une teinte lavande prêts à repérer le moindre changement de chaleur du sol et des parois, ce qui signalerait la présence d'une courbe ou d'ennemis un peu plus loin. À le voir, on aurait dit qu'il se sentait chez lui, véritable créature de l'Outreterre qui se déplaçait silencieusement avec grâce et prudence.

Pourtant c'était loin d'être le cas. Il se trouvait déjà plus bas que les tunnels inférieurs de Castelmithral et l'air stagnant l'étouffait. Il avait passé près de deux décennies à la surface, où il avait appris à vivre selon les règles qui régissaient le monde extérieur, lesquelles différaient autant des préceptes de l'Outreterre qu'un champ de fleurs sauvages de moisissures du fond d'une caverne. Si les humains, les gobelins et même les elfes de la surface n'auraient pas remarqué le passage silencieux de Drizzt à quelques pas de distance, celui-ci se sentait pourtant gauche et bruyant.

Il grimaçait à chaque pas, craignant de produire des échos qui résonneraient le long des murs nus sur des centaines de mètres. Ainsi en allait-il en Outreterre, un endroit que l'on parcourait davantage grâce à l'ouïe et l'odorat qu'à la vue.

Même s'il avait passé près des deux tiers de sa vie en Outreterre, puis une bonne partie des vingt dernières années sous terre, dans les cavernes du clan Marteaudeguerre, Drizzt ne se considérait plus comme une créature de l'ombre. Son cœur était resté sur un flanc de montagne et contemplait les étoiles et la lune, le lever et le coucher du soleil.

111

C'était ici un lieu de nuits sans étoiles – *non, pas des nuits, une nuit, une seule, une nuit sans fin et sans étoiles*, corrigea-t-il – où l'air restait immobile parmi les stalactites menaçantes.

La taille du tunnel variait considérablement, ne dépassant parfois pas la largeur d'épaules de Drizzt et en d'autres endroits aurait permis à une dizaine d'hommes de marcher de front. Le sol suivait une légère pente, qui conduisait le drow de plus en plus profond, et la voûte suivait la tendance et restait plus ou moins à la même hauteur, soit deux fois la taille de l'elfe noir, qui mesurait près d'un mètre soixante-dix. Durant un long moment, Drizzt ne repéra ni grottes adjacentes ni couloirs supplémentaires, ce qui lui convenait car il ne souhaitait pas devoir déjà choisir un itinéraire, sans compter que dans cette configuration tout ennemi potentiel serait contraint de l'affronter de face.

En toute honnêteté, il ne s'estimait pas prêt à répondre à un éventuel guet-apens, pas encore. Son infravision le faisait même souffrir; sa tête le lançait tandis qu'il tentait de déterminer et interpréter les différents motifs de chaleur. Du temps de sa jeunesse, il avait eu l'occasion de passer des semaines, voire des mois, la vision uniquement adaptée au spectre infrarouge, à la recherche de la chaleur et non de la lumière réfléchie, mais aujourd'hui, avec les yeux si habitués au soleil de la surface et aux torches qui éclairaient les couloirs de Castelmithral, il était quelque peu bouleversé par l'infravision.

Quand il finit par dégainer *Scintillante*, le cimeterre enchanté se mit à luire d'une douce lumière bleutée. Il s'adossa contre la paroi et laissa ses yeux se réadapter au spectre ordinaire avant de se servir de l'épée comme d'une lampe. Peu après, il parvint à une intersection d'où partaient six embranchements; deux couloirs se croisaient horizontalement tandis qu'un troisième les coupait verticalement au même endroit.

Drizzt rengaina *Scintillante* et regarda vers le haut de ce dernier conduit. Il n'y discerna aucune source de chaleur mais n'en fut pas pour autant rassuré. En effet, quantité de prédateurs de l'Outreterre étaient capables de dissimuler leur température corporelle, tout comme un tigre de la surface se sert de ses rayures pour se fondre parmi les hautes herbes épaisses. Les terribles porte-crocs, par exemple, avaient développé un exosquelette, dont les plaques osseuses cachaient la chaleur, ce qui leur permettait de paraître aussi inertes que des rochers pour des yeux thermosensibles. D'autre part, nombre des monstres qui peuplaient l'Outreterre étaient reptiliens et donc à sang froid, ce qui les rendait difficiles à repérer.

Drizzt huma l'air pesant à plusieurs reprises puis ne bougea plus et ferma les yeux afin de laisser ses oreilles capter un maximum de sons. Il n'entendit rien, à l'exception des battements de son propre cœur, aussi se décida-t-il, après avoir vérifié son matériel et s'être assuré que tout était en ordre, à descendre par le conduit vertical, en se frayant prudemment un chemin entre les morceaux de roche dangereusement instables.

Il parcourut la vingtaine de mètres qui le séparait d'un autre tunnel sans un bruit, jusqu'à ce qu'un caillou se détache juste sous lui et heurte le sol à l'instant précis où il y posait délicatement le pied.

Il se figea et suivit l'écho de ce bruit qui résonna de paroi en paroi. À l'époque où il menait des patrouilles drows, il avait été capable de parfaitement visualiser les échos, jusqu'à deviner, presque d'instinct, sur quels murs les bruits se répercutaient, ainsi que dans quelle direction. Il lui était aujourd'hui difficile de différencier les sons successifs. De nouveau, il ne se sentait pas à sa place, submergé par les sinistres ténèbres. Encore une fois, il se sentait vulnérable ; tant d'habitants de ces sombres lieux étaient eux capables de suivre la trace des échos, or celui-ci conduisait directement à lui.

Il traversa en toute hâte un véritable labyrinthe de couloirs qui s'entrecroisaient, dont certains changeaient brusquement de direction, plongeaient soudain pour se faufiler sous d'autres ou débouchaient sur des volées de marches naturelles menant vers d'autres niveaux de chemins tortueux.

Guenhwyvar manquait cruellement à Drizzt. La panthère savait se sortir de n'importe quel dédale.

Il songea encore au félin peu de temps après, quand il passa un virage et trébucha sur un cadavre frais. Il s'agissait d'un genre de lézard souterrain, trop mutilé pour que Drizzt le reconnaisse de façon précise. Sa queue avait disparu, tout comme sa mâchoire inférieure, alors que son ventre avait été ouvert et ses entrailles dévorées. Le drow remarqua

113

de longues déchirures sur la peau de l'animal, comme s'il avait été agressé par des griffes, ainsi que de longs et fins hématomes, tels ceux produits par un fouet. Au-delà d'une mare de sang située à quelques pas du corps, l'elfe noir aperçut une unique trace, une empreinte de patte qui ressemblait à celles qu'aurait pu laisser Guenhwyvar.

Mais la panthère de Drizzt se trouvait à des centaines de kilomètres et cette tuerie, d'après l'estimation du rôdeur, ne datait pas de plus d'une heure. Les créatures de l'Outreterre ne vagabondant pas comme celles de la surface, le dangereux prédateur n'était sans doute pas très loin.

✕ ✕ ✕ ✕ ✕

Bruenor Marteaudeguerre surgit en trombe dans le passage, son chagrin momentanément éclipsé par une indéniable colère grandissante. Gaspard Pointepique bondissait aux côtés du roi, en proférant question sur question tandis que son armure grinçait de façon très agaçante à chacun de ses mouvements.

Bruenor s'arrêta net et se retourna vers le guerroyeur effréné, puis il approcha sa terrible cicatrice et sa fureur du visage barbu et broussailleux de Gaspard.

— Pourquoi tu t'prends pas un bain ? rugit le roi nain.

Ces paroles firent reculer Pointepique, qui commença à s'étrangler. D'après lui, un roi nain ordonnant à un sujet de prendre un bain équivalait à peu près à un roi humain chargeant ses chevaliers de tuer des bébés. Il était tout simplement impossible de franchir certaines limites.

— Bah ! grogna Bruenor. Bon, comme tu voudras, alors. Mais va graisser cette foutue armure ! Un roi peut pas penser avec ces grincements et ces craquements !

Gaspard hocha la tête, satisfait de ce compromis, et fila sans demander son reste, presque effrayé de rester, craignant que le tyran Bruenor lui ordonne de nouveau de prendre un bain.

Bruenor ne voulait en réalité qu'éloigner Pointepique, peu importait la manière. Il avait passé un après-midi difficile. Il venait de recevoir Berkthgar l'Audacieux, un émissaire de Calmepierre, qui lui avait

114

appris que Catti-Brie n'était jamais arrivée au campement barbare, alors qu'elle avait quitté Castelmithral depuis près d'une semaine.

Il ne cessait de penser à sa dernière entrevue avec sa fille ; il revoyait les images de la jeune femme, il essayait de les détailler et de se rappeler chacun des mots qu'elle avait prononcés afin d'y trouver un indice sur ce qu'il se passait. Hélas, Bruenor avait alors été trop absorbé par sa souffrance. Si Catti-Brie avait fait allusion à autre chose qu'à son intention de se rendre à Calmepierre, il ne l'avait pas remarqué.

Quand Berkthgar lui avait appris la nouvelle, il avait tout d'abord imaginé qu'elle avait connu des ennuis dans la montagne. Il s'était presque décidé à envoyer un contingent de nains explorer la région quand, suite à une impulsion, il s'était interrompu suffisamment longtemps pour questionner l'émissaire à propos du cairn érigé en l'honneur de Wulfgar.

— Quel cairn ? avait répondu Berkthgar.

Bruenor avait alors compris qu'on l'avait trompé. Et si sa fille n'avait pas monté ce mensonge seule, il devinait facilement l'identité de son complice.

Il arracha presque de ses gonds la porte en bois solidarisée par des barres de fer de l'atelier de Buster Bracelet, un armurier renommé, quand il surgit dans la pièce, faisant sursauter le nain à la barbe bleue et son sujet halfelin. Régis était juché sur une petite estrade et se laissait mesurer afin que son armure soit élargie pour convenir à son tour de hanches qui avait augmenté.

Bruenor bondit sur le piédestal – Buster eut la sagesse d'en descendre – et attrapa le halfelin par l'avant de sa tunique et le souleva du sol d'un bras.

— Où est ma fille ? rugit-il.

— Calmepi…, commença à mentir Régis, avant que Bruenor se mette à le secouer violemment comme une poupée de chiffon.

— Où est ma fille ? répéta le nain, plus calmement, ses paroles réduites à un grondement menaçant. Et joue pas au plus fin avec moi, Ventre-à-Pattes.

Régis en avait plus qu'assez de se faire agresser par ses soi-disant amis. Avec sa vivacité d'esprit coutumière, il imagina

115

instantanément une version décrivant Catti-Brie partie chercher Drizzt à Lunargent, qui après tout n'aurait pas tant que cela relevé du mensonge.

Cependant, quand son regard se posa sur le visage meurtri de Bruenor, tordu de fureur mais aussi clairement empli de chagrin, le halfelin ne put se résoudre à mentir.

—Lâche-moi, dit-il doucement.

Bruenor dut saisir ce que ressentait son ami car il le reposa délicatement.

Régis tira sur sa tunique et agita le poing devant le roi nain.

—Comment osez-vous, tous? s'écria-t-il. (Cet éclat inhabituel fit sursauter Bruenor mais le halfelin ne se calma pas.) D'abord, Drizzt vient me trouver et me force à garder un secret. Ensuite Catti-Brie arrive et me harcèle jusqu'à ce que je le lui dise. Et maintenant, toi... Décidément, je suis entouré de véritables amis!

Ces mots tranchants calmèrent le nain versatile, juste un peu. À quel secret Régis faisait-il allusion?

Gaspard Pointepique déboula alors dans la pièce, son armure grinçant toujours autant malgré son visage, sa barbe et ses mains salis de graisse. Il se posta près de Bruenor et prit un instant pour évaluer la situation. Puis il se frotta impatiemment les mains et les essuya sur l'avant de son armure sérieusement coupante.

—Dois-je le secouer? demanda-t-il, plein d'espoir, à son roi.

De la main, Bruenor contint le guerroyeur agité.

—Où est ma fille? demanda-t-il une troisième fois, plus posément, comme on s'adressait à un ami.

Régis serra la mâchoire, puis hocha la tête et se lança. Il raconta tout à Bruenor, jusqu'à l'aide qu'il avait apportée à Catti-Brie en lui remettant la dague de l'assassin et le masque magique.

Le visage de Bruenor se crispa de nouveau de colère mais Régis garda la tête haute – façon de parler – et parvint à apaiser la fureur naissante du nain.

—Aurais-je dû moins faire confiance à Catti-Brie que toi? fit simplement remarquer le halfelin, rappelant ainsi au roi que sa fille humaine n'était plus une enfant et que les dangers de la route n'avaient plus de secrets pour elle.

116

Bruenor ne savait pas comment réagir. S'il voulait vaguement étrangler Régis, il ne lui échappait pas qu'il ne s'agirait là que d'une façon d'exprimer sa frustration, qu'il n'y avait pas grand-chose à reprocher à son ami. Mais vers qui d'autre se tourner? Drizzt et Catti-Brie partis depuis longtemps, il ignorait totalement comment les rejoindre!

Le nain blessé n'avait en outre pas non plus la force, en cet instant, d'essayer. Il baissa les yeux, son chagrin soudain resurgi, et, sans un mot, il sortit de la pièce. Il devait réfléchir et, dans l'intérêt de son ami le plus cher et de sa fille adorée, il devait réfléchir vite.

Gaspard chercha une explication en regardant Régis et Buster mais ceux-ci se contentèrent de secouer la tête.

⚔ ⚔ ⚔ ⚔ ⚔

Un léger mouvement, peut-être les pas feutrés d'un félin en chasse, voilà tout ce que percevait Drizzt. Parfaitement immobile, il explorait les environs, les sens en éveil. S'il s'agissait bien d'un fauve, le rôdeur savait qu'il se trouvait suffisamment près de lui pour sentir son odeur, qu'il avait sans le moindre doute remarqué que quelque chose s'était aventuré sur son territoire.

Drizzt observa la zone un long moment; le tunnel se poursuivait de façon irrégulière, large ou étroit selon les endroits, cette section étant totalement craquelée et bosselée, le sol constellé de bosses et de trous, tandis que sur les parois se devinaient des niches naturelles alignées et des recoins profonds. La voûte, tout aussi peu plane, était élevée ou basse en fonction de l'endroit où l'on se trouvait. Drizzt avait remarqué des variations de chaleur sur les murs et ainsi déduit qu'ils étaient parcourus de nombreuses saillies.

Un grand félin pouvait aisément y grimper pour surveiller d'une bonne hauteur une proie potentielle.

Cette pensée n'était pas particulièrement rassurante mais Drizzt devait continuer. En rebroussant chemin, il lui aurait fallu regagner le conduit vertical et grimper jusqu'au niveau supérieur, d'où il serait reparti en espérant trouver une autre voie pour redescendre. Il n'avait pas de temps à perdre, pas plus que ses amis.

117

Le dos plaqué contre la paroi, il reprit sa progression, ramassé sur lui-même, un cimeterre brandi et l'autre, *Scintillante*, prêt dans son fourreau. Il ne voulait pas que la lame magique brille et révèle sa position, même s'il n'ignorait pas que les félins de l'Outreterre n'avaient pas besoin de lumière.

Il passa d'un pas léger devant la niche, assez large, puis en atteignit une deuxième, plus étroite mais plus profonde. Quand il fut certain qu'elle était, comme la première, inoccupée, il se retourna pour profiter d'une vue générale sur l'endroit.

Des yeux d'un vert brillant, des yeux de félin, le contemplaient fixement depuis la saillie du mur opposé.

Scintillante sortit de son fourreau, luisant d'un bleu coléreux, et baigna la cavité de lumière. Drizzt, dont les yeux s'étaient réadaptés au spectre visible, vit alors une immense silhouette sombre lui bondir dessus. Il plongea aussitôt avec adresse pour éviter son agresseur, qui atterrit avec légèreté – sur ses six pattes ! – avant de se retourner et d'afficher des dents blanches et un regard inquiétant.

Cet animal, à l'allure de panthère et recouvert d'une fourrure si noire qu'elle brillait d'un bleu profond, était presque aussi imposant que Guenhwyvar. Drizzt ne savait que penser. S'il avait eu affaire à un félin ordinaire, il aurait essayé de le calmer, de lui montrer qu'il n'était pas un ennemi et qu'il était sur le point de quitter sa tanière. Mais ce fauve, ce monstre était pourvu de six pattes ! Il avait en outre sur ses épaules de longs appendices qui, terminés par des crêtes osseuses, évoquaient des fouets en s'agitant de façon menaçante.

La bête avança un peu en grondant, les oreilles aplaties et ses impressionnants crocs dévoilés. Drizzt s'accroupit, cimeterres dressés devant lui, en parfait équilibre afin de pouvoir s'écarter à tout moment.

L'animal s'arrêta et se mit à tapoter le sol de ses pattes du milieu et de son arrière-train, tandis que le drow restait toujours attentif.

Cela se produisit très vite ; Drizzt fit mine de plonger sur la gauche, l'animal se figea, Drizzt fit de même, puis se fendit en avant, une lame brandie. Le cimeterre se ficha exactement entre les deux yeux de la créature.

Hélas, il ne rencontra que du vide et Drizzt trébucha en avant. Il plongea instinctivement sur les pierres et roula sur la droite quand un tentacule fouetta l'air, juste au-dessus de sa tête, suivi par le second, qui le toucha légèrement à la hanche. Il fut ensuite frappé et griffé par d'énormes pattes, de tous côtés, mais se défendit violemment avec ses cimeterres et parvint à les contenir. Il se releva et mit immédiatement quelques mètres entre lui et ce dangereux félin.

Il reprit sa position défensive, tapi sur lui-même mais désormais moins confiant. Cet adversaire était intelligent : Drizzt n'aurait jamais imaginé un animal capable de procéder à une telle feinte. Pire encore, il ne comprenait pas pourquoi il ne l'avait pas touché, sa frappe ayant pourtant été bien réelle. L'incroyable agilité d'un félin ne devait pas lui permettre de s'écarter si vite.

Un tentacule l'approcha par la droite, ce à quoi il répondit par un coup de cimeterre, non pas pour parer cette offensive mais bien pour sectionner cet appendice.

Il le manqua et parvint ensuite tout juste, après sa surprise, à pivoter sur la gauche, non sans encaisser un autre coup sur la hanche, celui-là plus douloureux.

La bête se rua en avant, une patte levée pour accrocher le drow retourné. Celui-ci se raidit, *Scintillante* prête à bloquer l'ennemi, mais la patte le frappa trente bons centimètres plus bas que la zone défendue par l'arme.

Une fois de plus, l'elfe noir fut sauvé par sa vitesse de réaction. Au lieu de lutter contre cette patte – qui l'aurait lacéré –, il accompagna son mouvement en plongeant à terre, puis il se faufila à coups de pied hors de portée de la gueule béante du fauve. Il se faisait l'effet d'une souris tentant de fuir un chat domestique, qui aurait deux pattes de plus !

Jouant des coudes, Drizzt frappa vers le haut, sans vraiment voir le félin, et finit par le toucher sérieusement, ce qui le fit violemment s'agiter. Ce ne fut que lorsque le drow se dégagea, par l'arrière, qu'il comprit l'importance de ce détail. Il courut sur quelques mètres et se lança dans un roulé-boulé juste devant les tentacules jumeaux qui claquaient.

Il avait touché son adversaire – la seule fois – alors qu'il ne le voyait pas.

119

La bête revint vers lui, grondant de rage, ses yeux verts rivés, telles des torches, sur l'elfe noir.

Ce dernier cracha en direction de ces pupilles. Malgré la visée bien réelle de geste calculé, le fauve n'esquissa pas un mouvement pour l'esquiver et le crachat ne toucha que le sol en pierre. L'animal ne se trouvait pas là où il semblait être.

Drizzt essaya de se souvenir de sa formation à l'Académie de Menzoberranzan. Il avait déjà entendu parler de tels fauves, pourtant ils étaient très rares et n'avaient fait l'objet d'aucun entraînement approfondi.

Le félin approcha. Drizzt bondit en avant, à portée de ces redoutables tentacules, et tenta sa chance en lançant un assaut légèrement sur la droite de l'endroit où il voyait l'animal.

Celui-ci se trouvait en fait sur la gauche ; le cimeterre du drow fendit donc les airs sans effet. Conscient d'être en position dangereuse, Drizzt sauta instantanément et sentit une griffe lui déchirer un pied : celui qu'Artémis Entreri avait blessé au cours de leur combat, sur la corniche située à l'extérieur de Castelmithral. *Scintillante* s'abattit sur la patte qui l'avait agressé et força la bête à reculer, puis l'elfe noir retoucha le sol, plus ou moins enchevêtré avec son adversaire. Il sentit la forte haleine exhalée par cette gueule baveuse et pivota le poignet de façon que la traverse de son arme empêche le monstre de lui sectionner la main.

Il ferma les yeux — la vision ne servait qu'à le perturber — et frappa avec la poignée de *Scintillante* sur la tête de la créature, ce qui lui permit de se dégager. L'extrémité osseuse d'un tentacule le toucha alors dans le dos, attaque qu'il tempéra en plongeant en avant, atténuant ainsi une partie de la piqûre.

Après s'être de nouveau relevé, Drizzt prit la fuite en courant. Parvenu à hauteur de la large niche, il fit volte-face, le monstre sur ses talons.

C'est alors qu'il fit appel à ses capacités magiques innées et invoqua une sphère de ténèbres impénétrables. La lueur de *Scintillante* disparut, ainsi que les yeux brillants du monstre.

Drizzt avança de quelques pas, contournant le globe, avant de s'en approcher. Il ne voulait pas que l'animal s'échappe de la zone

120

obscurcie. Il perçut le sifflement d'un tentacule, qui frappa le sol non loin de lui, puis le sentit revenir par l'autre côté. Souriant de satisfaction, le drow fit parler son cimeterre, qui toucha sa cible et coupa net l'appendice.

Le rugissement de douleur qui s'ensuivit guida Drizzt, qui, s'il savait ne pas devoir trop s'approcher, bénéficiait d'une meilleure portée grâce à ses armes. *Scintillante* dressée pour repousser le tentacule restant, il frappa à plusieurs reprises avec son autre lame et atteignit légèrement sa cible.

C'est alors que le félin enragé bondit. L'ayant anticipé, l'elfe noir se jeta à terre et roula sur le dos, puis il leva ses deux lames vers le haut, touchant, sérieusement cette fois, le ventre de la bête.

Celle-ci se réceptionna durement et dérapa lourdement jusqu'à la paroi. Avant qu'elle se soit rétablie, Drizzt fut dessus. Un cimeterre s'écrasa sur le crâne de la créature, qui réagit immédiatement en bondissant en avant, pattes tendues et gueule béante.

Scintillante attendait. La pointe du cimeterre atteignit le monstre au menton et glissa sous sa gueule avant de plonger dans le cou. Une patte frappa la lame, manquant de peu de l'arracher de la main du drow, mais ce dernier savait qu'il devait s'accrocher. Sa vie en dépendait. La créature s'agita violemment mais, à force de coups de pied, il parvint à la tenir à distance.

Les deux combattants sortirent de l'obscurité et la bête se lança de nouveau à l'attaque. Drizzt ferma les yeux et sentit que le tentacule restant allait le frapper, aussi modifia-t-il sa trajectoire en portant tout son poids sur *Scintillante*. Quand l'appendice s'enroula sur son dos, il leva le coude juste à temps pour empêcher son extrémité de le frapper en plein visage.

Scintillante était alors à moitié enfoncée dans le monstre. Malgré le bruit, entre le souffle et le gargouillis, qui sortait de la gorge du félin, les lourdes pattes continuaient à frapper les flancs de Drizzt, déchirant des morceaux de sa cape et éraflant sa légère armure en mithral. L'animal essaya ensuite de tourner son cou embroché pour mordre le bras de l'elfe noir.

Ce dernier se servit alors de son autre main et frappa plusieurs fois la tête de la créature avec son cimeterre.

Puis il se retrouva bloqué par les pattes, tandis que la gueule ne se trouvait plus qu'à quelques centimètres de son ventre. Une griffe parvint à percer la cotte de mailles et se planta dans le flanc du drow.

Le cimeterre s'abattit, encore et encore.

Les deux adversaires s'effondrèrent, enchevêtrés. Coincé sur le côté et rivant ses yeux dans ceux, cruels, qui lui faisaient face, Drizzt, qui croyait sa dernière heure arrivée, tenta de se libérer. L'étreinte du félin se relâcha peu à peu et le drow comprit que l'animal était mort. Il finit par se dégager en se tortillant et contempla la créature abattue, dont les yeux verts brillaient même dans la mort.

⚔ ⚔ ⚔ ⚔ ⚔

—N'entre pas! dit l'un des deux gardes postés à l'extérieur de la salle du trône de Bruenor à Régis, alors que celui-ci s'approchait avec assurance de la porte.

Le halfelin les observa attentivement: il ne se rappelait pas avoir déjà vu des nains aussi pâles!

La porte s'ouvrit avec fracas et des nains armés jusqu'aux dents, tout un contingent, en jaillirent, avant de tomber, les uns sur les autres, dans le couloir dallé. Aussitôt après s'éleva une véritable diatribe, un torrent d'injures proférées par leur roi.

D'un bond, Régis parvint à se faufiler dans la pièce quand un garde commença à fermer la porte.

Bruenor faisait les cent pas autour de son trône, frappant l'immense fauteuil quand il s'en approchait suffisamment. Le général Dagna, le chef militaire de Castelmithral, était installé sur son siège attitré, la mine plutôt lugubre, tandis que Gaspard Pointepique, jubilant, sautillait derrière Bruenor, non sans prudemment s'écarter quand ce dernier se retournait.

—Idiots d'prêtres! gronda Bruenor.

—Cobble étant mort, aucun n'est assez puissant pour…, essaya d'intervenir Dagna, que Bruenor n'écoutait pas.

—Idiots d'prêtres! répéta le roi nain avec davantage de vigueur.

—Ouais! approuva Gaspard.

—Mon roi, vous avez envoyé deux patrouilles à Lunargent et une autre au nord d'la ville, insista Dagna. Et la moitié d'mes soldats arpentent les tunnels inférieurs.

—J'enverrai l'autre moitié s'ils trouvent pas le chemin ! rugit Bruenor.

Régis, toujours près de la porte et que personne n'avait encore remarqué, commençait à comprendre et ce dont il était témoin ne lui déplaisait pas. Bruenor – il ressemblait de nouveau à l'ancien Bruenor ! – remuait ciel et terre pour retrouver Drizzt et Catti-Brie. Le feu qui brûlait chez ce vieux nain s'était réveillé !

—Il y a mille tunnels là-dessous ! rappela Dagna. Nous en explorerons certains durant des semaines avant de découvrir qu'ils se terminent par des impasses.

—Alors envoie mille nains !

Bruenor frôla encore son trône et s'arrêta net – Gaspard le percuta dans le dos – quand il aperçut le halfelin.

—Qu'est-ce qu'tu regardes ? lui demanda-t-il quand il eut remarqué les yeux écarquillés de Régis.

Celui-ci aurait aimé répondre « mon plus vieil ami » mais il se contenta de hausser les épaules. L'espace d'une seconde, il crut discerner dans les yeux bleu-gris du nain un éclat de colère. Il crut le voir se tourner vers lui, peut-être avec le vif désir de se précipiter pour l'étrangler. Finalement, le roi nain se calma et s'assit sur son trône.

Régis s'en approcha prudemment et observa Bruenor, sans tenir compte des propos pragmatiques de Dagna selon lesquels il était impossible de retrouver leurs deux amis. Il en avait assez entendu pour deviner que Dagna ne s'inquiétait pas trop au sujet de Drizzt et Catti-Brie, ce qui ne le surprenait pas, vu que le nain bourru ne tenait à personne qui ne soit un nain.

—Si on avait cette foutue panthère, lâcha Bruenor, avant d'adresser un nouveau regard empli de colère au halfelin, qui baissa la tête, les mains dans le dos. Où est mon foutu médaillon ! Par les Neuf Enfers, où j'ai fichu mon foutu médaillon ?

Régis grimaça à chaque explosion mais la colère du roi nain ne lui fit rien regretter ; il avait bien fait d'aider Catti-Brie en lui cédant Guenhwyvar.

En outre, même s'il craignait plus ou moins de voir Bruenor le frapper au visage d'un instant à l'autre, il était tout de même ravi de le revoir plein de vie.

9

L'entrée des ténèbres

Progressant péniblement sur une piste rocailleuse, ils avançaient plus souvent à pied, menant les chevaux par la bride, que juchés sur les bêtes. Chaque centimètre de ce trajet était un supplice pour Catti-Brie. Elle avait aperçu le feu d'un campement la nuit précédente et savait, au fond de son cœur, que Drizzt l'avait allumé. Elle s'était alors précipitée vers son cheval, dans l'intention de le seller et reprendre la route en se guidant grâce à ce feu, quand Fret l'avait arrêtée et lui avait expliqué que les fers à cheval magiques n'empêchaient pas les bêtes de ressentir la fatigue. Il lui avait également rappelé les dangers qu'elle risquait de rencontrer en pleine nuit dans la montagne.

Catti-Brie était donc revenue à son propre feu, immensément malheureuse. Elle avait alors songé à appeler Guenhwyvar et l'envoyer à Drizzt, avant de chasser cette idée. Ce feu de camp n'était qu'un point quelque part sur les pistes situées plus haut dans la montagne, à des kilomètres de là, et elle n'avait aucun moyen de savoir qu'il s'agissait bien de son ami.

Toutefois, maintenant qu'ils arpentaient ces pistes qui grimpaient, progressant régulièrement mais laborieusement dans la direction du feu entrevu, Catti-Brie craignait s'être trompée. Elle observa Fret, qui grattait sa barbe blanche tout en jetant des coups d'œil au paysage, à droite et à gauche, et se prit à regretter de ne plus disposer du feu de camp pour les guider.

—On va y arriver ! lui lançait souvent le nain coquet, quand il voyait son expression découragée.

125

Le matin fit place à l'après-midi et les ombres s'allongèrent autour d'eux.

—Il faut dresser le campement, dit Fret quand la pénombre commença à s'installer.

—On continue, dit Catti-Brie. Si c'était bien le feu de Drizzt, il a déjà un jour d'avance sur nous, malgré les fers à cheval magiques!

—J'aurai du mal à retrouver la grotte de nuit. Nous pourrions tomber sur un géant, ou un troll, peut-être, et je suis certain que de nombreux loups doivent rôder dans les parages. Alors, pour ce qui est de dénicher une grotte… (Il remarqua alors la mine de Catti-Brie, de plus en plus renfrognée, et s'interrogea sur la pertinence de sa remarque.) Bon, d'accord! Continuons à chercher jusqu'à ce qu'on n'y voie plus rien.

Ils s'acharnèrent donc, jusqu'au moment où, alors que Catti-Brie ne distinguait presque plus son cheval, qui la suivait, le poney de Fret faillit chuter dans un ravin. La jeune femme entêtée fut contrainte de céder et accepta que le campement soit dressé.

Quand ils furent installés, elle s'éloigna jusqu'à un pin de grande taille et y grimpa presque jusqu'à la cime afin d'observer l'horizon. Elle était fermement décidée à repartir, ou au moins à envoyer la panthère, si la lueur réapparaissait.

Il n'y eut pas de feu lointain cette nuit-là.

Dès que la lueur de l'aube le permit, les deux compagnons se remirent en route. À peine une heure plus tard, Fret fit claquer ses mains l'une contre l'autre avec satisfaction, persuadé d'avoir reconnu une piste familière.

—Nous approchons, assura-t-il.

Le sentier grimpait et descendait, le long de vallées rocailleuses parsemées d'arbres puis sur des zones plus arides, nues à l'exception de quelques pierres balayées par le vent. Fret attacha son poney à une branche et entreprit de gravir une forte pente en disant à Catti-Brie qu'ils étaient arrivés au bon endroit, pour finalement, après deux heures de marche épuisante, découvrir qu'ils avaient escaladé la mauvaise montagne.

En milieu d'après-midi, la promesse de Fret assurant qu'ils « approchaient » s'avéra exacte. En effet, la grotte que le nain cherchait

126

ne se trouvait qu'à un demi-kilomètre de l'endroit où il avait prononcé ces mots. Dénicher une grotte bien précise en montagne n'est pas une tâche aisée, même pour un nain, et Fret n'était venu en ce lieu qu'une seule fois, près de vingt ans auparavant.

Il la trouva donc enfin, alors que les ombres s'allongeaient de nouveau sur les montagnes. Catti-Brie secoua la tête quand elle en examina l'entrée et vit le creux où un feu avait flambé deux nuits plus tôt. Les braises avaient été entretenues avec grand soin, comme il fallait s'y attendre de la part d'un rôdeur.

—Il est passé par ici, dit-elle au nain. Il y a deux nuits.

Elle se releva et écarta les mèches auburn qui lui barraient le visage, le regard posé sur le nain, comme si elle avait un reproche à lui adresser. Depuis la grotte, elle se tourna vers les montagnes, du côté par lequel ils étaient arrivés et vers l'endroit d'où ils avaient repéré ce feu.

—Nous n'aurions pas pu venir jusqu'ici cette nuit-là, dit le nain. Même si tu avais couru, ou chevauché, à toute allure dans l'obscurité, tu…

—La lueur du feu nous aurait guidés, l'interrompit Catti-Brie.

—Pour combien de temps? Nous avions trouvé un point de vue, avec une trouée dans les immenses cimes. Nous aurions perdu de vue cette lumière en descendant dans le premier ravin ou en longeant la première montagne. Où serions-nous en ce moment, fille têtue de Bruenor?

Le nain s'arrêta net une fois de plus en voyant l'air maussade de Catti-Brie. Il poussa un profond soupir et leva les bras de dépit.

Il avait pourtant raison et Catti-Brie le savait. Alors qu'ils ne s'étaient depuis cette nuit-là enfoncés que de quelques kilomètres dans les montagnes, les pistes s'étaient révélées traîtresses, que ce soit en descente ou en montée, et très tortueuses tandis qu'elles contournaient les nombreux pics rocheux. Les deux voyageurs avaient marché au moins vingt kilomètres pour parvenir à ce point et, même si Guenhwyvar avait été appelée, elle n'aurait en aucun cas pu rattraper Drizzt.

Cette logique ne suffisait toutefois pas à atténuer la frustration de Catti-Brie. Elle s'était juré de suivre la trace de Drizzt, de le retrouver et le reconduire chez eux, mais à présent, alors qu'elle se

127

tenait devant une grotte abandonnée, dans une région sauvage, elle faisait face à l'entrée de l'Outreterre.

—Retournons auprès de Dame Alustriel, lui suggéra Fret. Certains de ses alliés – elle en a tellement ! – sont peut-être plus en mesure de localiser le drow.

—Qu'est-ce que tu dis ? s'écria Catti-Brie.

—C'était une entreprise valeureuse. Ton père sera fier de tes efforts mais…

Catti-Brie se précipita sur le nain, le poussa sur le côté et s'élança tant bien que mal vers le fond de la grotte. Elle se cogna douloureusement un orteil contre une aspérité du sol mais se retint de crier ou même de râler, tant elle voulait éviter que Fret la trouve ridicule. Elle ne put toutefois s'empêcher d'estimer que ce serait justifié, tandis qu'elle farfouillait dans son sac, à la recherche de sa poudrière, sa lanterne et son huile.

—Tu sais qu'elle t'aime bien ? lâcha Fret, l'air de rien.

Cette question arrêta net Catti-Brie. Elle se retourna et vit le nain, désormais réduit à une minuscule silhouette sombre sur le fond gris clair de la nuit qui subsistait à l'extérieur.

—Alustriel, j'entends, précisa Fret.

Catti-Brie ne sut pas quoi répondre. Elle ne s'était pas sentie à l'aise auprès de la splendide Dame de Lunargent, loin de là. Intentionnellement ou non, Alustriel l'avait poussée à se sentir toute petite, parfaitement insignifiante.

—Je t'assure, insista Fret. Elle t'apprécie et t'admire.

—Oui, c'est ça, dans les rêves d'un orque, rétorqua-t-elle, vexée, pensant que le nain se moquait d'elle.

—Tu me rappelles sa sœur, poursuivit Fret sans perdre une seconde. Colombe Fauconnier, une femme pleine de fougue.

Catti-Brie ne répondit pas, cette fois. Elle avait souvent entendu des récits évoquant la sœur d'Alustriel, une rôdeuse légendaire, et avait en effet plus ou moins espérer ressembler à Colombe. Les paroles du nain ne lui semblèrent subitement plus aussi extravagantes.

—Alustriel aimerait te ressembler, dit le nain.

—Dans les rêves d'un orque ! laissa encore échapper Catti-Brie, qui ne put se contenir.

L'idée qu'Alustriel, la fabuleuse Dame de Lunargent, puisse concevoir la moindre jalousie à son encontre lui paraissait absurde.

— Dans les rêves d'un humain, je dirais, plutôt ! répondit Fret. Comment se fait-il que les représentants de votre race soient incapables d'estimer leur propre valeur ? Les humains s'accordent soit trop, soit pas assez d'importance ! Alustriel t'apprécie, je te dis, elle t'admire, même. Si ce n'était pas le cas, si elle pensait que toi et tes projets ne valiez rien, pourquoi se serait-elle engagée dans ces ennuis ? Pourquoi m'aurait-elle envoyé, moi, un conseiller de valeur, à tes côtés ? Et pourquoi, fille de Bruenor Marteaudeguerre, te donnerait-elle ceci ?

Il leva une main, dans laquelle se trouvait un objet, apparemment fragile, que Catti-Brie ne discernait pas. Elle resta immobile un moment pour méditer ce qui venait d'être dit, puis elle revint vers le nain.

Celui-ci tenait un magnifique bandeau en argent incrusté d'une pierre précieuse.

— C'est superbe, reconnut Catti-Brie en examinant la gemme vert pâle parcourue d'une ligne noire en son centre.

— Et bien plus encore, dit Fret, qui incita d'un geste la jeune femme à se parer de l'objet.

Elle l'attacha et plaça la pierre précieuse au centre du front, puis elle fut près de lâcher une exclamation ; tout ce qui l'entourait se brouilla soudain et se mit à trembler. Elle voyait désormais le nain, pas seulement sa silhouette, mais ses traits ! Elle regarda autour d'elle, incrédule, puis se tourna vers le fond de la grotte, qui lui parut baignée de lumière d'étoile, de façon assez discrète mais suffisante pour lui permettre de distinguer les aspérités et les trous du sol.

Détail dont elle ne pouvait se rendre compte ; la fine ligne noire qui traversait la gemme s'était élargie, telle une pupille.

— S'aventurer en Outreterre sous la lueur d'une torche n'est guère prudent, fit remarquer Fret. Une simple bougie révélerait ton statut d'étrangère à ce monde et te rendrait vulnérable. Et quelle quantité d'huile pensais-tu emporter, quoi qu'il en soit ? Ta lanterne ne t'aurait plus servi à rien avant la fin de la première journée. Grâce à l'œil-de-chat, tu n'es plus dépendante de cela.

129

—L'œil-de-chat?

—L'agate œil-de-chat, précisa Fret en désignant la pierre précieuse. Alustriel a procédé elle-même à l'enchantement. D'ordinaire, une gemme ainsi ensorcelée ne dévoile que quelques nuances de gris, mais la Dame apprécie la lumière des étoiles. Rares sont ceux dans les Royaumes à avoir reçu un tel présent.

Catti-Brie acquiesça, sans savoir quoi répondre. Elle songea aux sentiments qu'elle éprouvait pour la Dame de Lunargent, non sans une certaine culpabilité, et s'estima ridicule d'avoir douté d'Alustriel, d'avoir laissé sa jalousie perturber son jugement.

—J'ai été chargé d'essayer de te dissuader de te lancer dans cette folie mais Alustriel savait que j'échouerais, poursuivit le nain. Tu ressembles vraiment à Colombe, impétueuse et entêtée, on jurerait que tu te sens absolument immortelle. Elle avait deviné que tu continuerais, même en Outreterre. Même si elle a peur pour toi, Alustriel n'a aucun moyen de t'arrêter.

Le ton du nain n'était ni sarcastique ni humiliant et, une fois de plus, Catti-Brie fut surprise, ne s'étant pas attendue à ces paroles.

—Vas-tu passer la nuit dans la grotte? demanda-t-il. Je peux préparer un feu.

Catti-Brie secoua la tête. Drizzt avait déjà pris trop d'avance.

—Bien sûr, lâcha-t-il discrètement.

Catti-Brie ne l'entendit pas; elle se dirigeait déjà vers le fond de la grotte, vers le tunnel. Elle s'arrêta et invoqua Guenhwyvar, consciente d'avoir besoin de l'aide de la panthère pour poursuivre sa route. Tandis que le félin se matérialisait, elle se retourna vers l'entrée de la grotte pour dire à Fret de transmettre ses remerciements à Alustriel. Le nain était déjà parti.

—Viens, Guen, dit-elle, un sourire tendu sur le visage. Il faut retrouver Drizzt.

Le fauve tapota le sol du côté de l'entrée du tunnel puis s'élança, ayant manifestement repéré une piste.

Catti-Brie resta immobile un long moment, les yeux rivés sur l'entrée de la grotte et sur le ciel étoilé au-delà, puis elle se demanda si elle reverrait jamais ces étoiles.

10

DE VIEUX AMIS

Il parcourait des tunnels étroits et des couloirs qui s'étendaient au-delà de son champ de vision de tous côtés et au-dessus de lui. Il trottait sur des étendues boueuses et des pierres dénudées, sans faire d'éclaboussures, sans émettre le moindre son. Chaque pas, qui plongeait Drizzt Do'Urden plus profondément dans les tunnels de l'Outreterre, lui rafraîchissait un peu plus la mémoire, lui rappelait l'époque au cours de laquelle il avait survécu dans cet endroit sauvage, quand il était lui-même le chasseur.

Il retrouvait cet état d'esprit, cet aspect primaire et sauvage en lui, qui comprenait si bien l'appel de ses instincts. L'heure n'était plus aux calculs rationnels dans les boyaux de l'Outreterre ; l'heure était à l'action.

Drizzt redoutait de laisser libre cours à son côté sauvage, il avait l'ensemble de ce périple en horreur, néanmoins il devait poursuivre, sachant que s'il échouait, s'il était tué dans ces tunnels avant d'atteindre Menzoberranzan, sa quête se révélerait nuisible pour ses amis. Il aurait alors bien entrepris sa mission mais les elfes noirs n'en sauraient rien et se lanceraient tout de même à l'assaut de Castelmithral. Pour Bruenor, Régis et sa chère Catti-Brie, Drizzt devait insister, il devait redevenir ce chasseur bestial.

Il grimpa sur la voûte d'une galerie haute de plafond pour s'accorder sa première pause et dormit d'un sommeil léger, suspendu tête en bas, les jambes calées à hauteur des genoux dans une étroite crevasse et les doigts passés sous sa ceinture, non loin de ses cimeterres.

131

Un écho provenant d'un tunnel lointain le réveilla après seulement une heure de somnolence. Ce bruit avait été léger, un pas dans la boue collante, peut-être. Drizzt resta longtemps immobile et perçut la perturbation de l'air tandis que l'écho se propageait, ce qui lui permit d'en estimer correctement la direction.

Il tira sur ses jambes et se mit en boule avant de se laisser tomber de quatre ou cinq mètres jusqu'au sol, sur lequel il se réceptionna sans un murmure, ses orteils ayant absorbé le choc par l'intermédiaire de ses bottes souples. Puis il partit en courant et prit soin de s'éloigner de cet écho, n'ayant aucune envie de se battre de nouveau avant son arrivée à la cité drow.

Il gagnait en confiance à chaque pas. Ses instincts revenaient, ainsi que ses souvenirs du temps qu'il avait passé dans ces boyaux. Il parvint à une nouvelle zone boueuse, où l'air était tiède et où l'on entendait siffler de l'eau chaude et bouillonnante. Des stalactites et des stalagmites, brillantes de chaleur aux yeux du drow, sensibles à la température, parsemaient cet endroit et faisaient de cet unique tunnel un véritable labyrinthe.

Drizzt connaissait ce lieu, il se rappelait y être passé au cours du voyage qui l'avait conduit à la surface, ce qui lui procurait tout autant de satisfaction que d'inquiétude. Il était heureux de se trouver dans la bonne direction mais il ne pouvait nier la peur que cela faisait naître. Il se laissa guider par le ruissellement de l'eau, sachant qu'il trouverait le bon tunnel juste sous la source thermale.

Malgré l'air, de plus en plus chaud jusqu'à en être gênant, il conserva sa cape serrée sur lui ; il ne voulait pas être repéré avec plus qu'un cimeterre en main dans cette zone dangereuse.

Car c'en était une, cela ne faisait aucun doute. Quantité de monstres pouvant être tapis derrière les innombrables concrétions, le drow dut faire un réel effort pour progresser en silence dans la boue épaisse. S'il laissait trop longtemps un pied au même endroit, la matière visqueuse submergeait sa botte et, par conséquent, le simple fait de lever le pied provoquait ensuite inévitablement un bruit de succion. En une telle occasion, Drizzt s'interrompit alors qu'il levait lentement le pied et essaya de repérer les échos produits. Il lui fallut

132

un moment avant de comprendre que les sons qu'il percevait étaient dus à d'autres pas que le sien.

Il examina rapidement la cavité et s'attarda sur la température de l'air et l'intensité avec laquelle les stalagmites brillaient. Les bruits de pas s'intensifiant, Drizzt se rendit compte qu'un groupe important approchait. Après avoir jeté un coup d'œil dans chaque tunnel, il en arriva rapidement à la conclusion que ces inconnus ne se guidaient d'aucune lumière.

Le drow se posta sous une stalactite, dont la fine pointe ne se trouvait pas à plus d'un mètre vingt du sol. Il rabattit les jambes sous lui et s'agenouilla à cet endroit précis, puis il disposa sa cape de façon à lui donner un aspect conique, tout en prenant garde de ne rien laisser dépasser, comme un pied, par exemple. Il leva ensuite les yeux vers la stalactite et en étudia la forme, avant d'en toucher l'extrémité et la parcourir des doigts. Il plaça alors les mains juste en dessous et s'assura que la jonction était la plus fine possible.

Il ferma les yeux et enfouit la tête entre les bras, puis il oscilla quelque peu afin de trouver son équilibre et de prendre une allure la plus lisse possible.

Drizzt était devenu une stalagmite.

Il ne tarda pas à entendre autour de lui des bruits de succion, ainsi que des voix, grinçantes et coassantes, caractéristiques de gobelins. Il ne se permit de jeter un regard qu'à une seule reprise, et uniquement une fraction de seconde, ce qui lui confirma qu'ils ne disposaient pas de source lumineuse. Il aurait été immédiatement repéré si une torche l'avait frôlé !

Pourtant, on ne se cachait pas dans la sombre Outreterre comme dans une forêt, même par une nuit sans lune. Le truc consistait ici à brouiller sa chaleur corporelle et Drizzt estimait avec confiance que l'air qui l'entourait ainsi que les stalagmites étaient au moins aussi chauds que sa cape.

Il entendit des bruits de pas de gobelins à quelques mètres de lui et comprit que la bande – ils étaient d'après lui au moins une vingtaine – s'était déployée autour de lui. Il se concentra alors sur les mouvements précis qu'il lui faudrait effectuer pour dégainer ses cimeterres le plus rapidement possible. Si l'une des créatures l'effleurait, son camouflage ne tiendrait plus ; il exploserait, fendrait le groupe et tenterait de leur échapper avant même qu'ils prennent conscience de sa présence.

Il ne fut pas poussé à cette extrémité. La troupe de gobelins poursuivit son chemin dans la forêt de colonnes pierreuses, parmi lesquelles se cachait un drow.

Drizzt ouvrit ses yeux lavande, où brillaient les feux internes du chasseur. Il demeura parfaitement immobile encore quelque temps puis, après s'être assuré qu'aucun traînard n'était encore présent, il partit en courant, sans un bruit.

⚔ ⚔ ⚔ ⚔ ⚔

Catti-Brie devina instantanément que c'était Drizzt qui avait tué cette bête à six pattes, aux allures de panthère et pourvue de tentacules. Agenouillée près de la carcasse, elle reconnaissait les blessures courbées et doutait qu'un autre que son ami ait pu tuer cet animal de façon aussi propre.

— C'est Drizzt, murmura-t-elle à Guenhwyvar, qui répondit d'un grondement sourd. Il y a deux jours, pas plus.

Le monstre tué rappela à la jeune femme à quel point elle était vulnérable. Si Drizzt, malgré son habitude de la discrétion en Outreterre, avait été contraint de se battre, comment pouvait-elle espérer passer sans dommages ?

Elle ressentit le besoin de s'appuyer contre le flanc musclé de la panthère noire, qu'elle ne pourrait d'ailleurs pas garder beaucoup plus longtemps auprès d'elle. Le félin magique était une créature du plan Astral et devait régulièrement y retourner pour reprendre des forces. Catti-Brie avait prévu de passer sa première heure dans le tunnel seule, elle avait pensé quitter la grotte sans la panthère à ses côtés, mais ses nerfs l'avaient trahie dès les premiers pas. Le soutien concret de son fauve lui était indispensable en ce lieu inconnu. La journée s'écoulant, elle s'était peu à peu habituée à ce nouvel environnement et avait eu l'intention de renvoyer Guenhwyvar dès que la piste deviendrait évidente, dès qu'elles auraient atteint une zone comprenant moins de passages latéraux. Elles avaient apparemment débouché sur une telle portion, cependant elles avaient également aperçu la carcasse.

Catti-Brie releva vivement la tête et ordonna à Guenhwyvar de rester près d'elle. Elle n'ignorait pas qu'elle devrait libérer la panthère au plus vite, afin de ne pas trop l'épuiser au cas où elle en aurait besoin en urgence, mais elle se justifia en se convainquant que de nombreux monstres charognards, ou d'autres félins à six pattes, pouvaient rôder dans les parages.

Vingt minutes plus tard, alors que les tunnels restaient obscurs et silencieux, la jeune femme s'arrêta et rassembla ses forces. Renvoyer Guenhwyvar en cet instant s'avéra pour elle un effort des plus courageux et, quand la fumée se fut dissipée et que Catti-Brie eut rangée la statuette dans sa sacoche, elle se réjouit d'être en possession du cadeau d'Alustriel.

Elle était seule en Outreterre, seule dans des tunnels profonds peuplés de forces mortelles. Toutefois, elle n'était plus aveugle et l'illusion étoilée – magnifique, même ici, sur les pierres grises – la soutenait.

Elle inspira largement et se calma. Puis elle songea à Wulfgar et se répéta son serment ; elle ne perdrait plus un seul de ses amis. Drizzt avait besoin d'elle, elle n'allait pas se laisser dominer par ses peurs.

Elle s'empara du médaillon en forme de cœur et le serra dans sa main afin que sa chaleur magique la guide dans la bonne direction. Enfin, elle se remit en route, se forçant à chaque pas tandis qu'elle s'éloignait davantage du monde du soleil.

⚔ ⚔ ⚔ ⚔ ⚔

Drizzt accéléra l'allure après la source thermale. Il se rappelait le chemin à présent, ainsi que les ennemis qu'il lui fallait éviter.

Les jours s'écoulèrent pour le drow, qui courait toujours et devinrent une semaine, puis deux. Il lui avait fallu plus d'un mois pour atteindre la surface depuis Blingdenpierre, la cité gnome situé à quelque soixante ou soixante-dix kilomètres à l'ouest de Menzoberranzan, mais à présent, convaincu que Castelmithral était en danger, il était bien décidé à raccourcir ce délai.

135

Il se retrouva dans des tunnels étroits et tortueux et reconnut une fourche familière sur la piste, constituée par un couloir orienté au nord et l'autre poursuivant vers l'ouest. Il pensait que l'itinéraire par le nord serait le plus court jusqu'à la cité drow. Mais il continua vers l'ouest, songeant qu'il en apprendrait davantage sur cette route qu'il connaissait et espérant secrètement y retrouver de vieux amis.

Deux jours plus tard, il courait toujours mais il s'accordait désormais régulièrement des pauses pour coller l'oreille contre la pierre et écouter d'éventuels coups portés en rythme. Blingdenpierre n'était plus très loin, il en était conscient, et les gnomes des profondeurs chargés des mines étaient susceptibles de se trouver dans les environs. Les boyaux étaient pourtant silencieux et Drizzt commençait à penser qu'il ne lui restait plus beaucoup de temps. Il songea à se diriger droit sur la cité des gnomes mais finit par se raisonner. Il avait déjà trop traîné en route ; il était temps de s'approcher de Menzoberranzan.

Une heure plus tard, alors qu'il abordait avec prudence une courbe décrite par une galerie au plafond bas et recouverte de lichen brillant, ses oreilles sensibles captèrent un bruit lointain. Le premier réflexe du drow fut de sourire, persuadé d'avoir repéré les mineurs insaisissables, mais quand il perçut des chocs de métal frappé sur du métal, et même un cri, son expression changea du tout au tout.

Un combat se déroulait non loin de là.

Drizzt se précipita, guidés par les échos, de plus en plus présents. Après avoir fait demi-tour dans une impasse, il reprit la bonne route, cimeterres dégainés. Il déboucha sur une bifurcation, dont les deux tunnels se poursuivaient sensiblement dans la même direction, l'un d'entre eux s'élevant nettement, et desquels sortaient autant de cris.

Drizzt s'engagea en courant dans celui qui grimpait, tapi sur lui-même. Au détour d'un virage, il aperçut une sortie et fut alors certain de survenir en plein combat. Il surgit du tunnel et se retrouva sur une corniche située à quelque cinq ou six mètres en surplomb d'une vaste cavité, dont le sol déchiqueté était parsemé de monticules de pierres. Quelques mètres en contrebas, des svirfnebelins et des drows s'agitaient dans tous les sens.

Des svirfnebelins et des drows ! Drizzt se plaqua contre la paroi, ses cimeterres contre lui. Il savait que les svirfnebelins, les gnomes des profondeurs, n'étaient pas agressifs et devinait, au fond de lui-même, que les drows avaient provoqué cet affrontement, sans doute en tendant une embuscade à un groupe de mineurs. Son cœur lui hurla de bondir au secours des gnomes sévèrement dominés, sans en trouver la force. Il avait déjà lutté contre des drows, il en avait déjà tué, mais jamais de façon délibérée. Ils étaient de sa race, de son sang. Peut-être se trouvait-il là un autre Zaknafein ? Un autre Drizzt Do'Urden ?

Un elfe noir, lancé à la poursuite d'un gnome blessé, escalada un pilier rocheux et se rendit compte que c'était devenu une pierre vivante, un élémentaire de la Terre, allié des gnomes. La créature referma ses immenses bras caillouteux qui enveloppèrent le drow et l'écrasèrent, sans se soucier des armes de son prisonnier, qui ne causèrent pas le moindre mal à son armure de pierre naturelle.

Cette épouvantable vision fit grimacer Drizzt, tout de même soulagé de voir les gnomes tenir le choc. L'élémentaire se retourna lentement, fit voler en éclats une stalagmite qui le gênait et arracha ses énormes pieds du sol de pierre.

Les gnomes commencèrent à se regrouper derrière leur allié géant et tentèrent de reformer un semblant de rang au milieu de ce chaos. Ils étaient en bonne voie pour y parvenir, nombre d'entre eux zigzaguant dans le labyrinthe rocheux pour rejoindre le gros de leur troupe, tandis que les elfes noirs reculaient inévitablement devant le dangereux géant. Un gnome solidement charpenté, un maître-terrassier, supposa Drizzt, lança une marche rectiligne à travers la cavité.

Drizzt s'accroupit sur la corniche. Depuis son point de vue, il vit les talentueux guerriers drows se déployer autour des gnomes, sur les côtés et cachés derrière des monticules. Un autre groupe se glissa vers la sortie opposée, qui se trouvait être la destination des gnomes, et s'y installa selon des positions stratégiques. Si l'élémentaire résistait, les gnomes parviendrait vraisemblablement à passer en force et, une fois dans le tunnel, il leur suffirait de laisser le géant de pierre derrière eux pour bloquer le passage et courir vers Blingdenpierre.

Trois femmes drows avancèrent pour affronter l'être de pierre. Drizzt soupira quand il vit qu'elles portaient la robe aux motifs d'araignées caractéristique des adoratrices de Lolth. Il reconnut qu'il s'agissait de trois prêtresses, peut-être des hautes prêtresses, et comprit alors que les gnomes ne leur échapperaient pas.

L'une après l'autre, elles lancèrent des incantations et, les mains tendues, elles projetèrent une légère brume. Quand ce nuage atteignit l'élémentaire, celui-ci commença à se dissoudre et la pierre solide fut peu à peu remplacée par des filets de boue.

Les prêtresses poursuivirent leurs incantations, leurs assauts. Le géant avança, grognant de rage et les traits déformés par les coulées de boue.

Un jet de fumée l'atteignit de plein fouet et provoqua une fine traînée de boue sur le torse du monstre. Hélas pour elle, la prêtresse à l'origine de cette attaque, trop concentrée, ne s'écarta pas assez vite. Un bras de pierre la frappa violemment, brisa des os et envoya la malheureuse se fracasser contre une stalagmite.

Les deux prêtresses restantes touchèrent de nouveau l'élémentaire et lui firent fondre les jambes. Le monstre s'effondra, impuissant. Il se mit aussitôt à reformer ses membres disparus mais ses ennemies n'interrompirent pas leur jet mortel. Voyant que leur allié était perdu, le chef des gnomes sonna la charge. Les svirfnebelins se ruèrent en avant et submergèrent une prêtresse avant que les elfes noirs postés sur les côtés fondent sur eux, leur formation se refermant telle une gueule béante. Le combat reprit de plus belle, cette fois juste en dessous de Drizzt Do'Urden.

Haletant devant ce spectacle, il vit trois drows tailler en pièces un gnome, qui s'écroula avant de mourir en hurlant.

Drizzt n'avait plus d'excuses Il savait discerner le bien du mal, il savait ce que signifiait l'apparition des prêtresses de Lolth. Ses yeux lavande se mirent à briller de mille feux et il dégaina ses cimeterres, *Scintillante* parée de sa lueur bleutée.

Il avisa sur sa gauche la dernière prêtresse, qui se tenait près d'un grand et fin monticule, un bras posé sur un svirfnebelin. Le gnome ne tentait rien contre elle et ne pouvait que grogner et trembler sous les assauts magiques de sa tortionnaire. De l'énergie noire crépitait du bras de la prêtresse tandis qu'elle aspirait littéralement les forces vitales de son infortunée victime.

Drizzt glissa *Scintillante* sous son autre bras et bondit. Il attrapa le sommet de cette étroite colonne et en fit le tour tout en descendant. Il toucha terre juste à côté de la prêtresse et apprêta aussitôt ses armes.

La drow surprise proféra une série d'ordres secs, considérant visiblement Drizzt comme uns des siens, juste avant que *Scintillante* plonge dans son cœur.

Le gnome à demi vidé jeta un regard étonné à son sauveur, puis s'évanouit. Drizzt se précipita et se mit à crier des avertissements aux gnomes, dans leur propre langue, leur indiquant que les elfes noirs étaient positionnés près de la sortie du fond. Il prit toutefois le soin de rester caché, ayant bien à l'esprit le fait que le premier gnome qui le croiserait l'attaquerait probablement, tandis que n'importe quel drow pouvait le reconnaître.

Il essaya de ne pas trop penser à ce qu'il venait de commettre, il essaya de ne pas trop penser aux yeux de la prêtresse, si semblables à ceux de sa sœur Vierna.

Il se cala brutalement le dos contre un monticule, cerné par les cris de la bataille. Un gnome surgit alors de derrière une autre stalagmite, agitant dangereusement un marteau. Avant que Drizzt ait pu expliquer qu'il n'était pas un ennemi, un autre drow se présenta et vint se poster à côté de lui.

Soudain hésitant, le gnome regarda autour de lui, en quête d'un endroit où s'échapper, mais le nouvel arrivant lui sauta dessus.

Agissant purement d'instinct, Drizzt frappa le bras armé du drow et y occasionna une profonde entaille. L'elfe à la peau noire lâcha son épée et regarda derrière lui, horrifié de constater que ce drow n'était pas un allié. Chancelant, il se retourna vers le svirfnebelin, juste à temps pour recevoir un marteau de gnome en plein visage.

Bien entendu, le gnome ne comprit pas la situation et, alors que l'elfe noir s'écroulait, il ne songea qu'à préparer son marteau pour son second ennemi. Mais Drizzt avait disparu depuis un bon moment.

La dernière prêtresse abattue, un chaman gnome se précipita sur l'élémentaire vaincu. Il plaça une pierre au sommet de l'amas de gravats et l'écrasa avec sa pioche avant de lancer une invocation. Le monstre ne tarda pas à se reformer, aussi imposant qu'auparavant, et s'en alla d'un pas lourd, telle une avalanche, à la recherche d'autres ennemis. Le chaman le regarda partir sans se préoccuper de sa propre situation, ce qui s'avéra une erreur puisqu'un autre elfe noir se glissa derrière lui, sa massue brandie en vue d'assener un coup meurtrier.

Le chaman ne prit conscience du danger que quand le gourdin s'abattit... et fut intercepté par un cimeterre.

Drizzt écarta le chaman et se dressa devant le drow ébahi.

—Ami ? lui demanda rapidement ce dernier en langage gestuel, des doigts de sa main libre.

Drizzt secoua la tête et envoya *Scintillante* percuter la massue du drow, qui fut ainsi écartée, puis l'autre cimeterre suivit la même trajectoire et résonna fortement sur le métal du gourdin quand il le déporta loin sur la gauche.

Son intervention inattendue n'avait cependant pas donné à Drizzt un avantage si déterminant ; la main libre de son adversaire s'était déjà glissée vers sa ceinture et en avait sorti un fin poignard. Entre les plis de sa cape *piwafwi*, le drow, qui souriait déjà de son apparente victoire, lança son arme droit vers le cœur de Drizzt.

Ce dernier pivota sur sa droite et évita ce coup. Il tira aussitôt vers lui son cimeterre le plus proche et accrocha le manche du poignard, ce qui lui permit de tirer le bras du drow. Il acheva sa rotation et se retrouva le dos contre le torse de son adversaire, le bras de celui-ci tendu autour de lui. Le drow essaya de se servir de sa massue de façon à pouvoir frapper Drizzt mais celui-ci, en meilleure position, se montra le plus rapide. Il fit un pas de côté puis donna un coup de coude dans le visage de son semblable, puis renouvela l'opération à plusieurs reprises.

Il fit ensuite voler le poignard du drow et eut la bonne inspiration d'inverser son sens de rotation ; *Scintillante* intervint juste à temps pour bloquer la massue qui le menaçait. De l'autre bras, il écrasa ensuite la poignée de son cimeterre sur le visage de son adversaire.

Bien que clairement hébété, ce dernier tenta de conserver son équilibre. Une rapide volte-face, suivie d'un coup de *Scintillante*, éjecta le gourdin dans les airs. Drizzt enchaîna par un coup de poing – la poignée de *Scintillante* atteignit sa cible sur le côté de la mâchoire – qui envoya le drow à terre.

140

Drizzt se tourna alors vers le chaman, qui, bouche bée, serrait son marteau avec nervosité. Autour d'eux, la bataille tournait à la correction, grâce à l'élémentaire revenu à la vie qui menait les svirfnebelins vers une victoire décisive.

Deux autres gnomes rejoignirent le chaman et se mirent à lorgner Drizzt avec un mélange de doutes et de peur. Ce dernier resta muet quelques instants, le temps de réfléchir à la langue des svirfnebelins, dans laquelle on retrouvait des intonations mélodiques similaires à l'elfique de la surface, ainsi que des sons plus durs davantage typiques du parler nain.

— Je ne suis pas un ennemi, dit-il, avant de jeter ses cimeterres au sol pour prouver sa bonne foi.

Le drow à terre émit un gémissement. Un gnome se jeta aussitôt sur lui et brandit sa pioche au-dessus de la nuque du blessé.

— Non ! s'écria Drizzt, qui s'élança et se pencha pour intercepter le coup.

Il se redressa toutefois immédiatement quand il sentit une série de points douloureux le long de sa colonne vertébrale. Il vit le gnome achever le drow hagard mais ne put se résoudre à regarder ce spectacle brutal, alors que plusieurs petites explosions se déclaraient dans son dos. Le rebord d'une espèce de bâton aplati lui parcourut la colonne vertébrale, telle une planche passée sur les piquets d'une clôture.

Puis ce fut terminé. Drizzt resta immobile durant ce qui lui parut une éternité. Ses jambes furent agitées de picotements, comme si elles avaient été anesthésiées, puis, bientôt, il ne ressentit plus rien en dessous de la taille. Il lutta pour garder son équilibre mais chancela et s'écroula sur le sol de pierre, qu'il se mit à racler en essayant de retrouver son souffle.

Il savait que les ténèbres de l'inconscience – ou peut-être une obscurité plus profonde encore – n'allaient pas tarder à survenir car il éprouvait à présent les pires difficultés à se rappeler où il se trouvait et les raisons pour lesquelles il était venu ici.

Il entendit parler le chaman, éclair de conscience qui ne lui procura pas le moindre réconfort :

— Tuez-le, dit le gnome.

11

C'est inutile

—C'est ici? demanda le guerroyeur effréné, qui hurlait pour faire entendre sa voix rocailleuse malgré le vent qui sifflait.

Il avait quitté Castelmithral en compagnie de Régis et Bruenor – il avait forcé le halfelin à le laisser le suivre, en réalité – à la recherche du cadavre d'Artémis Entreri. « Tu trouveras des indices quand tu les trouveras », avait alors déclaré Gaspard, de cette façon peu claire qui n'appartenait qu'à lui.

Régis remonta le capuchon de sa cape trop grande pour se protéger de la piqûre du vent. Ils arpentaient une étroite vallée, un ravin dont les flancs semblaient changer le vent, déjà puissant, en un véritable torrent.

—C'était par ici, dit Régis, qui haussa les épaules pour indiquer qu'il n'en était pas certain.

Il avait suivi un itinéraire plus élevé quand il s'était lancé à la recherche d'Entreri, meurtri, et était passé par le haut du ravin et d'autres corniches. Il était certain de se trouver dans la bonne zone mais les choses prenaient un aspect trop différent de ce point de vue pour les reconnaître à coup sûr.

—On l'trouvera, mon roi, assura Pointepique à Bruenor.

—Pour c'que ça va nous servir, grogna le roi nain, découragé.

Le ton du nain fit tiquer Régis, qui comprit que Bruenor retombait dans son désespoir. Les nains n'avaient trouvé aucun chemin intéressant dans le dédale de tunnels qui couraient sous Castelmithral,

143

tandis que les nouvelles en provenance de l'est n'étaient guère prometteuses ; si Catti-Brie et Drizzt étaient passés par Lunargent, ils devaient avoir quitté cette ville depuis longtemps à présent. Bruenor commençait à entrevoir l'inutilité de ces efforts. Des semaines s'étaient écoulées sans qu'il trouve de boyau partant de Castelmithral susceptible de le rapprocher de ses amis. Il perdait espoir.

— Mais mon roi, il connaît le chemin ! rugit Gaspard.

— Il est mort, lui rappela Bruenor.

— Pas grave ! Les prêtres savent parler aux morts… et il possède peut-être une carte. On réussira à trouver la route qui mène à cette cité drow, j'te l'dis, et j'irai là-bas, mon roi ! J'tuerai tous les drows puants – sauf ton copain rôdeur (Il adressa un clin d'œil à Régis) – et j'te ramènerai ta fille !

Bruenor se contenta de soupirer et, d'un geste, fit signe à Régis de poursuivre les recherches. Malgré ses plaintes, le roi nain espérait secrètement éprouver une certaine satisfaction en contemplant le corps brisé d'Entreri.

Ils progressèrent encore un petit moment, Régis jetant constamment des coups d'œil autour de lui sous son capuchon afin de se repérer. Enfin, il avisa une haute saillie, un affleurement rocheux qui évoquait une branche.

— Là ! s'écria-t-il en désignant l'endroit du doigt. Ce doit être là.

Gaspard leva les yeux, puis son regard suivit une ligne verticale à partir du point indiqué par le halfelin, jusqu'au fond du ravin. Il se mit alors à fureter à quatre pattes et à renifler le sol, comme s'il essayait de sentir l'odeur du cadavre.

Régis l'observa, amusé, et se tourna vers Bruenor, adossé contre la paroi du gouffre, une main sur la pierre, et qui secouait la tête.

— Qu'y a-t-il ? lui demanda le halfelin en s'approchant.

Quand il entendit la question et remarqua l'attitude de son roi, Pointepique rejoignit aussitôt ses deux compagnons.

Régis ne tarda pas à remarquer quelque chose sur le mur rocheux, quelque chose de gris et emmêlé. Il y regarda de plus près quand Bruenor arracha un morceau de cette substance de la pierre et le lui tendit.

144

—Qu'est-ce que c'est? s'enquit Régis, qui osa palper l'indice.

Un long filament s'en détacha, collé à son doigt, qu'il lui fallut vivement secouer pour se débarrasser de cette matière gluante.

Bruenor ravala plusieurs fois sa salive et Gaspard se précipita au pied du mur, avant de traverser le fond du ravin afin d'observer la paroi d'un peu plus loin.

—C'est ce qu'il reste d'une toile d'araignée, répondit le roi nain sur un ton lugubre.

Bruenor et Régis levèrent alors ensemble les yeux vers le rocher saillant et songèrent en silence à ce qu'impliquait la présence d'une toile d'araignée tendue à l'endroit où l'assassin avait chuté.

⚔ ⚔ ⚔ ⚔

Les doigts s'agitaient trop vite pour qu'il puisse les suivre et transmettaient quelques instructions que l'assassin ne comprenait pas. Il secoua violemment la tête, le drow énervé cessa alors d'agiter les mains et prononça le mot « *iblith* » avant de s'en aller.

Iblith, répéta en pensée Artémis Entreri. Ce mot drow, qui équivalait à moins que rien, était celui qu'il avait le plus entendu depuis que Jarlaxle l'avait fait venir dans cet endroit maudit. Qu'avait voulu lui dire ce soldat drow? Il commençait à peine à apprendre le langage gestuel compliqué des elfes noirs, dont les mouvements de doigts étaient si précis et détaillés qu'Entreri doutait qu'un humain sur vingt soit capable de seulement vaguement le comprendre. D'autre part, il essayait également désespérément d'apprendre la langue drow parlée. Il en connaissait quelques mots et possédait des notions de base de la structure des phrases drows, ce qui lui permettait d'exprimer des idées simples.

Et il ne connaissait que trop bien le mot *iblith*.

Il s'adossa contre la paroi de la petite cavité qui servait cette semaine-là de base opérationnelle pour Bregan D'aerthe. Il se sentait plus petit, plus insignifiant que jamais. Quand Jarlaxle l'avait ranimé, dans une grotte du ravin situé à l'extérieur de Castelmithral, il avait vu dans la proposition du mercenaire – il se rendait désormais compte

145

qu'il s'était plutôt agi d'un ordre – de le conduire à Menzoberranzan une chose merveilleuse, une grande aventure.

Or rien ici ne suggérait l'aventure ; sa vie était un enfer. Entreri était un *colnbluth*, un « non-drow », qui vivait parmi vingt mille spécimens de cette race tout sauf tolérante. Ils ne haïssaient pas particulièrement les humains, pas plus qu'ils détestaient n'importe qui d'autre, mais ils ne l'aimaient pas parce qu'il était un *colnbluth*, un assassin, autrefois extrêmement puissant, faisant désormais partie des rangs les plus bas de la force drow de Bregan D'aerthe. Quelles que soient ses actions ou ses victimes, à Menzoberranzan, Artémis Entreri ne s'élèverait jamais plus haut qu'en vingt mille et unième position.

Et les araignées ! Entreri avait en horreur ces choses rampantes qui se glissaient partout dans la cité drow. On en élevait plusieurs variétés, plus ou moins venimeuses, dont on s'occupait comme d'animaux domestiques. Tuer une araignée était considéré comme un crime qui méritait le châtiment de *jivvin quui'elghinn*, littéralement la « torture jusqu'à la mort ». À l'extrémité est de l'immense caverne, sur les lits de mousse et de champignons, non loin du lac de Donigarten, où Entreri était souvent envoyé pour surveiller des esclaves gobelins, les araignées grouillaient par milliers. Elles rampaient autour de lui, sur lui et se laissaient pendre sur leurs toiles à quelques centimètres du visage de l'humain, en proie à une véritable torture.

Il dégaina son épée à la lame d'un vert brillant et en approcha le tranchant des yeux. Au moins, il y avait ces derniers temps davantage de lumières dans la cité. Pour une raison qu'il ne s'expliquait pas, lueurs magiques et torches embrasées étaient devenues de plus en plus communes à Menzoberranzan.

— Il serait dommage de tacher une si belle arme avec du sang drow, dit dans un commun parfait une voix familière, depuis l'entrée.

Entreri ne détourna pas son regard de la lame quand Jarlaxle entra dans la petite pièce.

— Tu supposes que je trouverais la force de blesser un puissant drow, répondit l'assassin. Comment pourrais-je, moi, l'*iblith*…

Il fut interrompu par le rire de Jarlaxle, qui se moquait de lui. Il se retourna vers le mercenaire et vit que celui-ci tenait dans la main son chapeau à large rebord, dont il caressait la plume de diatryma.

146

—Je n'ai jamais sous-estimé tes exploits, l'assassin, dit Jarlaxle. Tu as survécu à plusieurs affrontements avec Drizzt Do'Urden, ce qui ne sera jamais le cas que de quelques rares habitants de Menzoberranzan.

—J'étais son égal au combat, lâcha Entreri entre ses dents serrées.

Le simple fait de prononcer ces mots le fit souffrir. Il avait plusieurs fois lutté contre Drizzt mais ils n'avaient pas été interrompus de façon prématurée à seulement deux reprises. En ces deux occasions, Entreri avait été vaincu. Il voulait à tout prix remettre les pendules à l'heure et prouver qu'il était le meilleur. Néanmoins, il devait bien reconnaître que, au fond de lui-même, il ne désirait pas affronter de nouveau Drizzt. Après sa première défaite contre lui, dans les rues et égouts boueux de Portcalim, il n'avait cessé de ruminer sa vengeance et avait orienté sa vie en fonction d'un seul objectif; sa revanche sur Drizzt. Mais après sa seconde défaite, qui l'avait laissé meurtri et dans un état déplorable, perché sur la paroi rocheuse d'un ravin balayé par le vent...

Mais quoi? se demanda-t-il. Pourquoi ne souhaitait-il plus se battre contre le drow renégat? La vérité avait-elle été établie, le verdict rendu? Ou bien était-il simplement trop effrayé? Artémis Entreri était perturbé par ces émotions, qui n'avaient rien à faire dans son esprit, pas plus que lui dans la cité drow.

—J'étais son égal au combat, murmura-t-il encore, avec autant de conviction que possible.

—Je ne le crierais pas sur les toits, à ta place, répondit le mercenaire. Dantrag Baenre et Uthegental Armgo iraient jusqu'à se battre pour seulement déterminer lequel d'entre eux te tuerait le premier. (Entreri ne cilla pas, toutefois son épée brilla plus violemment, comme si elle reflétait l'orgueil et la colère bouillonnants de l'assassin, ce qui fit encore rire Jarlaxle.) Pardon, pour déterminer lequel d'entre eux *t'affronterait* le premier.

Et l'elfe noir de s'incliner en guise d'excuse.

L'humain ne réagit pas davantage et se demanda s'il retrouverait un semblant de fierté en tuant l'un de ces guerriers drows. Ou bien serait-il encore vaincu et, pire que d'être tué, serait-il contraint de vivre avec cette vérité?

D'un geste sec, il fit glisser son épée dans son fourreau. Il n'avait encore jamais été si hésitant, si peu sûr de lui. Même alors qu'il n'était encore qu'un jeune garçon survivant dans les rues violentes des villes surpeuplées du Calimshan, il avait toujours débordé d'assurance, ce dont il s'était servi comme d'un atout. Mais pas ici, pas en ce lieu.

—Tes soldats se moquent de moi, lâcha-t-il soudain, libérant sa colère sur le mercenaire.

Celui-ci éclata de rire et remit son chapeau sur son crâne chauve.

—Tues-en quelques-uns et les autres te laisseront tranquille, suggéra-t-il.

L'assassin, incapable de deviner si le drow, froid et calculateur, plaisantait ou non, cracha à terre. Le laisser tranquille? Ils attendraient qu'il s'endorme pour le découper en petits morceaux, qui nourriraient ensuite les araignées de Donigarten. Cette pensée rompit sa concentration et le fit grimacer. Il avait tué *une* drow – ce qui, à Menzoberranzan, était bien pire que de tuer un drow – et une certaine Maison de la cité était peut-être déjà en train d'affamer ses araignées en prévision d'un futur festin de chair humaine.

—Ah! Comme tu manques de finesse, dit le mercenaire, comme s'il prenait en pitié Entreri.

Celui-ci soupira et détourna le regard, tout en portant une main à ses lèvres humides. Qu'était-il en train de devenir? À Portcalim, au sein des guildes et même parmi les pachas et autres personnages qui se disaient ses maîtres, il avait toujours maîtrisé les choses. Il était alors un tueur, dont les services étaient requis par les voleurs les plus traîtres et adeptes du double jeu, et pourtant, personne n'avait jamais essayé de le duper. Comme il aurait aimé revoir le ciel pâle de Portcalim!

—N'aie crainte, mon *abbil*, dit Jarlaxle, se servant du mot drow qui équivalait à «ami de confiance». Tu reverras le soleil se lever. (Il adressa un large sourire à Entreri, dont l'expression indiquait qu'il avait compris que le drow venait de lire dans ses pensées.) Toi et moi, nous contemplerons l'aurore depuis les marches de l'entrée de Castelmithral.

L'assassin devina alors que les elfes noirs avaient en tête de retourner là-bas pour y chercher Drizzt. Cette fois, à en juger par les lumières de Menzoberranzan, qu'il comprenait désormais, le clan Marteaudeguerre lui-même serait anéanti!

—Enfin, sauf si la Maison Horlbar se donne la peine de découvrir que c'est toi qui as tué l'une de ses Mères Matrones, ajouta Jarlaxle sur un ton taquin.

Après avoir fait claquer ses bottes et porté la main à son chapeau, l'elfe noir quitta la pièce.

Jarlaxle savait! Et la drow qu'il avait tuée était une Mère Matrone! Plus abattu que jamais, Entreri s'adossa contre le mur. Comment aurait-il pu deviner que cette sale créature, dans cette ruelle, était une fichue Mère Matrone?

Il eut la sensation de voir les murs se rapprocher de lui, l'étouffer. Son front, habituellement froid, se couvrit de sueur tandis qu'il lui était de plus en plus difficile de respirer. Il ne pensait plus qu'à trouver un moyen de s'enfuir mais ses pensées se fracassaient invariablement sur les inflexibles parois de pierre. La logique le bloquait aussi efficacement que des lames drows.

Il avait déjà essayé de s'échapper une fois, il avait fui Menzoberranzan par la sortie est, au-delà de Donigarten. Mais où aller? L'Outreterre n'était qu'un labyrinthe de dangereux tunnels et de gouffres sans fond, peuplé de monstres que l'assassin ignorait comment combattre. Entreri était une créature issue du monde de la surface, ô combien différent. Il ne comprenait pas cette sauvage Outreterre et ne pouvait espérer y survivre longtemps. Il lui serait impossible de retrouver son chemin jusqu'à la surface. Il était piégé, en cage, privé de sa fierté et de sa dignité et, tôt ou tard, il serait tué d'une façon des plus horribles.

12

Se montrer à la hauteur

—On peut faire effondrer cette section, fit remarquer le général Dagna en tapotant d'un doigt boudiné la carte déployée sur la table.

—La faire effondrer? beugla le guerroyeur. Si on la fait effondrer, comment on va tuer les sales drows?

Régis, qui avait organisé cette entrevue, jeta un regard incrédule à Dagna et les trois autres commandants nains s'approchèrent de la table. Puis il considéra Gaspard.

—La voûte tuera les sales drows, expliqua-t-il.

—Bah! Sable et pierre! lâcha Pointepique, vexé. Où est l'plaisir là-dedans? Il faut qu'je graisse mon armure avec du sang drow, oui, parfaitement, mais avec vot'plan stupide, y m'faudra creuser un mois pour trouver un cadavre contre lequel m'frotter.

—Mène la charge ici, alors, proposa Dagna, qui désigna une autre section de tunnels sur la carte. On t'laissera trente mètres d'avance.

Régis, consterné, observa le général puis, à tour de rôle, les autres nains, qui hochaient tous la tête. Dagna ne plaisantait en réalité qu'à moitié, Régis le savait. Nombreux étaient ceux, au sein du clan Marteaudeguerre, qui ne verseraient pas une larme si le nauséabond Gaspard Pointepique devait figurer parmi les victimes d'un combat face aux elfes noirs.

—Faire effondrer le tunnel, dit le halfelin pour revenir au sujet principal, avant de pointer deux zones élargies entre les tunnels autrement plus resserrés. Il nous faudra de solides défenses ici et là. Je dois rencontrer un peu plus tard dans la journée Berkthgar de Calmepierre.

— Tu fais participer les humains puants ? demanda Gaspard.

Ces paroles firent grimacer les nains, pourtant adeptes des fortes senteurs de corps transpirants et crasseux. Il était de notoriété publique, à Castelmithral, que l'aisselle de Pointepique pouvait faire faner une fleur épanouie à cinquante mètres de distance.

— Je ne sais pas ce que je ferai avec les humains, répondit Régis. Je ne leur ai même pas encore parlé de mes doutes concernant un raid drow. S'ils acceptent de se joindre à nous, et je n'ai aucune raison de penser que ce ne soit pas le cas, je pense qu'il serait sage de ne pas les faire passer par les tunnels inférieurs, même si nous prévoyons de les éclairer.

— Une sage décision, approuva Dagna. Les grands hommes sont plutôt faits pour s'battre à flanc de montagne. J'parie qu'les drows surgiront autant en contournant la montagne qu'en passant par-dessous.

— Les hommes de Calmepierre les y attendront, ajouta un autre nain.

⚔ ⚔ ⚔ ⚔ ⚔

Tapi dans les ombres d'une porte à demi fermée sur le côté de la pièce, Bruenor Marteaudeguerre épiait avec curiosité. Il était ébahi par la rapidité avec laquelle Régis avait pris le contrôle des opérations, d'autant plus qu'il ne portait pas son rubis hypnotisant. Après avoir reproché à Bruenor de ne pas agir assez vite ni assez fermement et de s'être laissé tomber dans un autoappitoiement quand les pistes de Catti-Brie et Drizzt avaient semblé refroidir, le halfelin, avec Gaspard dans son sillage, était directement allé trouver Dagna et les autres commandants.

Bruenor n'était pas tant surpris de voir les nains se lancer avec joie dans des préparatifs de guerre que de constater que Régis semblait les diriger. Bien entendu, ce dernier avait mis au point un mensonge pour endosser ce rôle. Son roi de nouveau indifférent à ce qu'il se passait, il avait fait mine de le rencontrer régulièrement pour ensuite prétendre transmettre à Dagna les ordres de Bruenor.

Quand il avait découvert ce subterfuge, le roi nain avait voulu étrangler le halfelin, qui lui avait tenu tête et avait proposé, le plus sincèrement du monde, de se tenir à l'écart s'il voulait reprendre les choses en main.

Bruenor aurait aimé en être capable, il souhaitait désespérément retrouver cette énergie, pourtant la moindre pensée de guerre faisait inévitablement resurgir les souvenirs des derniers combats, qu'il avait pour la plupart assurés aux côtés de Drizzt, Catti-Brie et Wulfgar. Paralysé par ces visions douloureuses, il avait seulement renvoyé Régis en l'autorisant à poursuivre son manège.

Si Dagna était un fin stratège, son expérience restait limitée comparée à d'autres races que les nains ou les stupides gobelins. Régis, qui faisait partie des meilleurs amis de Drizzt, l'avait écouté des centaines de fois parler de sa terre natale et de ses semblables. D'autre part, ayant également compté parmi les amis les plus proches de Wulfgar, le halfelin comprenait les barbares, dont les nains auraient besoin en tant qu'alliés si la guerre devait se déclarer.

Mais tout de même, Dagna n'avait jamais particulièrement apprécié les étrangers ; le fait de le voir accepter sans réserve les conseils d'un halfelin – et pas le plus courageux ! – stupéfiait Bruenor plus que tout.

Cela le faisait également souffrir. Il connaissait les elfes noirs et les barbares au moins aussi bien que Régis et il maîtrisait les tactiques naines mieux que quiconque. Il aurait dû se trouver à cette table en train de désigner les sections concernées sur la carte ; c'est lui qui aurait dû, avec Régis auprès de lui, rencontrer Berkthgar l'Audacieux.

Il baissa les yeux et se passa la main sur le front, puis la fit courir le long de sa monstrueuse cicatrice, ce qui provoqua un élancement dans son orbite vide. Vide, à l'instar de son cœur, vide de Wulfgar, et qui se brisait à l'idée que Drizzt et sa chère Catti-Brie se soient lancés au-devant du danger.

Les derniers événements dépassaient ses responsabilités de roi de Castelmithral. Bruenor se consacrait avant tout à ses enfants, l'un disparu et l'autre partie, ainsi qu'à ses amis. Leurs destins ne dépendaient plus de lui désormais ; il ne lui restait plus qu'à espérer qu'ils l'emporteraient, qu'ils survivraient et reviendraient à lui. Bruenor n'avait aucun moyen de rejoindre Catti-Brie et Drizzt.

Et il ne reverrait jamais Wulfgar.

Le roi nain soupira et se retourna, puis se dirigea d'un pas lent vers sa chambre désertée, sans même remarquer que la réunion était terminée.

Depuis le pas de la porte, Régis l'observa en silence et se prit à regretter de ne plus être en possession de son rubis, ne serait-ce que pour raviver les feux du nain brisé.

⚔ ⚔ ⚔ ⚔ ⚔

Catti-Brie observa le tunnel qui se présentait devant elle avec un œil suspicieux, tout en essayant de distinguer des formes précises parmi les nombreuses stalagmites. Elle progressait désormais dans une région où la boue se mêlait à la pierre, ce qui lui avait permis d'apercevoir assez nettement des traces… des traces de gobelins, elle le savait, et récentes.

L'endroit était idéal pour tendre une embuscade. Catti-Brie sortit une flèche de son carquois, attaché derrière sa hanche, puis apprêta *Taulmaril*, le *Chercheœur*, son arc magique tandis que, coincée sous un bras, la figurine était prête à être lâchée. La jeune femme réfléchit en silence s'il convenait d'invoquer ou non Guenhwyvar du plan Astral. Elle n'avait aucune preuve tangible de la présence de gobelins – les monticules du boyau semblaient naturels et inoffensifs – mais elle sentait les cheveux de sa nuque se hérisser.

Elle décida finalement de ne pas appeler le félin, la logique dominant ses instincts. Elle s'approcha de la paroi de gauche et se mit à avancer lentement, non sans grimacer chaque fois que ses bottes provoquaient un bruit de succion dans la boue.

Quand elle eut dépassé une dizaine de stalagmites, toujours près du mur du gauche, elle marqua une pause et tendit l'oreille. Tout paraissait parfaitement silencieux, pourtant elle ne pouvait s'empêcher de penser que ses moindres gestes étaient épiés, que quelque monstre était tapi non loin de là, dans l'attente de bondir sur elle. Elle se

154

demanda alors si son périple en Outreterre serait jusqu'au bout aussi inquiétant. Deviendrait-elle folle à force d'imaginer des dangers ? Ou, pire encore, ces fausses alertes, provoquées par son instinct déréglé, la conduiraient-elles à ne pas se tenir suffisamment sur ses gardes lorsque surviendrait un réel danger ?

Elle secoua la tête afin de s'éclaircir les idées et plissa les yeux pour mieux y voir sous la clarté magique. Ses yeux ne brillaient pas du rouge révélateur de l'infravision, ce qui était encore à porter au crédit du présent de Dame Alustriel. Mais cela, la jeune femme, inexpérimentée en ce domaine, l'ignorait ; elle savait seulement que les silhouettes qu'elle devinait lui paraissaient extrêmement menaçantes. Le sol et les parois n'étaient pas clairement définis, contrairement à d'autres portions des tunnels ; de la boue et des filets d'eau ruisselaient librement en différents endroits, alors que quantité de concrétions semblaient être dotées d'appendices… Des bras de gobelins, peut-être, brandissant des armes redoutables.

Catti-Brie chassa de nouveau ces idées sinistres et reprit sa marche en avant… pour aussitôt se figer. Elle avait entendu quelque chose, un léger grattement, comme celui qu'aurait produit la pointe d'une arme effleurant la pierre. Elle attendit un long moment mais ne perçut rien d'autre, aussi se répéta-t-elle de ne pas se laisser emporter par son imagination.

Je n'ai pourtant pas rêvé de ces traces de gobelins ! songea-t-elle en avançant d'un pas.

Elle lâcha la statuette et se retourna, son arc dressé. Près du monticule le plus proche se trouvait un gobelin, qui s'élançait déjà sur elle, son hideux visage plat encore élargi par le sourire qu'il affichait et son épée, ébréchée et rouillée, brandie au-dessus de la tête.

Catti-Brie tira à bout portant. La flèche au sillage argenté avait à peine quitté l'arc quand la tête de la créature explosa dans une pluie d'étincelles multicolores. Le projectile poursuivit sa trajectoire et déclencha quelques autres étincelles quand il arracha un morceau de la stalagmite.

— Guenhwyvar ! appela Catti-Brie, sans baisser son arc.

Elle devait quitter cet endroit, désormais marqué par la pluie d'étincelles. Voyant la fumée grise qui se matérialisait autour d'elle,

155

elle sut que l'invocation était effectuée. Elle ramassa alors la figurine et s'écarta du mur en courant. Elle sauta par-dessus le cadavre du gobelin et contourna une colonne avant de se faufiler entre deux autres. Du coin de l'œil, elle repéra une autre silhouette trapue, d'à peine un peu plus de un mètre de hauteur. Elle décocha une flèche, dont la traînée argentée fendit les ténèbres, et fit mouche une deuxième fois. Cela ne la fit pas sourire pour autant; la lumière avait révélé une dizaine d'autres d'immondes humanoïdes, qui se glissaient sournoisement entre les obstacles.

Soudain, ils se mirent à hurler et se ruèrent à l'assaut.

Plus loin, près de la paroi, la fumée fit place à la forme bien palpable de la puissante panthère. Guenhwyvar avait compris l'urgence de l'appel et fut instantanément en alerte, les oreilles aplaties et ses yeux verts brillants scrutant les alentours pour évaluer la situation. Plus vive que la nuit, elle s'élança.

Catti-Brie s'éloigna encore du mur et décrivit un cercle afin de surprendre le groupe par le flanc. Chaque fois qu'elle dépassait un abri, elle décochait une flèche, touchant autant la pierre que les gobelins. Il ne lui échappait pas que la confusion la servait, qu'elle devait empêcher les créatures de s'organiser, sans quoi elles finiraient par la cerner.

Une autre flèche siffla et son éclat révéla une cible plus proche, un gobelin tapi derrière la stalagmite qu'elle était sur le point d'atteindre. Elle s'arrêta brusquement et se hâta d'encocher une autre flèche.

Le gobelin surgit alors, épée brandie. Catti-Brie se défendit d'un coup d'arc, qui ne dévia que très peu l'arme du petit être. C'est à cet instant qu'elle entendit un son de succion derrière elle, suivi d'un sifflement. Instinctivement, elle se laissa tomber à genoux.

Un gobelin jaillit au-dessus d'elle, surpris de la constater d'un coup si petite, et se fracassa contre son allié stupéfait. Malgré cela, les deux gobelins eurent tôt fait de se relever, tout comme Catti-Brie, qui les menaça de son arc pour les contenir, tout en essayant de s'emparer de sa main libre de la dague incrustée de bijoux, accrochée à sa ceinture.

Conscients de leur avantage, ses ennemis s'élancèrent... et furent balayés par trois cents kilos de panthère bondissante.

—Guen, articula silencieusement Catti-Brie, ravie, avant de se retourner et de sortir une nouvelle flèche de son carquois.

Comme elle s'y attendait, d'autres gobelins approchaient rapidement par-derrière.

Taulmaril vibra une fois de plus, une autre, puis une troisième, trouant les rangs des créatures. Catti-Brie profita des explosions, soudaines et meurtrières, pour s'enfuir, non pas dans la direction qu'elle suivait jusqu'à présent, comme pouvaient s'y attendre les gobelins, mais en revenant sur ses pas.

Elle les dupa totalement et se dissimula derrière un épais monticule, puis faillit glousser quand elle vit survenir un gobelin, qui frotta ses yeux éblouis et regarda dans la mauvaise direction.

Postée un mètre cinquante derrière cette stupide chose, Catti-Brie lâcha une flèche, qui explosa dans le dos du gobelin, touchant un os avant de projeter la créature dans les airs.

Catti-Brie se retourna et se précipita derrière la massive stalactite. Elle entendit un rugissement de Guenhwyvar, suivi des hurlements d'un autre groupe de gobelins. Voyant, un peu plus loin, une silhouette recroquevillée s'éloigner, elle leva son arc, prête à libérer la voie.

Quelque chose la frappa à hauteur de la hanche, ce qui lui fit lâcher la corde de son arc. La flèche manqua de beaucoup sa cible et s'écrasa sur une paroi.

Catti-Brie trébucha, à la fois déséquilibrée, surprise et blessée. Elle se cogna le tibia contre une pierre saillante et faillit tomber la tête la première par terre, puis parvint à s'immobiliser, un genou au sol. Alors qu'elle tendait la main pour se saisir d'une autre flèche dans son carquois, elle sentit la chaleur humide de son fluide vital, qui coulait généreusement d'une profonde blessure à sa hanche. Ce n'est qu'à cet instant que Catti-Brie ressentit les vagues brûlantes de douleur.

Elle conserva tout de même ses esprits et se retourna, tout en apprêtant la flèche.

Le gobelin se trouvait juste au-dessus d'elle. Il brandissait son épée au-dessus de lui et affichait un rictus qui dévoilait ses dents, jaunes et pointues. Catti-Brie tira. Le gobelin sursauta mais retomba sur ses pieds. Derrière lui, un de ses congénères reçut la flèche sous le menton et la puissance explosion qui s'ensuivit ravagea l'arrière de son crâne.

Catti-Brie crut sa dernière heure arrivée. Comment avait-elle pu manquer sa cible ? La flèche était-elle passée sous le bras du gobelin quand celui-ci avait bondi de frayeur ? Cela ne lui paraissait pas logique mais elle n'avait pas le temps d'y réfléchir. Elle allait mourir, elle en était certaine, car il lui serait impossible de redresser son arc suffisamment vite pour parer le coup à venir de son assaillant. L'épée allait s'abattre sur elle.

Mais il n'en fut rien. Le gobelin s'interrompit, tout simplement, et demeura parfaitement immobile durant ce qui parut une éternité à la jeune femme. L'épée tomba sur la pierre, tandis qu'un sifflement s'échappait du centre de la cage thoracique du gobelin, où apparut ensuite une fine traînée de sang. La créature bascula sur le côté, morte.

Catti-Brie comprit alors que sa flèche avait bien touché sa cible ; elle l'avait proprement transpercée avant de tuer le second gobelin.

Elle se força à se relever et essaya de courir, mais fut rattrapée par des vagues de douleur. Avant de comprendre ce qui lui arrivait, elle se retrouva un genou à terre. Gênée par une sensation de froid sur le côté, ainsi que par une soudaine nausée, elle vit avec horreur un autre de ces affreux gobelins fondre sur elle, armé d'une massue à pointes.

Elle fit appel à toutes ses forces et attendit le dernier moment avant de balayer l'espace devant elle de son arc. Son agresseur se mit à hurler et recula, ce qui lui permit d'éviter le coup mais laissa également à sa proie désignée le temps de dégainer sa courte épée et la dague.

Elle se releva, luttant contre la douleur et la nausée.

Le gobelin marmonna quelque chose de son irritante voix haut perchée, quelque chose de menaçant, Catti-Brie le devina, même si cela ressemblait à un des gémissements caractéristiques de cette race. La misérable créature se jeta soudain sur elle en assenant des coups de massue, contraignant la jeune femme à bondir en arrière.

Un violent élancement sur le côté lui fit presque perdre l'équilibre. Le gobelin avança, jambes fléchies et prêt à bondir, sûr de sa victoire.

Il ne cessait plus de lui parler, de se railler d'elle, même si elle ne comprenait pas sa langue, puis il se mit à glousser en désignant sa jambe blessée.

Plutôt confiante en ses capacités à venir à bout de cet adversaire, Catti-Brie craignait que cela ne lui serve à rien. Même si, avec l'aide de Guenhwyvar, elle parvenait à décimer tous les gobelins ou les faire fuir, que devraient-elles affronter ensuite ? Sa jambe la soutiendrait à peine – elle ne pourrait assurément pas poursuivre sa quête – et elle doutait fortement d'être en mesure de nettoyer et panser proprement la blessure. Les gobelins ne la tueraient peut-être pas mais ils l'avaient arrêtée et les vagues de douleur la harcelaient sans relâche.

Son regard se voila et elle commença à défaillir.

Elle ouvrit soudain grands les yeux quand le gobelin mordit à l'hameçon et se rua en avant. Quand il comprit la ruse, il essaya de s'arrêter mais dérapa dans la boue glissante.

Il agita frénétiquement sa massue, que Catti-Brie intercepta avec sa courte épée, qui se bloqua sur l'une de ses piques. Sachant qu'elle n'avait pas la force nécessaire pour dévier le gourdin, elle appuya en avant, sur le gobelin, qui dut plier le bras devant elle.

Au même instant, la dague plongea vers le ventre de la créature, qui la bloqua de son bras libre et ne vit sa peau trouée que par la pointe de l'arme.

Catti-Brie ignorait combien de temps elle tiendrait dans ce corps à corps ; ses forces faiblissaient et elle ne souhaitait qu'une chose, se rouler en boule et s'évanouir.

Elle eut alors la surprise d'entendre le gobelin hurler de douleur. Il secoua la tête d'avant en arrière, puis son corps tout entier, en un violent effort pour se dégager, au point que Catti-Brie, qui contenait toujours la dangereuse massue, éprouva des difficultés à maintenir la pression.

Une décharge d'énergie se déclencha alors dans la dague et lui parcourut le bras. Ne comprenant pas ce qu'il se passait, elle ne sut comment réagir, tandis que son adversaire était agité d'une série de convulsions brutales, chacune accompagnée d'une nouvelle décharge d'énergie.

La créature s'affaissa contre la paroi, le bras désormais inerte, et Catti-Brie, du fait de la force qu'elle déployait, se retrouva contre le gobelin, en qui la dangereuse dague était désormais plantée jusqu'à la garde. L'afflux d'énergie qui suivit fut près de renverser Catti-Brie, dont les yeux s'écarquillèrent d'horreur quand elle comprit que l'arme d'Artémis Entreri aspirait littéralement les forces vitales du gobelin pour les transférer en elle !

La créature s'effondra tout à fait contre le rebord courbé de la stalagmite, les yeux fixes et le corps agité de spasmes annonciateurs de mort.

Catti-Brie recula et retira la dague ensanglantée. Tout en tentant de reprendre son souffle et haletante d'incrédulité, elle baissa le regard sur la lame, totalement écœurée.

Un rugissement de Guenhwyvar lui rappela que la bataille n'était pas terminée. Elle remisa la dague dans sa ceinture et se retourna, songeant à récupérer son arc, puis avança de deux pas en courant avant de se rendre compte que sa jambe la soutenait désormais sans problème.

Depuis quelque part dans les ombres, un gobelin projeta une lance, qui rebondit sur la pierre juste derrière elle, ce qui la tira de ses pensées. Elle dérapa dans la boue et ramassa son arc tout en glissant. Elle avisa ensuite son carquois, dont la magie œuvrait déjà en renouvelant les flèches décochées.

Elle remarqua également que le sang ne coulait plus de sa blessure. Elle l'effleura prudemment et sentit une épaisse croûte. Elle secoua la tête, y croyant à peine, et se remit à tirer avec son arc.

Un seul autre gobelin l'approcha par la suite, en se glissant subrepticement par l'arrière du monticule. Alors qu'elle avait lâché son arc et repris ses armes en vue d'un corps à corps, Catti-Brie s'interrompit net – tout comme le gobelin ! – quand une grosse patte de panthère s'abattit sur la tête de la créature. De longues griffes se plantèrent aussitôt après sur le front tombant de l'agresseur.

Guenhwyvar le tira ensuite en arrière avec une telle force et si brutalement que l'une de ses bottes miteuses resta en place. Catti-Brie détourna le regard et se mit à observer la zone située derrière eux. La puissante gueule de la panthère se referma sur la gorge du gobelin abasourdi et commença à serrer.

160

Même si elle ne voyait aucune cible, Catti-Brie lâcha une flèche afin d'éclairer l'extrémité du tunnel. Voyant une demi-douzaine de gobelins y prendre la fuite, elle les arrosa d'une pluie de flèches, qui acheva de les chasser et en atteignit quelques-uns.

Elle tirait encore quelques minutes plus tard – son carquois enchanté n'était jamais à court de projectiles – quand Guenhwyvar s'approcha d'elle et lui donna un léger coup de tête, réclamant une caresse. Catti-Brie poussa un profond soupir et fit courir sa main sur le flanc musclé du félin, les yeux rivés sur la dague incrustée de bijoux, désormais calme sur sa ceinture.

Elle avait vu Entreri manier cette arme, dont elle avait même une fois senti la lame contre sa gorge. Elle frissonna en se remémorant cet affreux moment, d'autant plus effrayant qu'elle connaissait à présent les propriétés de la dague.

Guenhwyvar grogna et la poussa, l'incitant à bouger. Catti-Brie comprit pourquoi quand elle se rappela les récits de Drizzt, d'après lesquels les gobelins ne s'aventuraient que rarement en Outreterre en bandes isolées. Si une vingtaine d'entre eux s'étaient trouvés en cet endroit, il y en avait sans doute deux cents autres non loin de là.

Catti-Brie regarda le tunnel par lequel elle était arrivée et où les gobelins s'étaient enfuis. Elle envisagea un instant la possibilité de suivre cette voie, d'affronter les quelques créatures en fuite et de courir jusqu'à la surface, où était sa place.

Ce ne fut toutefois qu'une pensée fugitive, un moment de faiblesse que l'on pouvait excuser. Elle savait devoir poursuivre, mais comment ? Elle baissa encore les yeux et sourit en détachant le masque magique, qu'elle leva ensuite à hauteur des yeux, sans vraiment savoir comment il fonctionnait.

Puis, tout en caressant Guenhwyvar, elle le plaqua sur son visage.

Rien ne se produisit.

Sans cesser de le presser, elle songea à Drizzt et s'imagina avec une peau d'ébène, ainsi que des traits fins et saillants de drow.

Des picotements de magie la mordirent en chaque point de son corps et, un instant plus tard, quand elle ôta sa main de son visage, le masque resta en place de lui-même. Catti-Brie cligna des

161

yeux à plusieurs reprises ; grâce à la lueur magique de l'œil-de-chat, elle voyait sa main, tout à fait noire, et ses doigts, plus élancés et fins que jamais.

Comme cela avait été facile !

Elle aurait aimé disposer d'un miroir pour vérifier son camouflage, même si au fond d'elle-même elle n'en doutait pas. Elle songea à la perfection avec laquelle Entreri s'était fait passer pour Régis quand il était revenu à Castelmithral, paré de l'équipement du halfelin. Ce souvenir l'incita à examiner ses propres vêtements, plutôt ternes, puis à visualiser en pensée les hautes prêtresses de Lolth, aussi maléfiques que fabuleuses, d'après les récits de Drizzt au sujet de sa terre natale.

La cape de voyage qu'elle portait était devenue une robe élaborée, qui brillait d'éclats violets et noirs, tandis que ses bottes avaient foncé et leurs rebords s'étaient délicatement recourbés. Ses armes, en revanche, étaient restées les mêmes et Catti-Brie ne put s'empêcher de penser que, ainsi vêtue, celle qui lui convenait le mieux était la dague incrustée de bijoux d'Entreri.

Elle concentra de nouveau ses pensées sur cette dangereuse lame. Une part en elle voulait la jeter dans la boue et l'enterrer quelque part où personne ne la retrouverait plus. Elle alla jusqu'à en empoigner le manche pour agir dans ce sens.

Puis elle la relâcha et se raffermit, plus déterminée que jamais, tout en lissant sa robe simili-drow. Cette dague l'avait aidée ; sans elle, elle serait à cette heure boiteuse et perdue, voire morte. C'était une arme, à l'image de son arc, et si sa façon d'agir brutale heurtait sa sensibilité, Catti-Brie finit par l'accepter. Elle en vint à porter cette dague, de plus en plus facilement au bout de deux semaines. Ainsi en allait-il en Outreterre, où l'on survivait grâce à la force brutale.

Troisième partie

Ombres

Il n'y a pas d'ombres en Outreterre. Ce n'est qu'après des années passées à la surface que j'en suis arrivé à comprendre la portée de ce détail apparemment anodin, la portée du contraste entre lumière et ténèbres. Il n'y a pas d'ombres en Outreterre, pas de recoins mystérieux où seule l'imagination peut se faufiler.

Quelle merveilleuse chose qu'une ombre! J'ai vu ma propre silhouette marcher sous moi, alors que le soleil était haut dans le ciel, j'ai vu un écureuil atteindre la taille d'un ours géant, éclairé par un soleil proche de l'horizon et déployant sa silhouette menaçante loin sur la prairie. J'ai arpenté les bois au crépuscule, le regard passant alternativement des zones encore éclairées qui captaient les derniers rayons du soleil, le vert des feuilles glissant vers le gris, à ces taches sombres où seul mon esprit pouvait s'aventurer. S'y trouvait-il un monstre? Un orque, un gobelin? Peut-être un trésor caché, aussi somptueux qu'une épée enchantée perdue ou simple comme la tanière d'un renard, reposait-il, abrité par cette pénombre?

Quand je marche dans les bois au crépuscule, mon imagination m'accompagne et aiguise mes sens, ouvre mon esprit à n'importe quelle possibilité. Il n'y a pas d'ombres en Outreterre et donc pas de place pour une imagination débordante. Partout, tout y est bloqué par un éternel silence, menaçant et agressif, ainsi qu'un danger omniprésent.

Imaginer un ennemi tapi, ou un trésor dissimulé, procure un véritable plaisir, entraîne un état d'alerte et donne la sensation

165

d'être vivant. Mais quand cet ennemi est trop souvent réel et non pas imaginé, quand chaque aspérité de la pierre, chaque cache potentielle, devient source de tension, le jeu n'en vaut plus la chandelle.

Il est impossible de se mouvoir dans les tunnels de l'Outreterre accompagné par son imagination. Soupçonner la présence d'un ennemi derrière un rocher peut tout à fait empêcher de distinguer le danger, bien réel, qui se dissimule derrière un autre. Se laisser glisser dans un rêve éveillé revient à perdre cet état d'alerte et, en Outreterre, ne pas être sur ses gardes est mortel.

C'est cet aspect qui m'a été le plus difficile à supporter quand j'ai replongé dans ces tunnels obscurs. J'ai alors dû redevenir un chasseur bestial, j'ai dû survivre, à chaque seconde, d'instinct sur ce qui-vive, cet état de nervosité épuisant, les muscles en permanence crispés et toujours prêt à bondir. Tout au long de mon parcours, seul le présent importait, ainsi que la recherche de cachettes potentielles d'ennemis potentiels, que je ne pouvais pas me permettre d'imaginer. Je devais les attendre et les surveiller, réagir au premier geste.

Il n'y a pas d'ombres en Outreterre. Il n'y a pas de place pour l'imagination en Outreterre. On ne peut y être que vigilant, sans pour autant s'y sentir vivant. C'est un endroit où espoirs et rêves n'ont pas leur place.

Drizzt Do'Urden

13

Une déesse affamée

Si en temps normal, le conseiller Firble de Blingdenpierre appréciait ses voyages hors de la cité des gnomes des profondeurs, ce n'était pas le cas ce jour-là. Il se trouvait dans une petite cavité dont les dimensions lui semblaient pourtant gigantesques, ce qui le faisait se sentir assez vulnérable. De ses solides bottes, il donnait des coups de pied dans les cailloux qui jonchaient le sol, en dehors de cela plutôt lisse, se tournait les pouces dans le dos et, de temps à autre, se passait la main sur son crâne presque chauve pour en essuyer des traînées de sueur.

Une dizaine de galeries débouchaient sur cet endroit et Firble était quelque peu rassuré à l'idée de savoir une quarantaine de guerriers svirfnebelins prêts à se précipiter à son secours, au nombre desquels plusieurs chamans munis de pierres enchantées capables d'invoquer des géants élémentaires du plan de la Terre. Cependant, il connaissait les drows de Menzoberranzan, située soixante-dix kilomètres à l'est de Blingdenpierre, mieux que quiconque parmi ses semblables et la présence de son escorte armée ne suffisait pas à le détendre. En effet, il savait pertinemment que, si les elfes noirs leur avaient tendu un piège, la totalité des gnomes et de la magie de Blingdenpierre ne serait alors peut-être pas suffisante.

Des claquements familiers se firent entendre depuis le tunnel qui donnait de l'autre côté de la cavité et, un instant plus tard, Jarlaxle, l'extraordinaire mercenaire drow, fit majestueusement son entrée, son chapeau à large rebord orné d'une plume de diatryma géante

167

et sa veste courte ne cachant rien de ses abdominaux. Il rejoignit le svirfnebelin, observa un moment les alentours afin de s'imprégner du lieu, puis s'inclina en balayant le sol de son couvre-chef.

—Salutations! dit-il avec enthousiasme quand il se fut redressé, le bras plié de façon à porter son chapeau à hauteur d'épaule.

Puis, propulsé par un claquement de doigts, le chapeau jaillit en tournoyant et se posa parfaitement sur le crâne rasé du mercenaire fanfaron.

—Tu sembles bien joyeux aujourd'hui, fit remarquer Firble.

—Pourquoi pas? dit le drow. C'est encore un jour de gloire pour l'Outreterre! Un jour dont il faut profiter.

Firble ne parut pas convaincu mais il fut ébahi, comme d'habitude, par la maîtrise qu'avait ce drow rusé de la langue des svirfnebelins. Jarlaxle s'exprimait aussi aisément que n'importe quel gnome des profondeurs de Blingdenpierre, même s'il se servait de structures grammaticales plus typiques de la langue drow, sans employer les formes prisées par nombre de gnomes.

—Beaucoup de groupes de mineurs svirfnebelins ont été attaqués, dit Firble, sur un ton teinté d'accusation. Des groupes de svirfnebelins travaillant à l'*ouest* de Blingdenpierre.

Jarlaxle sourit évasivement et tourna la paume des mains vers le haut.

—Ched Nasad? hasarda-t-il innocemment, faisant référence à la cité drow la plus proche.

—Menzoberranzan! protesta Firble, qui n'ignorait pas que Ched Nasad se trouvait à des semaines de voyage. Un elfe noir portait l'emblème d'une Maison de Menzoberranzan.

—Des bandes de voyous. De jeunes guerriers qui se font plaisir.

Firble arbora une moue qui fit presque disparaître ses lèvres. Jarlaxle et lui-même savaient à quoi s'en tenir quant au raid drow, certainement pas mené par de simples jeunes chahuteurs. Les attaques, coordonnées et exécutées à la perfection, avaient fait de nombreuses victimes parmi les svirfnebelins.

—Que veux-tu que je te dise? se justifia le mercenaire, prenant un air naïf. Je ne suis qu'un pion au milieu de ces événements. (Firble

168

répondit par un grognement et le drow enchaîna sans perdre une seconde :) Je te remercie de m'estimer si haut placé mais, sincèrement, mon cher Firble, nous en avons déjà parlé, je ne peux agir en rien sur ces événements.

—Quels événements ? s'enquit le gnome.

Jarlaxle et lui s'étaient rencontrés deux fois au cours des deux mois qui venaient de s'écouler et, chaque fois, ils avaient évoqué le problème que représentait l'activité dangereusement croissante des drows près de la cité des svirfnebelins. Le mercenaire avait en ces deux occasions fait allusion, l'air entendu, à de grands événements, sans jamais rien révéler de plus précis à Firble.

—Sommes-nous ici pour parler de ça ? lâcha le drow, qui semblait agacé. Vraiment, mon cher Firble, tu commences à me fatiguer, toi et tes...

—Nous avons capturé un drow, l'interrompit le gnome, qui croisa les bras, courts mais épais, sur le torse, comme si cette nouvelle était d'importance.

—Et alors, dit Jarlaxle avec un air incrédule, les mains de nouveau écartées.

—Nous pensons que ce drow est originaire de Menzoberranzan.

—Est-ce une femme ? s'enquit le mercenaire.

Voyant la valeur que son interlocuteur semblait donner à cette information, il estimait que celui-ci devait se référer à une haute prêtresse. Il n'avait pourtant pas entendu parler de l'éventuelle disparition d'un tel personnage... à l'exception, bien entendu, de celle de Jerlys Horlbar, qui d'ailleurs n'avait pas véritablement disparu.

—Non, répondit Firble.

—Alors exécute-le, suggéra le pragmatique Jarlaxle, une fois de plus étonné. (Firble serra davantage les bras et se mit à tapoter impatiemment le sol du pied.) Firble, tu penses sérieusement qu'un prisonnier drow masculin donne à ta cité un quelconque pouvoir de négociation ? T'attends-tu à me voir courir à Menzoberranzan plaider pour lui seul ? Imagines-tu les Mères Matrones souveraines ordonner l'arrêt de toute activité dans la zone concernée pour le seul bien de ce malheureux ?

169

— Tu reconnais donc l'existence de ces activités cautionnées par les tiens ! rétorqua le svirfnebelin, un doigt pointé sur le mercenaire et persuadé de l'avoir surpris en flagrant délit de mensonge.

— Je ne fais que soulever des hypothèses, rectifia Jarlaxle. Je me fonde sur tes suppositions afin de bien cerner tes intentions.

— Tu ignores tout de mes intentions, Jarlaxle !

Il était tout de même évident pour le drow que le gnome était de plus en plus énervé par l'attitude tranquille de son vis-à-vis. Il en allait toujours ainsi avec Jarlaxle. Firble ne le rencontrait qu'en cas de situation grave à Blingdenpierre et, bien souvent, ces entrevues lui coûtaient des sommes exorbitantes en pierres précieuses ou autres trésors.

— Bon, quel est ton prix ? finit-il par lâcher.

— Mon prix ?

— Ma cité est en danger ! s'écria Firble. Et Jarlaxle sait pourquoi ! (Le mercenaire ne répondit rien et se contenta de sourire en se penchant en arrière, avant que le gnome ajoute, prenant à son tour un air entendu :) Et Jarlaxle connaît le nom de notre prisonnier !

Pour la première fois, le mercenaire laissa transparaître – bien que brièvement – son intérêt.

Firble n'avait pas vraiment voulu pousser la conversation si loin ; il n'était pas dans ses intentions de révéler l'identité de son « prisonnier ». Après tout, Drizzt Do'Urden était un ami de Belwar Dissengulp, le très vénérable maître-terrassier, et ne s'était jamais comporté en ennemi de Blingdenpierre. Il avait même aidé les svirfnebelins, une vingtaine d'années plus tôt, lors de son premier passage par la cité. D'après la rumeur, le drow solitaire leur était de nouveau venu en aide face à ses semblables à la peau sombre.

Malgré cela, Firble était avant tout fidèle à son peuple et à sa cité. Si le fait de donner le nom de Drizzt à Jarlaxle pouvait aider les gnomes, les sortir de la situation fâcheuse dans laquelle ils se trouvaient ou pousser le mercenaire à lui révéler la nature des événements importants auxquels il ne cessait de faire allusion, alors, du point de vue de Firble, cela en vaudrait la peine.

Jarlaxle s'interrompit un long moment et réfléchit au cours à donner à cette conversation, subitement intéressante. Ce prisonnier drow était sans doute un voyou, peut-être un ancien membre de Bregan D'aerthe tenu pour perdu dans les tunnels extérieurs. D'un autre côté, les gnomes avaient peut-être enlevé un noble issu de l'une des Maisons de haut rang, ce qui valait en effet une bonne rançon. Les yeux couleur rubis de Jarlaxle se mirent à briller quand il se prit à songer aux bénéfices qu'une telle personnalité pouvait apporter à Bregan D'aerthe.

—A-t-il un nom? demanda-t-il enfin.

—Un nom que tu connais, tout comme nous, répondit Firble, qui se sentait désormais en état de supériorité, ce qui se produisait rarement lors de ses transactions avec le mercenaire rusé.

Cette réponse énigmatique trahissait davantage d'informations que prévu. Rares étaient les drows dont les gnomes de Blingdenpierre connaissaient le nom. Or Jarlaxle pouvait localiser la plupart d'entre eux assez facilement. Soudain, il écarquilla les yeux, puis reprit rapidement une contenance, tandis que son esprit explorait une nouvelle éventualité.

—Parle-moi des événements, exigea Firble. Pourquoi des drows de Menzoberranzan se trouvent-ils près de Blingdenpierre? Dis-le-moi et je te donne le nom!

—C'est à toi de choisir si tu me donnes ce nom, ricana Jarlaxle. Les événements? Je t'ai déjà dit de regarder du côté de Ched Nasad ou vers de jeunes guerriers, peut-être encore étudiants à l'Académie.

Firble se mit à sautiller, poings serrés devant lui, comme s'il comptait bondir et frapper l'imprévisible mercenaire. L'illusion d'avoir acquis un ascendant fut balayée en un clin d'œil drow.

—Mon cher Firble, dit Jarlaxle sur un ton mielleux. Vraiment, il est inutile de nous rencontrer de nouveau si nous n'avons rien de plus important à nous dire. D'autre part, je t'assure que ton escorte et toi-même ne devriez pas tant vous éloigner de chez vous. Pas en cette sinistre période...

Le petit svirfnebelin lâcha involontairement un gémissement de frustration; le mercenaire venait encore d'évoquer quelque chose d'important, manifestement sur le point de se produire. Cette inhabituelle activité drow était liée à un plan plus considérable encore.

Le menton calé dans une main et le coude dans l'autre, Jarlaxle demeurait impassible, comme amusé par la tournure prise par cette entrevue. Quand il comprit qu'il n'obtiendrait aucune information de valeur cette fois-ci, Firble s'inclina rapidement et fit demi-tour, avant de quitter la cavité, non sans donner des coups de pied dans des cailloux à chaque pas.

Le mercenaire conserva sa posture détendue un certain temps après le départ du gnome, puis il leva nonchalamment une main et adressa un signe en direction du tunnel qui débouchait derrière lui. Un humain en sortit, un homme dont les yeux brillaient pourtant du rouge caractéristique de l'infravision commune aux races de l'Outreterre. Il s'agissait du cadeau d'une haute prêtresse.

— Tu as trouvé ça amusant ? demanda Jarlaxle en langue de la surface.

— Et instructif, répondit Artémis Entreri. Ce sera facile pour toi de découvrir l'identité du drow manquant une fois que nous serons rentrés à la cité.

— Tu veux dire que tu n'as pas encore deviné… ? s'étonna le drow, en dévisageant avec curiosité l'humain.

— Je n'ai connaissance d'aucun noble porté disparu, dit ce dernier, qui prit le temps, tout en s'exprimant, d'observer avec soin le mercenaire, se demandant s'il avait manqué quelque chose. Leur prisonnier est forcément un noble puisque les gnomes connaissent comme toi son nom. Un noble ou un audacieux marchand drow.

— Et si je te disais que le drow qui se trouve à Blingdenpierre n'est pas prisonnier ? dit Jarlaxle, un sourire ironique sur son visage noir. (Entreri le considéra, le regard vide, sans voir où le mercenaire voulait en venir.)

» Il est vrai que tu n'es pas au courant des événements passés, il t'est donc impossible de relier les informations entre elles. Il y a bien longtemps, un drow a quitté Menzoberranzan et s'est arrêté pour vivre un temps parmi les gnomes. J'étais loin de m'attendre à son retour.

— Tu ne penses tout de même pas que…, lâcha Entreri, le souffle coupé.

172

—Eh si, exactement, répondit Jarlaxle, qui se tourna vers le tunnel où avait disparu Firble. On dirait que la mouche est venue se jeter au milieu des araignées.

Entreri ne savait plus quoi penser. Drizzt Do'Urden, de retour en Outreterre! En quoi cela allait-il influer sur le raid prévu sur Castelmithral? Ce plan serait-il abandonné? Sa dernière chance de revoir le monde de la surface allait-elle lui être retirée?

—Comment allons-nous agir? demanda-t-il au mercenaire, d'une voix qui laissa filtrer un certain désespoir.

—Agir? répéta le drow, avant de se pencher en arrière et rire de bon cœur, comme si cette idée était absurde. Agir? Eh bien, nous allons nous asseoir et profiter du spectacle, bien évidemment!

Cette réponse n'était pas tout à fait inattendue pour Entreri, pas après qu'il eut pris le temps d'y réfléchir. Jarlaxle adorait manier l'ironie – c'était pour cela qu'il prospérait tant dans l'univers des drows chaotiques – et cette réplique surprenante lui convenait bien. Aux yeux de cet elfe noir, la vie n'était qu'un jeu, auquel il fallait participer sans se soucier des conséquences ou de la morale.

En d'autres temps, Entreri aurait pu comprendre une telle attitude, voire même l'adopter à l'occasion, mais pas en cet instant. Trop de choses en dépendaient pour Artémis Entreri, pour le pauvre et malheureux assassin. La présence de Drizzt, si près de Menzoberranzan, soulevait d'importantes questions concernant l'avenir de l'assassin, un avenir qui semblait des plus sinistres.

Jarlaxle rit encore, longtemps et bruyamment. Entreri n'esquissa pas un geste, la mine grave, le regard rivé sur le tunnel qui prenait plus ou moins la direction de la cité gnome, et l'esprit focalisé sur le visage et les yeux violets de son pire ennemi.

⚔ ⚔ ⚔ ⚔ ⚔

Drizzt était grandement rassuré par le cadre familier qui l'entourait. Il avait presque l'impression de rêver, tant la petite habitation de pierre ressemblait précisément à ses souvenirs, jusqu'au hamac dans lequel il était allongé à présent.

173

Il était toutefois conscient qu'il ne s'agissait pas d'un rêve car il ne ressentait plus rien en dessous de la taille, ni les cordes du hamac ni le moindre picotement sur ses pieds nus.

— Réveillé ?

La question avait été posée depuis la seconde pièce, plus petite, de cette construction. Ce mot frappa violemment le drow ; il avait été prononcé en langue svirfnebeline, cet étrange mélange de mélodies elfiques et de consonnes crépitantes naines. Des mots de svirfnebelin affluèrent en masse dans l'esprit de Drizzt, même s'il n'avait ni entendu ni parlé cette langue depuis plus de vingt ans. Il dut fournir un certain effort pour tourner la tête et voir approcher le maître-terrassier.

Le cœur du drow fit un bond dans sa poitrine.

Belwar avait quelque peu vieilli mais il semblait toujours robuste. Il fit claquer ses « mains » l'une contre l'autre quand il vit que Drizzt, son vieil ami, s'était en effet réveillé.

L'elfe noir fut ravi de voir ces mains, de véritables œuvres d'art métalliques, au bout des bras du gnome. Le propre frère de Drizzt avait sectionné les mains de Belwar lors de la première rencontre des deux amis. Drizzt avait dans un premier temps été fait prisonnier par Belwar au cours d'une bataille entre les gnomes des profondeurs et un groupe de drows. Dinin était alors venu à l'aide de son frère et les positions avaient rapidement été inversées.

Dinin aurait tué Belwar sans l'intervention de Drizzt, qui n'avait pas pour autant été certain de l'efficacité de sa tentative de sauver le svirfnebelin. En effet, Dinin avait ordonné que l'on estropie celui-ci. Dans la violente Outreterre, les créatures handicapées ne survivaient en général pas longtemps.

Quand Drizzt avait revu Belwar, lors de son passage à Blingdenpierre, tandis qu'il fuyait Menzoberranzan, il avait constaté que les svirfnebelins, en cela si différents des drows, avaient aidé leur ami blessé en lui confectionnant des prothèses judicieuses pour ses bras costauds. Le bras droit du très vénérable maître-terrassier – comme le nommaient les gnomes des profondeurs – était équipé d'une tête de marteau en mithral sur laquelle étaient gravées de somptueuses runes et des représentations de puissantes créatures, notamment

174

un élémentaire de la Terre. Quant à la pioche à double tête qui prolongeait son bras gauche, elle n'était pas moins spectaculaire. Le gnome bénéficiait ainsi de deux formidables outils pour creuser et se battre, d'autant plus que les chamans svirfnebelins avaient enchanté ces « mains ». Drizzt avait déjà vu son ami creuser dans de la pierre massive aussi rapidement que s'il s'était attaqué à de la terre molle.

Comme il était agréable pour Drizzt de voir que Belwar, son premier ami non drow, son premier véritable ami autre que Zaknafein, se portait bien.

— *Magga cammara*, l'elfe, gloussa le svirfnebelin en passant devant le hamac. Je pensais que tu ne te réveillerais jamais !

Magga cammara, se répéta Drizzt, soit « par les pierres ». Cette curieuse expression, qu'il n'avait pas entendue depuis vingt ans, le mit à l'aise et replongea ses pensées à l'époque paisible où il avait été l'invité de Belwar à Blingdenpierre.

Puis il émergea de sa rêverie et vit que son ami s'était approché de ses pieds et examinait sa position.

— Ils vont mieux ? demanda Belwar.

— Je ne les sens pas, répondit Drizzt.

Le gnome hocha la tête et leva sa pioche pour gratter son énorme nez.

— Tu as été tapé, laissa-t-il tomber. (Drizzt ne répondit rien, n'ayant apparemment pas compris cette remarque.) Tapé…

Belwar s'approcha d'une étagère clouée au mur et en ouvrit la porte avec sa pioche, puis se servit de ses deux mains pour essayer d'y attraper un objet et le montrer à Drizzt.

— C'est une nouvelle arme, expliqua-t-il. On ne la voit que depuis quelques années.

Le drow se fit la réflexion que cet instrument ressemblait à une queue de castor. Munie d'une courte poignée, à son extrémité la plus étroite, et sa partie la plus large nettement recourbée, cette curiosité était entièrement lisse, à l'exception notable d'un rebord en dents de scie.

— C'est un « tapeur », dit Belwar en levant l'objet, qui glissa et tomba par terre. (Il haussa les épaules et frappa ses mains de mithral l'une contre l'autre.) Heureusement que j'ai mes propres armes !

175

Et le gnome de frapper sa pioche contre son marteau une deuxième fois.

—Tu as de la chance que sur les lieux de la bataille, ce svirfnebelin t'ait reconnu comme un drow ami, Drizzt Do'Urden, poursuivit-il. (Drizzt lâcha un grognement ; en cet instant précis, il ne se sentait pas particulièrement chanceux.) Il aurait pu te frapper avec le bord tranchant. Il t'aurait cassé le dos en deux, c'est sûr !

—J'ai *déjà* l'impression que ma colonne vertébrale est brisée, se plaignit Drizzt.

—Non, non, dit Belwar, qui retourna au bout du hamac. Tu as juste été tapé. Regarde, les sensations reviennent déjà.

De sa pioche, il donna un coup, plutôt brutal, sur le pied de Drizzt, qui grimaça et s'agita. Avec un sourire malicieux, le gnome piqua encore son ami.

—Je remarcherai un jour, maître-terrassier, promit le drow, soulagé, sur un ton faussement menaçant afin de jouer le jeu.

—Pas avant longtemps ! s'esclaffa Belwar, en le piquant de nouveau. Et bientôt, tu sentiras les chatouilles !

Drizzt avait la sensation de se retrouver au bon vieux temps ; il lui semblait que les problèmes – ô combien urgents – qu'il portait sur ses épaules s'étaient envolés pour un temps. Comme il était agréable de retrouver ce vieil ami, ce gnome qui, par simple loyauté, l'avait accompagné dans les étendues de l'Outreterre, avait été capturé avec lui par les terribles flagelleurs mentaux, avant de leur échapper, toujours à ses côtés.

—Je suis arrivé là-bas à ce moment par pur hasard, dit Drizzt. Et tant mieux pour moi et pour tes collègues qui se trouvaient dans ces tunnels.

—Ce n'est pas un hasard si incroyable que ça, répondit Belwar, sa mine enjouée soudain assombrie. Ces affrontements sont de plus en plus fréquents. Il en survient au moins un par semaine, de nombreux svirfnebelins ont déjà trouvé la mort. (Drizzt ferma ses yeux lavande lorsqu'il entendit cette fâcheuse nouvelle.)

» On raconte que Lolth est affamée. La vie n'est plus paisible pour les gnomes de Blingdenpierre. Nous essayons tous d'en apprendre la raison.

176

Drizzt accueillit ces informations sans sourciller, plus que jamais persuadé d'avoir eu raison de revenir sous terre. Ces agissements de la part des drows relevaient de bien plus qu'une simple tentative de le capturer de nouveau. Ce qu'avait raconté Belwar et l'évocation de la faim de Lolth le confirmaient.

Quand il fut de nouveau sévèrement piqué, l'elfe noir ouvrit les yeux et vit le maître-terrassier qui le dévisageait, ayant manifestement mis de côté les sinistres événements passés.

— Assez de morosité ! s'exclama le gnome. On a vingt années à se raconter, toi les tiennes et moi les miennes ! (Il se baissa et crocheta une botte de Drizzt, qu'il souleva pour la renifler, avant de demander, sincèrement plein d'espoir :) Tu as trouvé la surface ?

Les deux amis passèrent le reste de la journée à échanger des récits, Drizzt, qui avait foulé un monde si différent, parlant le plus souvent. Belwar haleta et éclata de rire à de nombreuses reprises, puis il pleura avec son ami drow, réellement peiné par la disparition de Wulfgar.

Drizzt comprit à cet instant qu'il avait retrouvé l'un de ses amis les plus chers. Belwar écoutait avec attention et bienveillance chaque mot de l'elfe noir, permettant ainsi à celui-ci de partager ses moments les plus personnels des vingt dernières années avec le soutien silencieux d'un ami sincère.

Ce soir-là, après le dîner, Drizzt effectua avec hésitation ses premiers pas et Belwar, qui avait déjà été témoin des effets ravageurs d'un tapeur bien manié, lui assura qu'il serait en mesure de galoper entre les murs constellés de gravats d'ici environ une journée.

Cette prévision éveilla une satisfaction modérée chez Drizzt. Bien entendu, il était ravi de savoir qu'il allait se remettre, néanmoins une petite part en lui-même aurait souhaité voir cette guérison prendre plus de temps afin de prolonger son séjour chez Belwar. Le drow n'ignorait pas que, dès l'instant où son corps serait opérationnel, l'heure serait venue pour lui d'achever son périple, de revenir à Menzoberranzan pour essayer de mettre un terme à la menace qui y couvait.

14

CAMOUFLAGE

— Reste ici, Guen, murmura Catti-Brie à la panthère. Toutes deux observaient une vaste étendue, une cavité relativement dépourvue de stalagmites et d'où provenaient de nombreuses voix de gobelins. Catti-Brie supposa qu'il devait s'agir du gros de l'expédition, qui s'agitait de plus en plus en ne voyant pas revenir le groupe d'éclaireurs. D'autre part, elle n'ignorait pas que les quelques gobelins survivants la suivaient sans doute de près. Guen et elle avaient parfaitement réussi à les repousser et les faire fuir dans la direction opposée, toutefois ils avaient selon toute vraisemblance déjà fait demi-tour. Or ce combat s'était déroulé à moins d'une heure de marche de l'endroit où elle se trouvait dorénavant.

Aucun autre tunnel n'était visible dans cette cavité et il n'échappait pas à Catti-Brie que ces gobelins rassemblés, qu'elle ne voyait pourtant pas, étaient trop nombreux pour qu'elle puisse les affronter ou les repousser. Elle baissa une dernière fois les yeux sur ses mains noires, puisa un peu de réconfort dans leur apparence parfaitement drow, puis lissa ses épais cheveux – désormais d'un blanc pur au lieu de leur habituel auburn – et sa somptueuse robe, avant d'avancer avec un air assuré.

Les gobelins postés en sentinelles les plus proches reculèrent, terrifiés, quand la prêtresse drow entra comme si de rien n'était dans le repaire. S'ils ne prirent pas la fuite, ce ne fut qu'en raison de leur effectif qui, comme l'avait supposé Catti-Brie, s'élevait à plus d'une centaine. Une dizaine de lances se dressèrent, pointées sur elle, mais elle poursuivit son chemin sans se démonter vers le centre de la grotte.

Les gobelins se rassemblèrent autour d'elle, lui coupant ainsi toute possibilité de retraite, tandis que d'autres se positionnaient face à la galerie de laquelle elle avait surgi, se demandant si d'autres drows allaient survenir. La mer de chair se fendit tout de même devant la visiteuse inattendue ; la bravade de Catti-Brie, ainsi que son camouflage, avait apparemment pris les petits êtres au dépourvu.

Quand elle atteignit le centre de la cavité, elle aperçut le tunnel, qui se poursuivait de l'autre côté, mais la marée de gobelins se referma peu à peu, cédant plus lentement du terrain, ce qui contraignit l'humaine-changée-en-drow à ralentir son allure.

Puis elle dut s'arrêter, cernée par des lances, la grotte à présent remplie de gobelins.

— *Gund ha, moga moga*, exigea-t-elle.

Sa maîtrise de la langue gobeline était au mieux rudimentaire et elle n'était pas certaine d'avoir dit « écartez-vous et laissez-moi passer » plutôt que « poussez ma mère dans le fossé ».

Pourvu que ce soit la première possibilité…

— *Moga gund, geek-it moon'ga'woon'ga !* s'écria d'une voix râpeuse un immense gobelin, presque aussi grand qu'un humain et qui s'extirpa de la foule pour se poster devant Catti-Brie. La jeune femme s'efforça de conserver son calme. Elle avait d'un côté envie d'appeler Guenhwyvar et de s'enfuir et, dans une moindre mesure, d'éclater de rire. Elle se trouvait de toute évidence devant un chef gobelin, ou du moins le chaman de la tribu.

Cette créature aurait eu besoin de quelques conseils en matière de mode vestimentaire. Elle portait de hautes bottes noires de noble dont les côtés avaient été fendus pour permettre à ses larges pieds aux allures de pattes de canard d'y tenir. Un caleçon long de femme, orné de larges volants, lui servait de pantalon et, même si ce spécimen était clairement un mâle, il avait enfilé une culotte et un corset, dont les bonnets avaient été prévus pour une poitrine très généreuse. Plusieurs colliers dépareillés, certains en or, d'autres en argent, ainsi qu'une rangée de perles, encerclaient son cou maigre, tandis que ses doigts crochus étaient tous pourvus de bagues peu discrètes. Catti-Brie reconnut la coiffe du gobelin, dont il lui semblait qu'elle avait un caractère religieux, même si elle était incapable d'en préciser la secte. Elle était cependant à peu près certaine que cet individu avait placé à l'envers ce qui ressemblait à un rayon de soleil fait de longs rubans dorés, étant donné que cet objet penchait en avant, sur le front tombant de la créature hideuse, l'un de ses rubans se balançant de façon agaçante sur son nez.

Ce gobelin se pensait à coup sûr au sommet de la mode des voleurs, paré des vêtements de ses malheureuses victimes. Il continuait à parler pour ne rien dire, de sa voix haut perchée, trop vite pour que Catti-Brie y comprenne davantage qu'un mot isolé de temps à autre. Puis il s'interrompit, d'un coup, et se frappa le torse du poing.

— Parles-tu la langue de la surface ? demanda Catti-Brie, en une tentative de trouver une langue commune.

Elle fournissait un violent effort pour conserver son calme mais s'attendait à tout moment à voir une lance plonger dans son dos.

Le chef gobelin la dévisagea avec curiosité, n'ayant manifestement pas compris un seul mot de sa question. Il l'examina de haut en bas et ses yeux rouges brillants finirent par s'arrêter sur le médaillon que la jeune femme portait autour du cou.

— *Nying so, wucka*, dit-il en désignant du bras l'objet, puis Catti-Brie, et enfin la sortie opposée.

Si ce médaillon avait été un bijou ordinaire, Catti-Brie l'aurait offert avec joie en échange de son passage, toutefois elle avait besoin de cet objet magique si elle souhaitait garder une infime chance de retrouver Drizzt. Quand le gobelin réitéra sa demande sur un ton plus pressant, elle sut qu'il lui fallait réfléchir vite.

Sur une inspiration subite, elle sourit et leva un doigt.

— *Nying*, dit-elle, pensant s'être souvenue du mot qui équivalait à « cadeau », avant de poursuivre, sans se retourner. Guenhwyvar ! (Les cris de stupeur que poussèrent les gobelins postés de l'autre côté de la cavité lui révélèrent que la panthère arrivait.) Approche et reste calme, Guen. Viens près de moi sans attaquer personne.

Guenhwyvar se présenta d'un pas lent et ferme, la tête basse et les oreilles aplaties. Elle lâchait régulièrement un grognement afin

181

de repousser les gobelins, qui s'écartèrent nettement et ouvrirent au magnifique félin un large chemin jusqu'à la prêtresse drow.

La panthère rejoignit enfin Catti-Brie, dont elle frotta la hanche du museau.

—*Nying*, répéta Catti-Brie, désignant l'animal aux gobelins. Vous la prenez et je passe.

Elle ponctua du mieux qu'elle put ses paroles de gestes afin de transmettre son message. L'affreux roi de la mode gobelin se gratta la tête et fit basculer dans la manœuvre son couvre-chef, qui resta bizarrement accroché de côté.

—Allez, vas-y et sois sage, murmura Catti-Brie à Guenhwyvar en la repoussant d'une jambe.

La panthère, qui semblait plus qu'irritée par cette comédie, leva les yeux vers la jeune femme et alla s'affaler aux pieds du chef gobelin… dont le visage se vida instantanément de son sang!

—*Nying*, répéta Catti-Brie, en suggérant du geste au gobelin de se baisser et de caresser l'animal.

La créature la considéra avec un air incrédule puis, finalement, grâce aux encouragements de cette prêtresse, il rassembla suffisamment de courage pour effleurer l'épaisse fourrure du fauve.

Son sourire aux dents pointues s'élargit puis il osa de nouveau toucher l'animal, avec plus d'assurance. Il se baissa encore, et encore, chaque caresse plus appuyée que la précédente. Pendant ce temps, Guenhwyvar regardait Catti-Brie avec un air furieux.

—Bon, tu vas rester ici avec ce sympathique gobelin, ordonna la jeune femme à la panthère, non sans s'assurer que le ton de sa voix ne trahissait pas ses réelles intentions. (Elle tapota la bourse attachée à sa ceinture où se trouvait la statuette et ajouta:) Je t'appellerai, ne t'inquiète pas.

Elle se redressa et regarda droit dans les yeux le chef gobelin. Elle fit claquer sa main contre sa poitrine et la tendit aussitôt après en direction de la sortie opposée, la mine sévère.

—J'y vais! déclara-t-elle avant d'avancer d'un pas.

Dans un premier temps, le gobelin donna l'impression de vouloir lui bloquer le passage mais un rapide coup d'œil au puissant félin à ses pieds lui fit changer d'avis. Catti-Brie s'en était tirée à la perfection ; elle avait permis à cette créature à l'ego surdéveloppé de conserver sa dignité, puis, tout en conservant les traits d'un ennemi potentiellement dangereux, elle avait laissé trois cents kilos d'un redoutable allié stratégiquement placés au pied de son vis-à-vis.

—*Nying so, wucka*, répéta alors ce dernier, désignant Guenhwyvar, puis la sortie du fond, avant de prudemment s'écarter afin de permettre à cette drow de passer.

Catti-Brie traversa la seconde moitié de la cavité et repoussa au passage du revers de la main un gobelin qui ne s'était pas écarté suffisamment rapidement de son chemin. Cet individu réagit aussitôt en s'approchant d'elle, épée brandie, mais un cri de son chef – le félin toujours enroulé autour des chevilles – l'arrêta instantanément.

Catti-Brie lâcha un rire au visage immonde de son agresseur et lui montra qu'elle possédait sa propre dague, un objet magnifique, incrusté de bijoux, prêt à jaillir des plis de sa splendide robe.

Elle atteignit l'étroit tunnel et poursuivit son chemin un bon moment avant de s'arrêter et se retourner. Puis elle sortit la figurine.

Dans la cavité, le chef gobelin montrait sa nouvelle acquisition à la tribu, expliquant de quelle façon il s'était montré plus malin que cette « stupide femelle drow » et s'était lui-même approprié le félin. Le fait que ses congénères aient été témoins de la scène dans son ensemble importait peu ; chez les gobelins, l'histoire était révisée pour ainsi dire quotidiennement.

Le sourire suffisant du chef ne tarda pas à disparaître quand une fumée grise s'éleva autour de la panthère, qui commença ensuite à perdre de sa consistance.

La créature poussa une série de protestations et de jurons, puis tomba à genoux pour attraper l'animal.

Une énorme patte sortit de la fumée et crocheta la tête du chef, qui fut alors attiré. On ne vit bientôt plus que de la fumée, tandis que le gobelin pas très futé, surpris, accompagnait Guenhwyvar pour un tour sur le plan Astral.

Les gobelins restants s'éparpillèrent en criant, non sans se bousculer et s'écrouler les uns sur les autres. Certains songèrent à prendre en chasse la drow qui venait de les quitter, mais, le temps qu'ils s'organisent, Catti-Brie était depuis longtemps partie et courait aussi vite qu'elle le pouvait dans la galerie, fière de son stratagème.

Les tunnels lui étaient familiers... trop familiers. Combien de fois le jeune Drizzt Do'Urden avait-il emprunté ces chemins, généralement en tant qu'éclaireur de patrouille drow? Il disposait alors de Guenhwyvar, tandis qu'il était seul à présent.

Il boitait légèrement, un genou pas encore tout à fait remis du coup de tapeur svirfnebelin.

Il lui était cependant impossible d'avancer cette excuse pour demeurer plus longtemps à Blingdenpierre. Il était conscient de l'urgence de sa mission et Belwar, à qui cette séparation arrachait le cœur, n'avait pas contesté la décision de Drizzt de repartir, ce qui avait indiqué à ce dernier que les autres svirfnebelins souhaitaient le voir s'en aller.

Il était donc parti deux jours auparavant et il avait depuis parcouru environ quatre-vingts kilomètres de grottes sinueuses. Il avait croisé les traces d'au moins trois patrouilles de drows, ce qui correspondait à un nombre de guerriers inhabituellement élevé si loin de Menzoberranzan et donnait du crédit aux dires de Belwar, selon lesquels quelque chose de dangereux se tramait et la Reine Araignée était affamée. En ces trois occasions, Drizzt aurait pu pister ces groupes et tenter de les rejoindre – il avait imaginé se faire passer pour l'émissaire d'un marchand de Ched Nasad –, mais chaque fois son courage l'avait abandonné et il avait poursuivi sa route en direction de Menzoberranzan, retardant ainsi le moment fatidique de la prise de contact.

Ces tunnels étaient désormais trop familiers; cet instant approchait.

Il prit garde à chacun de ses pas, conservant un silence parfait, quand il traversa une allée plus large. Il entendit quelques bruits, un peu plus loin, des frottements de pas, nombreux. Il ne s'agissait pas de pieds drows, il en était certain; les elfes noirs ne faisaient pas de bruit.

Il escalada la paroi inégale et se hissa sur une saillie située à quelque trois mètres de hauteur. Il progressa ensuite tant bien que mal, parfois uniquement suspendu du bout des doigts, tandis que ses pieds ne trouvaient que le vide, mais sans toutefois être gêné, et le tout sans un bruit.

Il se figea quand il perçut le vacarme provoqué par une certaine agitation, un peu plus loin. Heureusement, la saillie s'élargit alors, ce qui lui libéra les mains. Il extirpa avec précautions ses cimeterres de leurs fourreaux et se concentra de façon à empêcher *Scintillante* d'émettre sa lueur interne.

Guidés par des bruits de déglutition, il suivit une courbe, au-delà de laquelle il aperçut un groupe de petits êtres humanoïdes, blottis les uns contre les autres et vêtus de capes en lambeaux, les visages recouverts de capuches. Seuls leurs larges pieds révélèrent à Drizzt leur nature de gobelins, dont aucun ne parlait mais tous tournaient en rond sans but.

Le rôdeur devina, d'après leurs mouvements et leurs postures affaissées, qu'il se trouvait devant des esclaves gobelins. Seuls les esclaves semblaient porter une telle résignation sur les épaules.

Drizzt les observa encore un moment et tenta de repérer le drow chargé de les surveiller. Il estima le nombre de ces créatures à au moins quatre-vingts dans cette grotte, alignés au bord d'un petit étang que les drows nommaient le bassin d'Heldaeyn. Ils se remplissaient les mains d'eau et les portaient à la bouche, sous leurs capuchons, comme s'ils n'avaient pas bu depuis des jours.

Ce qui était probablement le cas. Quand il aperçut non loin de là deux rothés, du bétail de petite taille qu'on trouvait en Outreterre, Drizzt comprit que ce groupe s'était sans doute aventuré hors de la cité afin de retrouver ces deux animaux manquants. Au cours de telles expéditions, on ne donnait presque rien à manger aux esclaves, qui portaient pourtant quelques provisions. Les gardes drows qui les accompagnaient avaient l'habitude de se nourrir généreusement, généralement devant les esclaves affamés.

Un claquement de fouet fit se redresser les gobelins, qui s'écartèrent du bord du bassin, et deux soldats drows, un homme et une femme, entrèrent dans le champ de vision de Drizzt. Ils parlaient tranquillement, la drow faisant régulièrement entendre son fouet.

185

Un autre elfe noir lança des ordres depuis l'autre côté de la grotte et les gobelins commencèrent à s'aligner grossièrement, davantage en un groupe allongé qu'en une file nette.

Drizzt savait que le moment d'agir était venu. Les gardiens d'esclaves figuraient parmi les groupes les moins organisés autorisés à quitter Menzoberranzan. Ces sections étaient en général composées d'elfes noirs issus de différentes Maisons et de jeunes étudiants drows de chacune des trois écoles de l'Académie.

Drizzt se laissa glisser en silence de la saillie et s'écarta de la paroi. Puis il salua ses semblables présents dans la grotte de l'habituel signal en langage gestuel : il éprouva une curieuse sensation en voyant ses doigts reprendre ce système complexe.

La drow approcha après avoir poussé devant elle son garde, qui leva aussitôt la main, brandissant une arbalète de poing typique des elfes noirs, dont le carreau était vraisemblablement enduit d'un puissant poison soporifique.

—Qui es-tu ? signa-t-il au-dessus de l'épaule de son acolyte.

—Ce qu'il reste d'une patrouille qui s'est aventurée près de Blingdenpierre, répondit Drizzt.

—Retourne à Tier Breche, alors, lui dit à haute voix la drow.

Entendre sa voix, si caractéristique des femmes drows, ces voix qui pouvaient être incroyablement mélodieuses ou tout aussi incroyablement stridentes, renvoya en pensée le rôdeur à ces années depuis longtemps révolues. C'est à cet instant qu'il comprit pleinement qu'il ne se trouvait plus qu'à quelques centaines de mètres de Menzoberranzan.

—Je ne souhaite pas vraiment y « retourner », déclara-t-il. En tout cas, pas en le criant dans les rues.

Drizzt savait que cette réflexion était logique. S'il était véritablement l'unique survivant d'une patrouille perdue, il serait énergiquement interrogé à l'Académie drow, sans doute même torturé jusqu'à ce que les maîtres soient certains qu'il n'ait pas trahi la patrouille ou jusqu'à ce qu'il meure, la seconde éventualité arrivant toujours en premier.

—Qui est la Première Maison ? demanda la drow, le regard planté dans les yeux lavande du rôdeur.

186

—Baenre, répondit aussitôt Drizzt, qui s'était attendu à ce test.

Les elfes noirs espions envoyés par les cités rivales n'étaient pas rares à Menzoberranzan.

—Leur plus jeune fils ? insista sournoisement la drow.

Elle retroussa les lèvres en un sourire obscène et affamé, sans cesser d'observer les yeux inhabituels de Drizzt.

Par un heureux hasard, celui-ci avait suivi les cours de l'Académie dans la même classe que le plus jeune des fils Baenre… si toutefois la vieille Matrone Baenre n'avait pas donné naissance à un autre enfant au cours des trois décennies où Drizzt avait été absent.

—Berg'inyon, répondit-il avec assurance, prenant une posture quelque peu effrontée, mains sur la ceinture, et non loin de ses cimeterres.

—Qui es-tu ? demanda encore la drow, qui se pourlécha les lèvres, visiblement intriguée.

—Personne d'important, lâcha Drizzt, un grand sourire en guise de réponse au regard intense de sa semblable, qui tapota l'épaule de son garde du corps afin de lui faire signe de partir.

—Suis-je libéré de cette tâche minable ? s'enquit l'autre elfe noir de ses mains, un certain espoir peint sur le visage.

—Le *bol* prend ta place dès aujourd'hui, minauda la drow, désignant ainsi Drizzt grâce à ce mot, qui décrivait quelque chose de mystérieux ou fascinant.

Le garde afficha un large sourire et baissa son arbalète de poing. Voyant que celle-ci était armée, il leva la tête et vit que le troupeau de gobelins était encore proche. Son sourire s'élargit et il leva son arme pour tirer.

Drizzt ne réagit pas, alors que cela le peinait de voir des créatures, même s'il s'agissait de gobelins, être traitées de la sorte.

—Non, intervint la drow, qui posa la main sur le poignet de son garde, avant d'ôter le carreau et le remplacer par un autre. Tu l'endormirais.

Et la cruelle elfe de glousser.

Le garde la regarda un moment avant de comprendre. Il visa alors un gobelin, qui traînait encore près du bassin, et tira. La cible sursauta quand la fléchette se planta dans son dos. Il commença à se retourner mais bascula dans l'eau.

Drizzt serra les lèvres quand il comprit, d'après la chute du gobelin, que la fléchette placée par la drow était enduite d'un poison paralysant qui laissait sa victime pleinement consciente. La malheureuse créature ne contrôlait plus qu'à peine ses membres et allait certainement se noyer et, le pire, n'ignorait sûrement rien de son tragique destin. Elle parvint tout de même à se placer de façon à faire émerger son visage, mais Drizzt savait qu'elle s'épuiserait avant que les effets du terrible produit s'atténuent.

Le garde rit de bon cœur et rangea son arbalète de poing dans le petit fourreau disposé en diagonale sur son torse, puis quitta la cavité par le tunnel situé sur la gauche de Drizzt. Il n'avait pas encore effectué dix pas quand la drow fit claquer son fouet et appela les quelques autres elfes noirs, à qui elle ordonna de mettre en route le troupeau vers le tunnel de droite.

Après quelques instants, elle dévisagea froidement Drizzt.

— Pourquoi restes-tu ici ? lui demanda-t-elle.

Drizzt désigna le gobelin tombé dans le bassin, qui se débattait de plus en plus difficilement et parvenait tout juste à maintenir sa bouche hors de l'eau. Il parvint à émettre un rire, comme s'il appréciait ce macabre spectacle, mais il envisagea sérieusement, l'espace d'une seconde, de se précipiter et de tuer cette maudite drow.

Tandis qu'ils quittaient la petite grotte, il ne cessa de guetter une occasion de s'approcher du gobelin et de le sortir de l'eau pour qu'il ait une chance de s'évader. Hélas, la drow ne le quitta pas des yeux, pas un instant, et il comprit qu'elle avait davantage en tête que de simplement l'enrôler dans sa caravane d'esclaves. Après tout, pourquoi ne s'était-elle pas *elle-même* libérée de cette tâche contraignante quand ce nouveau gardien était arrivé de façon inattendue ?

Les dernières éclaboussures du gobelin agonisant suivirent Drizzt au-delà de cet endroit. Le drow rebelle déglutit et lutta contre son écœurement. Peu importait le nombre de scènes similaires dont il serait témoin, il ne s'habituerait jamais à la brutalité de sa race.

Et il en était presque soulagé.

15

MASQUES

Catti-Brie n'avait jamais vu de telles créatures. Elles ressemblaient vaguement à des gnomes – du moins en taille ; elles mesuraient un peu moins de un mètre de haut – mais leur tête rougeaude et cabossée était chauve, tandis que leur peau semblait grisâtre sous la lumière d'étoile émise pour elle par son bandeau magique. Ces êtres étaient assez corpulents, presque aussi massifs que des nains, et, à en juger par les outils affûtés qu'ils maniaient et les armures métalliques bien ajustées qu'ils portaient, ils étaient compétents, tels les nains, en matière de mines et de confection.

Drizzt lui ayant parlé des svirfnebelins, les gnomes des profondeurs, Catti-Brie supposait qu'elle en observait quelques spécimens. Elle n'en était toutefois pas certaine et redoutait d'avoir affaire à des cousins des duergars malfaisants, les nains gris.

Elle était accroupie entre quelques fines stalagmites, dans une zone où se croisaient de nombreuses galeries. Les gnomes des profondeurs, si c'en était bien, étaient arrivés par le côté opposé et fourmillaient désormais sur une vaste section plane du boyau, parlant entre eux et ne prêtant pas attention aux stalagmites situées cinq ou six mètres plus loin.

Catti-Brie hésitait sur la conduite à tenir. Si elle se trouvait en présence de svirfnebelins, ce qui lui semblait probable, ceux-ci pouvaient s'avérer de précieux alliés. Mais comment les approcher ? Ils ne parlaient sûrement pas sa langue et étaient sans doute aussi peu habitués aux humains qu'elle l'était à leur race.

Elle finit par décider que la meilleure option était de rester assise et laisser ces créatures poursuivre leur chemin. Elle n'avait cependant jamais expérimenté l'étrange infravision et elle ne songea pas un instant, dissimulée parmi ces roches fraîches et sa température corporelle plus chaude d'une quinzaine de degrés que la pierre, qu'elle était presque étincelante aux yeux sensibles à la chaleur des svirfnebelins.

Tandis qu'elle demeurait tapie et patientait, les gnomes des profondeurs se dispersèrent dans les tunnels qui l'entouraient et tentèrent de déterminer si cette drow – car Catti-Brie portait toujours le masque magique – était seule ou faisait partie d'un groupe. Quelques minutes s'écoulèrent puis la jeune femme baissa les yeux sur sa main, étonnée, pensant avoir ressenti quelque chose dans la pierre, peut-être une légère vibration. Elle ignorait que les gnomes des profondeurs communiquaient grâce à une méthode qui tenait à la fois de la télépathie et de la psychokinésie ; ils s'envoyaient leurs pensées à travers la pierre et une main sensible comme la sienne pouvait percevoir les vibrations qui en résultaient.

Elle ne devina donc pas que ces légers tremblements confirmaient, de la part des éclaireurs, que cette drow cachée parmi les stalagmites était seule.

L'un des svirfnebelins qu'elle observait s'agita soudain et psalmodia quelques mots, qu'elle ne comprit pas, avant de lancer une pierre dans sa direction. Elle s'abrita et se mit à réfléchir ; allait-elle se rendre ou sortir son arc et essayer d'effrayer ces créatures ?

La pierre jetée s'était fracassée avant d'atteindre les stalagmites et ses éclats, qui s'étaient répandus devant la cachette de Catti-Brie, se mirent à émettre de la fumée et à grésiller, tandis que le sol commençait à trembler.

Avant qu'elle comprenne ce qu'il se passait, les pierres devant elle se mirent à grossir comme des bulles géantes et prirent une forme humanoïde colossale de plus de quatre mètres de haut dont la largeur bloquait presque le tunnel. Cette créature était dotée de monstrueux bras rocailleux capables de réduire une construction en miettes. Deux stalagmites avaient été prises dans la formation de l'être imposant et faisaient désormais office de dangereuses piques plantées sur cet immense torse.

190

Dans le passage, les gnomes des profondeurs hurlèrent des cris de guerre qui résonnèrent dans les tunnels jusqu'à atteindre leur cible effrayée.

Celle-ci se hâta de reculer quand une main géante balaya l'air devant elle et emporta le sommet d'un monticule. Catti-Brie lâcha alors la figurine d'onyx et appela vivement Guenhwyvar, tout en encochant une flèche.

L'élémentaire de la Terre avança encore, ses énormes jambes écrasant les stalagmites qui se dressaient sur son chemin. Il essaya encore d'attraper sa victime désignée mais une flèche au sillage argenté fendit son visage pierreux et y laissa une fissure nette entre les yeux.

L'élémentaire se raidit, chancelant, puis, des mains, il referma sa tête coupée en deux. Il regarda ensuite de nouveau vers les monticules mais, au lieu de la drow, il se trouva face à une immense panthère qui s'apprêtait à bondir.

Catti-Brie sortit de sa cachette par l'autre côté, avec en tête le projet de s'enfuir, mais elle vit des gnomes des profondeurs surgir de chaque passage latéral. Elle partit alors en courant dans la galerie principale, s'abritant autant que possible derrière des stalagmites et sans oser se retourner pour regarder Guenhwyvar et l'élémentaire. Soudain, elle se cogna le tibia contre quelque chose de dur et chuta la tête la première. Elle se tortilla et vit un svirfnebelin surgir de derrière un monticule, sa pioche toujours placée dans la position qui l'avait fait trébucher.

Elle tira sur la corde de son arc et se dressa en position assise, mais son arme fut écartée. D'instinct, elle roula sur le côté, puis entendit des bruits de pas ; trois gnomes l'avaient rejointe, de lourds maillets brandis en vue de l'écraser.

Guenhwyvar gronda et bondit, avec l'intention de contourner le monstre. Celui-ci se montra plus rapide que l'avait imaginé la panthère ; une immense main de pierre attrapa le félin en plein saut et l'approcha de son torse massif. Guenhwyvar hurla quand une pointe de stalagmite se planta dans son épaule. Les gnomes des profondeurs, qui s'agitaient à côté de leur champion, hurlèrent également – de joie – en constatant que la drow et son inattendue alliée étaient sur le point d'être achevées.

Un maillet s'abattit sur Catti-Brie. Elle fit jaillir sa courte épée et l'intercepta à la jointure entre la tête et le manche, ce qui lui permit de suffisamment en dévier la trajectoire pour qu'il heurte violemment le sol. Tout en parant d'autres offensives, elle tentait de s'écarter de ces gnomes afin de pouvoir se relever, mais ils la suivaient, tout en lui assenant des coups, plus mesurés, qui l'empêchaient de riposter efficacement.

Le spectacle de cette merveilleuse panthère bientôt empalée et broyée, qui suscitait des cris de joie de la part des quelques svirfnebelins suivant ce combat, n'éveilla toutefois chez deux autres qu'un sentiment de confusion. Seldig et Pumkato, ainsi se nommaient-ils, avaient joué avec un animal qui ressemblait à ce fauve alors qu'ils étaient encore enfants. Drizzt Do'Urden, le drow renégat qu'ils avaient connu près de trente ans auparavant, étant passé par Blingdenpierre très récemment, l'apparition de cette panthère ne pouvait selon eux pas relever de la coïncidence.

— Guenhwyvar! s'écria Seldig, à qui le fauve répondit par un rugissement.

Catti-Brie fut frappée quand elle entendit ce nom, parfaitement prononcé, et, de leur côté, les trois nains des profondeurs qui l'entouraient hésitèrent également.

Pumkato, qui avait invoqué l'élémentaire, lui ordonna de ne plus bouger, et Seldig s'aida de sa pioche pour grimper sur le monstre.

— Guenhwyvar? répéta-t-il, à seulement quelques dizaines de centimètres de la tête de la panthère prisonnière.

Celle-ci redressa les oreilles et jeta un regard plaintif à ce gnome qui lui était vaguement familier.

— Qui est-ce? demanda Pumkato en désignant Catti-Brie.

Même si elle ne comprenait pas les mots des svirfnebelins, la jeune femme devina qu'une telle occasion ne se représenterait jamais. Elle lâcha son épée et, de sa main libre, elle ôta le masque magique et reprit aussitôt ses traits d'humaine. Les trois gnomes des profondeurs poussèrent des exclamations et reculèrent, la considérant avec des expressions revêches peu flatteuses, comme si cette nouvelle apparence était plutôt affreuse d'après leurs standards.

Pumkato rassembla son courage et avança vers elle.

Catti-Brie songea alors avec espoir que, s'il connaissait le nom de la panthère, un autre ne lui serait peut-être pas inconnu. Elle se pointa du doigt, puis tendit les bras et les referma, comme si elle étreignait quelqu'un.

—Drizzt Do'Urden? demanda-t-elle.

Pumkato écarquilla ses yeux gris et acquiesça, visiblement pas si surpris. Il cacha le dégoût que lui inspirait cette apparence humaine et tendit la main pour aider Catti-Brie à se relever.

Celle-ci se saisit de la figurine avec des gestes volontairement lents et renvoya Guenhwyvar. De même, Pumkato changea l'élémentaire en pierre.

⚔ ⚔ ⚔ ⚔ ⚔

—*Kolsen'shea orbb*, murmura Jarlaxle.

Cette expression obscure, rarement prononcée à Menzoberranzan, pouvait être approximativement traduite par « arrache les pattes d'une araignée ».

La paroi, apparemment lisse, devant laquelle se trouvait le mercenaire réagit au mot de passe. Elle se changea en une toile d'araignée et s'étira vers l'extérieur, de façon à laisser un trou permettant le passage du drow et de son garde humain.

Jarlaxle, qui d'ordinaire possédait toujours un coup d'avance sur les autres drows, fut quelque peu surpris – agréablement surpris – de constater que Triel Baenre l'attendait dans la petite pièce qui se trouvait derrière ce passage, les appartements privés de Gromph Baenre à Sorcere, l'école de sorcellerie de l'Académie drow. Il avait espéré la présence de Gromph pour confirmer son retour mais Triel était un témoin encore meilleur.

Entreri fit son entrée derrière lui et resta sagement en retrait quand il aperçut la versatile Triel. Il observa cette curieuse pièce, en permanence baignée d'une légère lueur bleutée, à l'image d'une bonne partie de la tour des sorciers. Des parchemins étaient déployés partout, sur le bureau, sur les trois chaises, ainsi que sur le sol. Les murs étaient recouverts d'étagères sur lesquelles étaient rangés des

193

dizaines de grosses bouteilles fermées et des récipients en forme de sablier, plus petits et débouchés, avec des sachets scellés disposés à côté. D'autres objets curieux, près d'une centaine, trop étranges pour qu'un habitant de la surface puisse simplement en deviner l'utilité, traînaient au milieu de ce désordre.

—Tu as fait venir un *colnbluth* à Sorcere? dit Triel, ses fins sourcils soulevés de surprise.

Entreri prit garde à conserver le regard baissé, même s'il parvint à jeter quelques coups d'œil à la fille Baenre. Il n'avait encore jamais vu Triel en pleine lumière et songeait à présent qu'elle n'était pas si belle que cela, considérant les standards drows. Elle était trop petite et trop trapue des épaules, notamment vis-à-vis des traits très anguleux de son visage. L'assassin se fit la réflexion qu'il était étonnant que Triel se soit élevée si haut dans la hiérarchie drow, une race qui vénérait la beauté physique, aussi en vint-il à estimer qu'elle devait sa position à sa puissance.

Entreri ne comprenait pas grand-chose en langue drow mais il ne lui échappa pas que Triel venait sans doute de l'insulter. En temps normal, il répondait aux insultes avec ses armes. Pas ici, pas si loin de son élément et pas contre cette créature. Jarlaxle l'avait mis en garde une centaine de fois à son sujet. Elle cherchait un prétexte pour le tuer: la cruelle fille Baenre cherchait toujours une raison de tuer n'importe quel *colnbluth*, ainsi que quelques drows.

—Je l'ai conduit en de nombreux endroits, répondit le merce-naire. Je ne pensais pas que ton frère serait présent pour protester.

Triel regarda autour d'elle et considéra le remarquable bureau en os de nains polis, derrière lequel se trouvait une chaise rembourrée. Il n'y avait aucune pièce voisine, aucun endroit où se dissimuler et aucun Gromph.

—Gromph doit être ici, insista Jarlaxle. Sinon, pourquoi la Maîtresse Matrone d'Arach-Tinilith se serait déplacée? Il s'agit là d'une violation des règles, autant que je m'en souviens, une infraction au moins aussi sérieuse que le fait d'avoir fait entrer un non-drow à Sorcere.

—Fais attention à la façon dont tu t'interroges sur les actes de Triel Baenre, répondit la petite prêtresse.

194

—*Asanque*, concéda Jarlaxle, qui s'inclina.

Ce mot, quelque peu ambigu, pouvait signifier «comme tu voudras» aussi bien que « toi aussi».

—Pourquoi es-tu ici? demanda Triel.

—Tu savais que je viendrais.

—Bien entendu. Je sais beaucoup de choses, néanmoins je souhaite t'entendre justifier ton entrée à Sorcere, par des portes privées réservées aux directrices, jusqu'aux appartements privés de l'Archimage de la cité.

Jarlaxle sortit des plis de sa cape noire l'étrange masque en forme d'araignée, l'objet magique qui lui avait permis de franchir la clôture enchantée de la Maison Baenre. Les yeux rubis de Triel s'agrandirent.

—J'ai été chargé par ta mère de rendre ceci à Gromph, dit le mercenaire, avec un air légèrement revêche.

—Ici? s'étrangla Triel. Ce masque appartient à la Maison Baenre.

Jarlaxle, qui ne put dissimuler une ébauche de sourire, se tourna vers Entreri, espérant secrètement que celui-ci saisissait les grandes lignes de la conversation.

—Gromph le rapportera, expliqua-t-il, avant de se diriger vers le bureau en os de nains.

Il marmonna un mot et glissa rapidement le masque dans un tiroir, malgré le début de protestation de Triel. Elle approcha du meuble et jeta un regard suspicieux sur le tiroir refermé. Gromph l'avait de toute évidence piégé avec un mot de passe secret.

—Ouvre-le, ordonna-t-elle à Jarlaxle. Je rendrai le masque à Gromph.

—Impossible, mentit le drow. Le mot de passe change à chaque utilisation et on ne m'en a donné qu'un seul.

Il était conscient de jouer un jeu dangereux, cependant Triel et Gromph ne s'adressaient que rarement la parole, ce dernier passant peu fréquemment par son bureau à Sorcere, en particulier ces jours-ci, avec tous les préparatifs qui avaient lieu au sein de la Maison Baenre. La priorité de Jarlaxle était de se débarrasser de ce masque – avec témoins – de sorte qu'il ne puisse en aucune façon être lié à lui. Cet objet était le seul dispositif de tout Menzoberranzan, sorts compris, qui permettait de franchir la clôture magique de la Maison Baenre. Si les événements prenaient la tournure qu'imaginait le mercenaire, savoir qui serait en possession de ce masque deviendrait bientôt très important, et aurait valeur de preuve.

Triel entonna à voix basse une incantation, sans cesser de contempler le tiroir fermé. Elle y reconnut les motifs et glyphes complexes d'énergie magique déployés, dont elle ne put venir à bout tant ils étaient entremêlés. Sa magie figurait parmi les plus puissantes de Menzoberranzan mais elle craignait de s'attaquer à celle de son frère. Elle posa un regard menaçant sur l'habile mercenaire et traversa la pièce avant de s'arrêter devant Entreri.

—Regarde-moi, dit-elle en langue commune de la surface, ce qui étonna l'assassin, peu de drows la maîtrisant à Menzoberranzan.

Il leva donc la tête et scruta les yeux intenses de Triel. Il essaya de garder une attitude calme, de paraître soumis, l'esprit brisé, mais la drow était trop perspicace pour ne pas discerner ce genre de comédie. Devinant la force de l'assassin, elle sourit, comme si cela la satisfaisait.

—Que sais-tu de tout cela ? demanda-t-elle.

—Je ne sais que ce que Jarlaxle me dit, répondit Entreri, qui laissa tomber ses faux airs et posa un regard dur sur la prêtresse.

Si elle voulait jouer à qui plierait le premier, alors l'assassin ne céderait pas ; il avait tout de même survécu et prospéré dans les rues les plus dangereuses de Faerûn.

Triel soutint son regard fixe un long moment, puis finit par se convaincre que cet adversaire coriace ne lui apprendrait rien.

—Partez d'ici, ordonna-t-elle à Jarlaxle, toujours en langue de la surface.

Le drow obtempéra vivement et frôla la fille Baenre avant d'empoigner Entreri au passage.

—Vite, dit-il. Il faut que nous ayons quitté Sorcere quand Triel essaiera d'ouvrir ce tiroir !

Sur ces mots, ils traversèrent le passage en toile d'araignée, qui reprit aussitôt après son apparence lisse, bloquant ainsi les inévitables jurons de Triel.

196

Malgré cela, la prêtresse était davantage intriguée que furieuse. Trois volontés s'affrontaient dorénavant ; la sienne, celle de sa mère, et à présent, visiblement, celle de Jarlaxle. Elle savait que le mercenaire avait quelque chose en tête, un projet dans lequel figurait forcément Artémis Entreri.

⚔ ⚔ ⚔ ⚔ ⚔

Quand ils furent en sécurité, loin de Tier Breche et de l'Académie, Jarlaxle relata tout ce qui s'était dit à Entreri.

— Tu ne lui as pas parlé de l'arrivée imminente de Drizzt, remarqua l'assassin.

Il avait pensé que cette nouvelle avait été le point principal de la conversation avec Triel, or le mercenaire ne l'avait pas encore évoqué.

— Triel dispose de ses propres réseaux d'information, répondit Jarlaxle. Je n'ai pas l'intention de lui faciliter la tâche… pas sans un profit net et reconnu !

Entreri sourit, puis se mordit la lèvre en songeant aux paroles du drow. *Il se passe tant de choses dans cette cité infernale*, songea-t-il. *Pas étonnant que Jarlaxle s'y plaise tant !* Il en vint presque à regretter de ne pas être un drow, de ne pas pouvoir se ménager une place comme l'avait fait Jarlaxle, frôlant sans cesse le danger. Presque.

— Quand Matrone Baenre t'a-t-elle ordonné de rendre le masque ? demanda-t-il.

Avec le mercenaire, ils avaient quitté Menzoberranzan un certain temps et s'étaient rendus dans les grottes externes afin d'y rencontrer un informateur svirfnebelin. Ils n'en étaient revenus que peu de temps avant de prendre la direction de Sorcere et Jarlaxle, pour ce qu'Entreri en savait, n'avait pas approché la Maison Baenre.

— Il y a quelque temps.

— Le porter à l'Académie ? insista Entreri.

Cela lui semblait illogique. En outre, pourquoi le drow l'avait-il emmené avec lui ? Il n'avait jusqu'alors jamais été convié en ce haut lieu, où on lui avait même refusé l'entrée en une occasion, quand il avait souhaité accompagner Jarlaxle à Melee-Magthere,

197

l'école des guerriers. Le mercenaire lui avait alors expliqué les risques qu'impliquerait le fait d'y faire entrer un *colnbluth*, un non-drow, tandis qu'aujourd'hui, pour une raison quelconque, il lui semblait sensé de le conduire à Sorcere, de très loin l'école la plus dangereuse.

—Elle ne m'a pas spécifié l'endroit où le masque devait être rendu, reconnut Jarlaxle.

Entreri ne répondit pas, même s'il comprenait ce qu'impliquait cet aveu. Le masque en forme d'araignée était une possession de valeur du clan Baenre, le potentiel point faible de ses défenses solides. Sa place se trouvait dans les quartiers sécurisés de la Maison Baenre et nulle part ailleurs.

—Quelle idiote, cette Triel, lâcha le drow avec désinvolture. C'est précisément le mot *asanque* qui ouvre ce tiroir. Elle devrait savoir que son frère est suffisamment arrogant pour croire que personne n'essaiera jamais de lui dérober quoi que ce soit. Jamais il ne perdrait trop de temps à élaborer des pièges.

Le mercenaire éclata de rire, bientôt imité par Entreri, toutefois plus étonné qu'amusé par tout cela. Jarlaxle ne s'exprimait que rarement sans raison. Il lui avait fait cette révélation dans un but bien précis.

Lequel?

16

MENZOBERRANZAN

Le radeau glissait lentement sur Donigarten, le petit lac sombre situé à l'extrémité est de l'immense caverne qui renfermait Menzoberranzan. Assis à la proue de l'embarcation, Drizzt regardait vers l'ouest alors que la caverne s'ouvrait devant lui, même si par l'infravision l'image semblait étrangement brouillée. Il attribua d'abord ce phénomène aux courants chauds du lac et n'y pensa plus. Il était préoccupé et son esprit agité de souvenirs fouillait autant le passé que le présent.

Derrière lui, les gémissements rythmés des rameurs orques lui permettaient de garder son calme et de faire surgir ses images du passé une à une.

Il ferma les yeux et se força à passer de l'infravision, sensible à la chaleur, au spectre du visible, tout en se remémorant la splendeur des stalagmites et stalactites de Menzoberranzan, ainsi que leurs complexes motifs sculptés, éclairés par des lueurs féeriques violettes, bleues et rouges.

Il n'était pas préparé à ce qu'il vit quand il ouvrit les yeux ; la cité était abondamment éclairée ! Pas simplement par des lueurs féeriques mais aussi par des points éclatants, jaunes et blancs, torches et enchantements. Le temps d'un très court instant, Drizzt se permit de croire que cette présence de lumière traduisait peut-être un changement d'attitude de la part des elfes noirs. Il avait toujours associé l'éternelle obscurité de l'Outreterre au sinistre comportement des drows ou, en tout cas, il avait toujours

199

songé que les ténèbres étaient un décor qui convenait bien à ses cousins.

Pourquoi cet éclairage ? Drizzt n'était pas assez arrogant pour imaginer qu'il puisse être lié, d'une façon ou d'une autre, à la traque dont il faisait l'objet. Il ne se pensait pas si important que cela aux yeux de ses semblables et ne soupçonnait qu'à peine plus que les gnomes des profondeurs que quelque chose était sur le point de mal tourner. S'il ignorait tout des projets de raid total en surface, il aurait aimé interroger l'un des autres passagers à ce propos – notamment la drow, qui détenait vraisemblablement des informations –, mais comment pouvait-il aborder le sujet sans révéler son statut d'étranger ?

Comme si elle l'avait entendu réfléchir, la drow vint s'asseoir près de lui, trop près pour qu'il n'en soit pas gêné.

— Les jours sont longs sur l'île des rothés, dit-elle évasivement, ses yeux rouges clairement teintés d'envie bestiale.

— Je ne m'habituerai jamais à ces lumières, répondit Drizzt, tourné vers la cité, pour changer de sujet. Cela me pique les yeux.

Observant toujours dans le spectre visible, il espérait que cette remarque ferait dévier la conversation.

— Bien entendu, minauda la drow, qui se rapprocha et alla jusqu'à poser une main au creux du coude de Drizzt. Mais tu t'y feras à temps.

À temps ? À temps pour quoi ? Drizzt voulait le lui demander car, d'après le ton qu'elle avait employé, il la soupçonnait de faire allusion à quelque événement particulier. Il ne voyait toutefois pas comment interroger cette drow, qui présentait en outre un problème plus urgent alors qu'elle s'approchait encore un peu plus de lui.

La culture drow réduisait les spécimens masculins à des êtres soumis, pour lesquels refuser les avances d'une prétendante pouvait entraîner de sérieux ennuis.

— Je m'appelle Khareesa, lui murmura-t-elle dans l'oreille. Dis-moi que tu veux être mon esclave.

Drizzt bondit soudain et dégaina en un clin d'œil ses cimeterres. Il se détourna de Khareesa et fixa son attention sur le lac afin de s'assurer qu'elle saisissait bien qu'il ne la menaçait pas.

— Qu'y a-t-il ? demanda-t-elle, surprise.

—Un mouvement dans l'eau, mentit Drizzt. Un léger courant en profondeur, comme si une masse volumineuse passait sous le bateau.

Khareesa se renfrogna et observa à son tour le lac sombre. Tout le monde savait, à Menzoberranzan, que des sinistres choses vivaient dans les eaux habituellement calmes de Donigarten. Un des jeux favoris des gardiens d'esclaves était de faire nager les gobelins et les orques de l'île au rivage, juste pour voir si l'un d'eux allait se faire attraper et connaître une mort affreuse.

Quelques instants s'écoulèrent dans un silence uniquement troublé par les chants plaintifs incessants des orques alignés sur les côtés de l'embarcation.

Puis un troisième drow rejoignit Drizzt et Khareesa à la proue.

—Tu signales notre position à tout ennemi potentiel présent dans les environs, signa-t-il en désignant le cimeterre qui brillait d'un bleu intense.

Drizzt remisa ses armes et réadapta ses yeux à l'infravision.

—Si nos ennemis se trouvent sous les eaux, alors le mouvement de notre barque nous trahit davantage que n'importe quelle lumière, répondit-il.

—Il n'y a pas d'ennemis, ajouta Khareesa, qui ordonna d'un geste au nouveau venu de retourner à son poste, avant de poser un regard lubrique sur Drizzt. Un guerrier? Un chef de patrouille, peut-être?

Drizzt acquiesça, ce qui n'était pas un mensonge; il avait bien été chef de patrouille.

—Bien. J'aime les mâles qui en valent la peine. (Elle redressa la tête et constata qu'ils approchaient de l'île des rothés.) Nous en reparlerons plus tard. Enfin peut-être.

Elle le quitta sur ces mots, non sans relever sa robe de façon à dévoiler ses jambes bien galbées.

Drizzt grimaça, comme s'il avait reçu une gifle. Parler était bien la dernière chose à laquelle songeait Khareesa. Il ne pouvait nier qu'elle était splendide, les traits bien dessinés, une épaisse crinière de cheveux parfaitement coiffés, ainsi qu'un corps idéalement

201

proportionné. Cependant, ses années passées parmi les drows avaient appris au rôdeur à regarder au-delà de la beauté et de l'attirance physique. Drizzt Do'Urden ne séparait pas les aspects physique et émotionnel. C'était un guerrier magnifique car il se battait avec son cœur ; se battre pour le simple plaisir du combat n'entrait pas plus dans ses principes que le fait de s'accoupler pour le simple plaisir de l'acte physique.

—Plus tard, répéta Khareesa en tournant la tête par-dessus son épaule délicate.

—Quand les vers dévoreront tes os, murmura Drizzt avec un sourire faux.

Pour une raison obscure, il songea alors à Catti-Brie. La chaleur de cette image repoussa le froid glacial de cette drow affamée.

⚔ ⚔ ⚔ ⚔ ⚔

Catti-Brie était sous le charme de Blingdenpierre, malgré la situation – évidemment délicate – dans laquelle elle se trouvait et le fait que les svirfnebelins ne la traitaient pas comme une amie de longue date retrouvée. Débarrassée de ses armes, de son armure, de ses bijoux et même de ses bottes, ne portant que ses simples vêtements, elle avait été conduite dans la cité. Les gnomes qui l'encadraient ne la maltraitaient pas mais ne se montraient pas aimables pour autant. Ils l'avaient fermement empoignée par les épaules et poussée sur les étroites voies caillouteuses qui passaient par les avant-postes défensifs de la cité.

Quand ils lui avaient ôté son bandeau, les gnomes avaient aussitôt deviné sa fonction. Ils le lui rendirent dès que les avant-postes furent franchis. Drizzt lui avait déjà parlé de cet endroit, ainsi que de la façon dont les gnomes des profondeurs se mêlaient naturellement à leur environnement, mais elle n'avait jamais imaginé à quel point les récits du drow étaient justes. Si les nains étaient des mineurs, les meilleurs de ce monde, ce qualificatif ne suffisait pas à décrire les gnomes des profondeurs, qui semblaient faire partie intégrante de la pierre qu'ils creusaient. Leurs demeures avaient l'allure de rochers abandonnés là par une éruption volcanique survenue il y a une éternité et leurs tunnels de chemins tortueux empruntés par une ancienne rivière.

Chacun des pas de Catti-Brie fut suivi par une centaine de paires d'yeux, tandis qu'elle était conduite dans la cité proprement dite. Elle se rendit alors compte qu'elle était sans doute la première humaine jamais observée par les svirfnebelins. Ces regards insistants ne la gênaient pas car elle-même était tout aussi curieuse de découvrir ces petits êtres, dont les traits, qui lui avaient paru gris et austères dans les tunnels extérieurs, lui semblaient désormais plus doux, plus avenants. Elle se demanda à quoi ressemblait un sourire sur un visage de svirfnebelin et eut aussitôt envie d'en voir un. Ces gens étaient des amis de Drizzt ; elle se le rappelait sans cesse et se rassurait ainsi, confiante dans le jugement du rôdeur drow.

Elle fut conduite dans une petite pièce circulaire, où un garde lui intima l'ordre de s'asseoir sur l'une des trois chaises en pierre. Catti-Brie s'exécuta, non sans hésitation car il lui était revenu en mémoire une histoire racontée par Drizzt, qui avait été retenu prisonnier par une chaise svirfnebeline enchantée.

Rien de tel ne se produisit et, un instant plus tard, un gnome des profondeurs qui sortait de l'ordinaire entra dans la pièce, le médaillon magique à l'effigie de Drizzt suspendu au bout d'une main en forme de pioche en mithral.

—Belwar, dit Catti-Brie avec assurance, certaine qu'il ne pouvait exister deux gnomes correspondant si parfaitement à la description que lui avait faite Drizzt de son cher ami svirfnebelin.

Le très vénérable maître-terrassier s'immobilisa et considéra la jeune femme d'un œil suspicieux, visiblement surpris d'avoir été reconnu.

—Drizzt… Belwar. Catti-Brie… Drizzt, insista Catti-Brie, en mimant le geste d'étreindre quelqu'un, puis se désignant du doigt, ce à plusieurs reprises.

Ils étaient tous deux incapables de prononcer plus de quelques mots dans la langue de l'autre, néanmoins, en peu de temps et en se servant de ses mains et du langage corporel, Catti-Brie gagna la confiance du maître-terrassier, à qui elle parvint même à expliquer qu'elle était à la recherche de son ami.

203

Elle n'aima pas la mine grave qu'afficha alors Belwar, dont l'explication, qui tenait en un seul mot, le nom de la cité drow, n'était guère rassurante ; Drizzt s'était rendu à Menzoberranzan.

On lui offrit un repas de champignons cuisinés et d'autres pousses végétales qu'elle ne reconnut pas, puis on lui rendit son équipement, y compris le médaillon et la panthère en onyx, à l'exception du masque magique.

Elle fut ensuite laissée seule, durant ce qui lui parut des heures, assise dans les ténèbres éclairées par la lumière d'étoile. Elle bénit en silence Alustriel pour son précieux cadeau et songea à quel point son périple aurait été catastrophique sans l'œil-de-chat. Elle n'aurait même pas eu la possibilité de reconnaître Belwar dans l'obscurité !

Ses pensées étaient toujours tournées vers lui quand il fit enfin son retour, accompagné par deux autres gnomes vêtus de longues robes, très différentes des tenues grossières aux allures de cuir et plaquées de métal typique de cette race. Catti-Brie supposa qu'il devait s'agir de deux personnages importants, peut-être des conseillers.

— Firble, présenta Belwar en désignant l'un des svirfnebelins, qui n'avait pas l'air content.

La jeune humaine comprit pourquoi quelques instants plus tard, quand Belwar la pointa du doigt, avant de désigner Firble, puis la porte et prononcer une longue phrase, à laquelle Catti-Brie ne comprit qu'un seul mot : « Menzoberranzan ».

Firble, manifestement impatient de repartir, lui fit signe de le suivre et, même si elle aurait aimé rester à Blingdenpierre afin d'en apprendre davantage sur ces étonnants svirfnebelins, Catti-Brie obtempéra bien volontiers. Drizzt avait déjà pris bien trop d'avance sur elle. Elle se leva et s'apprêtait à s'en aller quand Belwar la retint par sa pioche et la contraignit à se retourner vers lui.

Le gnome sortit le masque magique de sa ceinture et le lui tendit.

— Drizzt, Drizzt, dit-il en désignant de son marteau le visage de la jeune femme.

Celle-ci hocha la tête, comprenant que le maître-terrassier estimait qu'il était plus prudent pour elle d'évoluer en drow. Elle fit mine de partir puis, soudain, elle se retourna et embrassa Belwar sur la joue. Après lui avoir offert un sourire de reconnaissance, elle sortit de la demeure et, Firble ouvrant la route, quitta Blingdenpierre.

— Comment as-tu convaincu Firble de la conduire à la cité drow ? demanda l'autre conseiller à Belwar quand ils furent seuls.

— *Bivrip !* beugla ce dernier.

Il fit claquer ses mains de mithral l'une contre l'autre et, immédiatement, des étincelles et des arcs d'énergie parcoururent ses membres artificiels. Il jeta un regard ironique au conseiller, qui lâcha un rire aigu typique des svirfnebelins. Pauvre Firble.

⚔ ⚔ ⚔ ⚔ ⚔

Drizzt était ravi de devoir escorter un groupe d'orques de l'île jusqu'au continent ; cela avait au moins le mérite de l'éloigner de l'empressée Khareesa. Elle le regarda s'éloigner du rivage, l'expression hésitant entre une moue boudeuse et l'anticipation du plaisir, comme pour souligner que cette évasion de Drizzt n'était que temporaire.

L'île derrière lui, le rôdeur chassa toute pensée de Khareesa de son esprit. Sa mission, ainsi que les dangers, se trouvaient devant lui, dans la cité elle-même, et il devait bien reconnaître qu'il ignorait par où il commencerait à chercher des renseignements. Il redoutait de ne pas entrevoir d'autre choix que de se rendre, de se donner pour protéger les amis qu'il avait laissés derrière lui.

Il songea à Zaknafein, son père et ami, qui avait été sacrifié à la Reine Araignée à sa place. Il songea à Wulfgar, son ami disparu, et les souvenirs du jeune barbare renforcèrent sa détermination.

Il ne donna aucune explication aux gardiens d'esclaves surpris qui attendaient l'embarcation sur la plage. Son expression suffit à les dissuader de lui poser la moindre question quand il passa devant leur campement et s'éloigna de Donigarten.

Il ne tarda pas à se déplacer avec aisance – et méfiance – dans les allées sinueuses de Menzoberranzan. Il frôla plusieurs elfes noirs et fut l'objet des regards plus que curieux d'une dizaine de gardes de Maisons, en service sur les parapets installés sur les stalactites creuses. De façon quelque peu irrationnelle, Drizzt ne pouvait s'empêcher de penser qu'il risquait d'être reconnu. Il dut se répéter plusieurs fois

205

qu'il avait quitté cet endroit depuis plus de trente ans et que Drizzt Do'Urden, et même la Maison Do'Urden, faisait désormais partie de l'histoire de Menzoberranzan.

Mais si cela était vrai, pourquoi était-il ici, en ce lieu où il ne souhaitait pas se trouver ?

Il regretta de ne pas posséder de *piwafwi*, cette cape noire qui était le vêtement d'extérieur typique des drows. La sienne, vert forêt, épaisse, chaude et qui convenait davantage à l'environnement du monde de la surface, pouvait, aux yeux de ceux qui l'observaient, le relier à ces régions qu'ils n'avaient que rarement contemplées. La capuche sur la tête, il poursuivit sa route, convaincu de ne passer que pour un des nombreux drows qui traversaient la cité, alors qu'il se familiarisait de nouveau avec les étroites avenues et les passages obscurs.

L'éclat d'une lumière, au détour d'une courbe, le surprit et heurta ses yeux sensibles à la chaleur. Il s'adossa aussitôt contre une stalagmite et, d'une main glissée sous sa cape, il agrippa la poignée de *Scintillante*.

Un groupe de quatre drows, bavardant tranquillement, se présenta dans le virage sans prêter attention à Drizzt, qui, tandis que sa vision se réadaptait au spectre du visible, nota qu'ils arboraient le symbole de la Maison Baenre. L'un d'eux portait même une torche !

De toute sa vie, le rôdeur n'avait que rarement été témoin d'un événement apparemment aussi absurde. *Pourquoi ?* se demanda-t-il à plusieurs reprises, tout en pressentant que tout cela était d'une certaine façon lié à lui. Les elfes noirs préparaient-ils une offensive contre un site de la surface quelconque ?

Cette hypothèse l'ébranla jusqu'au plus profond de son âme. Des soldats de la Maison Baenre munis de torches, occupés à se désensibiliser les yeux à la lumière. Drizzt ne savait plus que penser. Il décida qu'il lui faudrait retourner à l'île des rothés, estimant que cet endroit éloigné lui servirait d'une aussi bonne base que les lieux les plus sûrs qu'il trouverait dans la cité. Peut-être parviendrait-il à persuader Khareesa de lui expliquer la présence de cet éclairage, ce qui lui permettrait de procéder à une excursion plus fructueuse la fois suivante.

Il revint donc sur ses pas à travers la cité, plongé dans ses pensées, et ne remarqua pas les ombres qui le suivaient ; rares étaient ceux à Menzoberranzan qui repéraient les mouvements de Bregan D'aerthe.

⚔ ⚔ ⚔ ⚔

Catti-Brie n'avait jamais rien vu de si mystérieux et merveilleux. Sous la lumière d'étoile, la lueur des immenses stalagmites et des stalactites impressionnait davantage. Les lueurs féeriques de Menzoberranzan illuminaient dix mille sculptures extraordinaires, certaines adoptant une forme définie – principalement des araignées – et d'autres plus vagues, aussi surréalistes que splendides. Elle songea qu'il lui serait agréable de venir en cet endroit en d'autres circonstances. Elle se prit à rêver d'être une exploratrice et découvrir une Menzoberranzan vide, qu'elle pourrait étudier et dont elle pourrait analyser en sécurité l'incroyable savoir-faire et les reliques drows.

Car en effet, bien qu'ébahie par la magnificence de la cité drow, Catti-Brie était tout simplement terrifiée, entourée de vingt mille drows, vingt mille ennemis mortels…

Comme si cela pouvait chasser sa peur, elle serra le médaillon magique d'Alustriel et visualisa le portrait qui s'y trouvait, celui de Drizzt Do'Urden. Son ami était ici, près d'elle, elle en était certaine, et ses soupçons furent confirmés quand le bijou se mit soudain à émettre de la chaleur.

Puis il se refroidit. Catti-Brie procéda méthodiquement et se retourna face au nord, où débouchaient les tunnels secrets par lesquels Firble l'avait menée ici. Le médaillon étant toujours froid, elle pivota alors sur sa gauche et se retrouva face à l'ouest, qui s'étendait au-delà du gouffre qu'elle longeait – on le nommait Griffe-Gorge – sur des larges passages conduisant vers un niveau supérieur. Elle se tourna ensuite vers le sud, en direction de la plus grande portion de cet ensemble, à en juger par ses motifs complexes et illuminés. Le médaillon, toujours froid, ne commença à se réchauffer que lorsqu'elle poursuivit sa rotation, délaissant les

207

monticules les plus proches pour observer une zone relativement plus isolée à l'est.

Drizzt était là-bas, à l'est. Catti-Brie inspira une grande bouffée d'air, puis une autre, afin de se calmer et de rassembler le courage nécessaire pour sortir du tunnel protecteur. Elle baissa de nouveau les yeux sur ses mains, ainsi que sur sa robe flottante, et fit confiance à son allure de drow, apparemment parfaite. Elle aurait aimé avoir Guenhwyvar auprès d'elle – elle se souvint de ce moment, à Lunargent, quand la panthère bondissait dans les rues à ses côtés –, mais n'était pas certaine de la façon dont le félin aurait été accueilli à Menzoberranzan. Or attirer l'attention était bien la dernière chose qu'elle souhaitait.

Elle se mit à marcher, d'un bon pas, la capuche sur la tête et quelque peu voûtée, puis se laissa guider par le médaillon, qu'elle serrait au moins autant pour y puiser des forces que pour se guider. Elle faisait le maximum pour éviter les regards des nombreuses sentinelles de Maisons et tournait ostensiblement la tête dans une autre direction quand elle croisait un drow dans l'avenue.

Elle avait presque quitté la zone des stalagmites et elle distinguait le lit de mousse, le bosquet de champignons et même le lac un peu plus loin, quand deux drows surgirent soudain des ombres et lui barrèrent le passage, leurs armes toutefois toujours dans leurs fourreaux.

L'un d'eux lui posa une question que, bien évidemment, elle ne comprit pas. Elle grimaça en elle-même et remarqua qu'ils regardaient ses yeux. Ses yeux! Bien sûr, ceux-ci ne brillaient pas de la lueur caractéristique de l'infravision, comme les gnomes le lui avaient fait remarquer. L'elfe noir posa de nouveau sa question, avec légèrement plus de vigueur, puis regarda par-dessus son épaule, en direction du lit de mousse et du lac.

Catti-Brie, qui soupçonnait ces deux drows de faire partie d'une patrouille, imagina qu'ils voulaient savoir ce qu'elle venait faire de ce côté de la cité. Elle nota qu'ils s'adressaient à elle avec une certaine courtoisie et se rappela ce que lui avait appris Drizzt au sujet de la culture drow.

Elle était une femme et eux seulement des hommes.

Quand la question incompréhensible fut de nouveau posée, Catti-Brie répondit par un grondement féroce. L'un des drows porta les mains aux poignées de ses épées jumelles mais elle les désigna en grondant d'une façon encore plus menaçante.

Les deux elfes noirs se consultèrent du regard, clairement étonnés. Ils avaient cru que cette drow était aveugle, ou qu'elle ne se servait pas de l'infravision, et les lumières de la cité n'étaient pas si intenses que cela. Elle n'aurait pas dû percevoir ce geste de façon aussi nette et pourtant, à en juger par sa réaction, cela avait bien été le cas.

Catti-Brie grogna encore et les congédia d'un geste. Elle fut alors surprise – et soulagée – de les voir reculer. Malgré les doutes qu'ils semblaient nourrir à son encontre, ils n'esquissèrent aucun geste dans sa direction.

Alors qu'elle s'apprêtait à se voûter de nouveau, puis à dissimuler son visage sous la capuche, elle changea d'avis. Elle se trouvait à Menzoberranzan, patrie des elfes noirs effrontés, lieu d'intrigues, un endroit où le fait de savoir – ou même de *faire croire* que l'on savait – quelque chose qu'ignorait votre ennemi pouvait vous sauver la vie.

Catti-Brie rejeta la capuche en arrière et se redressa, puis elle secoua la tête, ce qui libéra ses épais cheveux des plis de ses vêtements. Enfin, elle toisa les deux drows avec un air cruel et éclata de rire.

Ils s'enfuirent en courant.

La jeune femme s'en effondra presque de soulagement. Elle prit une nouvelle profonde inspiration et, le poing serré sur le médaillon, se dirigea vers le lac.

17

Intervention de l'ennemi

— Sais-tu qui c'est ? demandèrent les doigts du soldat drow sur un ton pressant, par l'intermédiaire du complexe langage gestuel.

Khareesa eut un mouvement de recul. Elle ne comprenait pas ce qu'il se passait. Un contingent d'elfes noirs armés avait débarqué sur l'île des rothés et posé des questions, interrogeant les esclaves orques et gobelins comme les gardiens drows en poste sur l'île. Ils n'affichaient aucun emblème de Maison et, autant que Khareesa pouvait en juger, il n'y avait là que des hommes.

Cela ne les empêchait toutefois pas de la malmener sans tenir compte du protocole habituel réservé à celles de son genre.

— Alors ? insista le drow à voix haute, ce qui fit survenir deux de ses collègues, à qui il expliqua la situation. Il est parti. Dans la cité.

— Il est en train de rentrer, intervint un quatrième elfe noir, en langage gestuel. Nous venons à l'instant d'être prévenus par feux codés depuis le rivage.

Ce mystère était trop intrigant pour que la curieuse Khareesa en supporte davantage.

— Je suis Khareesa H'kar, déclara-t-elle, indiquant ainsi qu'elle était une noble, appartenant certes à l'une des Maisons les moins importantes de la cité, mais une noble tout de même. De qui parlez-vous ? Et pourquoi est-il si important ?

Les quatre drows se considérèrent avec un air entendu et le dernier arrivé jeta un regard mauvais sur Khareesa.

—As-tu déjà entendu parler des Daermon N'a'shezbaernon? lui demanda-t-il à voix basse.

Khareesa hocha la tête. Bien sûr qu'elle avait déjà entendu parler de cette puissante Maison, que l'on nommait généralement Do'Urden. Elle avait autrefois tenu le huitième rang dans la hiérarchie de la cité, avant de connaître une fin désastreuse.

—Et de leur Deuxième Fils? poursuivit l'elfe noir.

Khareesa se pinça les lèvres, hésitante. Elle essayait de se souvenir de la tragique histoire de la Maison Do'Urden, qui avait impliqué un rebelle, quand un autre de ses interlocuteurs lui rafraîchit la mémoire:

—Drizzt Do'Urden, dit-il.

Khareesa commença à acquiescer – elle avait déjà entendu ce nom auparavant, de temps à autre – puis ses yeux s'écarquillèrent quand elle comprit qui était ce superbe drow aux yeux violets qui avait quitté l'île des rothés.

—C'est un témoin, fit remarquer l'un des elfes noirs.

—Elle ne l'était pas tant qu'on ne lui avait pas révélé le nom du renégat, avança un autre.

—Mais c'est désormais le cas, reprit le premier.

Ils se tournèrent tous les quatre à l'unisson vers la drow, qui avait depuis un moment saisi leur jeu cruel. Elle se mit à reculer doucement, épée et fouet en main. Elle s'arrêta quand elle sentit la pointe d'une autre épée légèrement appuyer sur son armure par-derrière. Elle écarta alors les mains.

—La Maison H'kar…, commença-t-elle.

Sa phrase fut brutalement interrompue quand l'elfe noir posté derrière elle plongea sa magnifique épée drow à travers son armure puis dans un rein. Khareesa tressauta quand il retira sa lame, puis elle posa un genou à terre, concentrée en un ultime effort pour lutter contre la douleur et conserver ses armes en main.

Les quatre soldats fondirent sur elle. Il ne devait pas rester de témoin.

Le regard de Drizzt ne quittait pas l'étrange cité éclairée, alors que son radeau glissait lentement sur les eaux sombres de Donigarten.

Des torches? Il ne cessait de penser à ce détail, persuadé que les drows préparaient un raid important vers la surface. Sinon, pourquoi infligeraient-ils de tels éclats à leurs yeux sensibles?

Tandis qu'il approchait de la baie envahie par les herbes de l'île des rothés, il remarqua qu'aucune autre embarcation n'était amarrée à l'île. Il n'y pensa plus et, après s'être porté à la proue, il sauta avec adresse sur la plage mangée par les mousses. Les orques avaient à peine reposé leurs avirons quand un autre elfe noir passa en trombe devant lui, bondit sur le radeau et ordonna à l'équipage d'esclaves de repartir vers le continent souterrain.

Des orques gardiens de rothés étaient rassemblés sur le rivage, tapis dans la mousse boueuse et leurs capes déchirées serrées contre eux, situation qui n'était guère inhabituelle, tant ils n'avaient pas grand-chose à faire. L'île n'était pas très étendue – elle mesurait à peine une centaine de mètres de long et encore moins en largeur – mais elle était pourvue d'une végétation incroyablement épaisse, principalement des mousses et des moisissures. Sur ce paysage désolé, constitué de creux et de collines aux pentes abruptes, la tâche principale des orques, en dehors du fait de mener des rothés de l'île au continent et de retrouver les animaux égarés, consistait seulement à s'assurer qu'aucun rothé du troupeau ne tombe dans les crevasses.

Les esclaves étaient donc assis sur le rivage, broyant du noir en silence. Drizzt eut la sensation qu'ils étaient quelque peu à cran mais, préoccupé par ses craintes quant à ce qu'il se tramait dans la cité, il n'y accorda encore une fois que peu d'importance. Il jeta un coup d'œil en direction des postes des gardiens d'esclaves et fut rassuré de constater que les elfes noirs étaient manifestement en place, sans un bruit et calmes. Il ne se passait jamais grand-chose sur l'île des rothés.

Il fila droit vers le centre, s'éloignant de la baie pour s'approcher du point culminant de l'île, où l'on trouvait l'unique construction des lieux, une petite maison de deux pièces bâtie avec des tiges de champignons gigantesques. Tout en marchant, il réfléchit à sa stratégie, à la façon dont il allait s'y prendre pour extorquer les informations nécessaires à Khareesa en évitant une confrontation ouverte. Néanmoins, les événements semblant se précipiter autour de lui, il était résolu à se servir de ses cimeterres pour la « convaincre » si cela se révélait nécessaire.

Alors qu'il se trouvait à quelques mètres de la cabane, il s'arrêta et vit la porte s'ouvrir lentement. Un soldat drow avança sur le seuil et jeta avec désinvolture la tête coupée de Khareesa aux pieds de Drizzt.

—Il n'existe aucun moyen de quitter cette île, Drizzt Do'Urden, dit-il.

Le rôdeur ne tourna pas la tête mais tenta d'évaluer les alentours. Puis, discrètement, il plongea un orteil sous la mousse et y enterra son pied jusqu'à la cheville.

—J'accepterai ta reddition, poursuivit l'elfe noir. Tu ne peux pas...

Il fut coupé net par une motte de mousse, qu'il reçut en plein visage. Il dégaina aussitôt son épée et, d'instinct, leva les mains devant lui pour se défendre.

L'assaut de Drizzt suivit de près la mousse qu'il avait projetée. Il franchit d'un bond les quelques mètres qui le séparaient de son ennemi et se lança dans une rotation trompeuse en pivotant sur un genou. Aidé par son élan, il assena un coup bas de *Scintillante*, qui atteignit le drow surpris sur le côté du genou et l'envoya valser en un salto complet. Le soldat retomba lourdement sur le sol meuble et poussa un cri de douleur en portant les mains à sa jambe blessée.

Devinant que d'autres elfes noirs se trouvaient dans la maisonnette, Drizzt se releva aussitôt et la contourna en courant afin de se mettre hors de vue de la porte, puis il dévala la pente. Bondissant et dérapant, il gagna de plus en plus de vitesse, tandis que ses pensées s'embrouillaient et son désespoir grandissait.

Plusieurs dizaines de rothés, qui évoluaient sur la rive recouverte de mousse, se mirent à bêler et grogner quand le fuyard déboula parmi eux. Il entendit plusieurs claquements derrière lui, puis un carreau d'arbalète de poing toucher un rothé. La créature tituba quelque peu et s'endormit avant même de heurter le sol.

Toujours baissé et sans cesser de courir, Drizzt essaya de réfléchir à la direction vers laquelle fuir. Il ne se trouvait sur l'île que depuis peu de temps et ne s'y était jamais rendu au cours de ses jeunes années passées dans la cité, ce qui expliquait que ce décor ne lui soit pas familier. Il savait tout de même que cette colline donnait sur un ravin et estima qu'il s'agissait là de sa meilleure chance.

Les tirs se faisaient de plus en plus nombreux derrière lui ; un javelot vint même s'ajouter aux carreaux. Boue et mottes de mousse volaient dans tous les sens tandis que les rothés, terrorisés par les elfes noirs lancés à la poursuite de leur proie et leurs missiles, ruaient violemment et menaçaient de se disperser. Ces animaux n'étaient pas très imposants – ils atteignaient à peine un mètre au garrot – mais ils étaient solidement bâtis. Drizzt n'ignorait pas qu'il serait écrasé s'il tentait de se cacher à quatre pattes au milieu des rothés lancés et paniqués.

Ses problèmes s'aggravèrent quand il approcha l'arrière du troupeau. En effet, entre les pattes de l'une des créatures, il aperçut une paire de bottes. Sans prendre le temps de réfléchir, il percuta de l'épaule le flanc de l'animal, qui fut ainsi propulsé dans le sens de la pente et sur l'ennemi. Un cimeterre s'éleva et bloqua dans un grand bruit une épée qui s'abattait, puis l'autre cimeterre plongea vers le bas, sous le ventre du rothé, mais d'un bond, l'elfe noir visé eut le temps de se mettre hors de portée.

Drizzt plia les jambes et poussa de toutes ses forces en s'aidant de la pente assez prononcée. Le rothé fut alors soulevé et partit en glissade sur le côté avant de percuter l'elfe noir qui se montra suffisamment adroit pour passer une jambe par-dessus le dos de la créature et s'en dégager. Quand il se retourna pour faire face à Drizzt, ce dernier avait disparu.

Un bêlement sur le côté fut le seul signe qui l'avertit que le redoutable rôdeur surgissait, cimeterres brandis. Surpris, il pivota en redressant ses armes et ne dévia que tout juste cet assaut. Un de ses pieds se déroba mais il se rétablit aussitôt, les yeux enflammés, et réagit furieusement avec ses épées pour contenir Drizzt.

Celui-ci se décala rapidement sur la droite afin de reprendre une position dominante sur la pente, même s'il était conscient que

215

cela le placerait dos aux archers postés au sommet de la colline. Ses cimeterres toujours en action et les yeux concentrés devant lui, il écoutait les bruits émis derrière lui.

Une épée plongea et fut interceptée, bloquée par *Scintillante*. Une seconde se présenta, un peu plus haut et parallèle à la première, à laquelle Drizzt répondit avec son autre cimeterre, qui surgit de façon inattendue en croisant les autres lames et repoussa l'épée du drow vers le bas.

C'est alors que Drizzt entendit un sifflement.

Persuadé d'être sur le point de toucher son adversaire quand il refit plonger ses lames, le drow ennemi laissa échapper un sourire mauvais. *Scintillante* réagit immédiatement et écarta le bras du drow en même temps que son arme, puis Drizzt balaya l'air de bas en haut de ses cimeterres, dont les lames courbées forcèrent les épées ennemies à suivre le mouvement. Il effectua ainsi un tour complet sur lui-même, ses lames au-dessus de la tête, ce qui le décala d'un pas sur le côté.

Sa confiance dans l'archer invisible fut justifiée quand le soldat qu'il affrontait tenta d'éviter le javelot, d'un mouvement brusque de la hanche. Hélas pour lui, il ne put éviter d'être touché et grimaça de douleur.

Drizzt le poussa et l'envoya glisser un peu plus loin dans la pente. Le drow reprit cependant son équilibre quand le rôdeur se jeta sauvagement sur lui. Cimeterres et épées s'entrechoquèrent encore, encore et encore, la seconde lame de Drizzt se concentrant sur des assauts plus directs et dangereux, visant essentiellement le ventre du soldat.

Les parades de ce dernier, pourtant blessé, étaient remarquables, mais, avec une jambe engourdie par la douleur, il fut contraint de reculer, et ce en prenant une vitesse qui, inévitablement, s'accroissait. Il parvint à regarder derrière lui et aperçut un éperon rocheux situé sur le bord de la corniche, au-delà de laquelle se trouvait le ravin, un à-pic de plus de cinq mètres. Il envisagea d'atteindre ce rocher et d'y plaquer le dos, et ainsi de s'en servir comme soutien. Ses alliés, qui dévalaient déjà la pente, seraient auprès de lui d'ici quelques secondes.

Qui furent malgré tout de trop.

216

Les deux cimeterres s'abattaient l'un après l'autre sur l'acier des épées de l'elfe noir, qui dut encore reculer vers le bas de la colline. Non loin du précipice, Drizzt frappa simultanément de ses deux lames, qui, côte à côte, écartèrent celles de son adversaire. Il se lança ensuite en avant et percuta en pleine poitrine le soldat, qui fut déséquilibré et alla se fracasser contre l'éperon rocheux. Étourdi, il eut la sensation que sa tête avait explosé et s'effondra dans la mousse, sachant que ce renégat, Drizzt Do'Urden, et ses maudits cimeterres allaient lui bondir dessus.

Drizzt n'eut ni le temps ni l'envie d'achever son ennemi. Avant même que ce dernier ait terminé sa culbute, il sauta dans le ravin, espérant y trouver en contrebas de la mousse plutôt que des rochers acérés.

Il se réceptionna dans une grande éclaboussure sur de la boue, dans laquelle il se tordit la cheville avant d'effectuer une roulade. Enfin, il se redressa et se mit à courir aussi vit qu'il le put, zigzaguant entre les stalagmites et baissé afin de s'abriter derrière les concrétions ; il s'attendait en effet d'un instant à l'autre à voir surgir les archers en haut du ravin.

Il se rendit compte qu'il était entouré d'ennemis, et de très près, quand il aperçut une silhouette qui suivait une trajectoire parallèle à la sienne sur sa droite. Alors qu'il atteignait un monticule, il changea brusquement de direction afin d'affronter cet inconnu de face. Parvenu à la stalagmite suivante, il se laissa tomber à genoux, prêt à frapper bas au cas où cet ennemi surgirait ici.

Scintillante frappa cette fois une épée qui avait également plongé. La manœuvre de Drizzt n'avait pas surpris son adversaire mais au moins, ce dernier, son autre épée brandie et prête à frapper, n'avait pas dû s'attendre à le trouver là. Drizzt, trop vif pour que l'inconnu puisse anticiper son geste, frappa de son second cimeterre vers le haut, et perfora le diaphragme du drow de la pointe. Emporté par son élan, il ne fut pas en mesure de tendre le bras pour conclure son attaque, mais le drow s'écroula contre la roche, hors d'état de combattre.

Un allié du soldat blessé, qui le suivait de peu, tomba aussitôt avec violence sur Drizzt, encore agenouillé, sur lequel il abattit avec sauvagerie ses épées.

217

Maniant ses cimeterres par pur instinct, le rôdeur contint les lames enragées au-dessus de sa tête, ressentant davantage qu'il les voyait les gestes de son agresseur. Conscient de se trouver soudain en position d'infériorité, il fit appel à sa magie innée et invoqua une sphère de ténèbres, qui engloba les deux combattants.

Les lames d'acier ne cessèrent pas pour autant de s'entrechoquer, les armes se touchant et glissant les unes sur les autres, tandis que les deux adversaires déploraient des blessures. Drizzt se mit alors à grogner et augmenta la cadence de ses coups, parant et contrant tout en frappant au-dessus de lui. Peu à peu, le talentueux rôdeur fit basculer son poids et parvint à glisser un pied sous lui.

L'elfe noir ennemi se lança alors dans une double offensive, aussi soudaine que brutale, et manqua de peu de chuter quand ses lames ne trouvèrent rien d'autre que du vide. Il se retourna aussitôt et fouetta l'air de ses épées… qu'il faillit perdre quand elles s'écrasèrent sur la stalactite.

Dans le feu de l'action, il avait totalement oublié l'agencement de la zone, et notamment le monticule tout proche. La réputation de Drizzt Do'Urden ne lui étant pas inconnue, il comprit alors l'ampleur de son erreur.

Drizzt, perché sur une saillie de la formation rocheuse, tressaillit quand il sentit les épées frapper la pierre sous lui, ne prenant aucun plaisir en songeant à ce qui allait suivre. La lueur bleutée de *Scintillante* disparut quand celle-ci s'enfonça dans la sphère de ténèbres.

Il s'enfuit en courant un instant plus tard, la cheville encore douloureuse mais capable de le soutenir. Une fois de l'autre côté du ravin, il en escalada la pente opposée, qui conduisait vers la partie la plus isolée à l'est de l'île, où il pensait trouver une lagune, un peu plus loin. S'il parvenait à l'atteindre, il était bien décidé à y plonger. Au diable les légendes de monstres des eaux ; les ennemis qui le pourchassaient étaient bien trop réels !

218

Catti-Brie entendait les échauffourées qui se prolongeaient sur l'île et dont les échos glissaient facilement sur les eaux calmes et sombres de Donigarten. Dissimulée derrière la tige d'un champignon, elle invoqua Guenhwyvar et se mit à courir dès que la fumée eut pris une forme plus consistante.

Près du lac, la jeune femme, toujours aussi peu confiante en son camouflage, évita les quelques elfes noirs qui se trouvaient dans les parages et s'adressa d'un geste à un orque. Elle lui désigna ensuite un bateau et tenta d'ordonner à la créature de la conduire sur l'île. L'orque, nerveux, en tout cas perturbé, se détourna d'elle et commença à s'éloigner.

Catti-Brie le frappa sur la nuque.

Tremblant, de toute évidence terrorisé, il se retourna pour lui faire face. Elle lui montra alors la petite embarcation, et cette fois l'orque y grimpa et s'empara d'un aviron.

Avant d'avoir rejoint l'esclave, Catti-Brie fut arrêtée par un drow, dont la main puissante s'abattit fermement sur son épaule.

Elle lui jeta un regard menaçant et émit un grognement, de nouveau décidée à tenter un coup de bluff, mais cet elfe noir déterminé ne mordit pas à l'hameçon. Il tenait dans son autre main une dague, brandie sous le coude de la jeune humaine, à quelques centimètres de ses côtes.

—Va-t'en! dit-il. Bregan D'aerthe t'ordonne de partir!

Catti-Brie ne comprit pas un mot de cette phrase mais son ennemi fut aussi surpris qu'elle quand trois cents kilos de fourrure noire bondirent sur lui et le projetèrent dans l'eau, assez loin de la barque.

Catti-Brie, l'air féroce, se tourna alors vers l'orque, qui fit mine de n'avoir rien vu et se mit à pagayer avec frénésie. La jeune femme regarda vers le rivage quelques instants plus tard, craignant que Guenhwyvar prenne trop de retard et soit contrainte d'effectuer la totalité de la traversée à la nage.

Une énorme gerbe d'eau – qui faillit faire chavirer l'embarcation – vint contredire ses pensées; la panthère la devançait désormais.

L'orque terrifié ne put en supporter davantage. La pitoyable créature poussa un cri aigu, se jeta à l'eau et se mit à nager aussi vite que possible vers la rive. Catti-Brie se saisit de l'aviron et ne se retourna plus.

⚔ ⚔ ⚔ ⚔ ⚔

Les corniches donnant directement sur le gouffre à cet endroit, Drizzt entendait le sifflement des carreaux, qui fendaient l'air au-dessus de sa tête et juste derrière lui. Heureusement pour lui, les drows qui le visaient se trouvaient encore de l'autre côté du précipice, au pied de la colline, et les arbalètes de poing n'étaient pas très précises à une telle distance.

Il ne fut pas surpris quand il commença à briller selon une nuance violette ; de minuscules lueurs féeriques brûlaient sur ses bras et jambes, et si elles ne le blessaient pas, elles le rendaient parfaitement visible pour ses ennemis.

Il sentit soudain une piqûre sur l'épaule gauche. Il y porta aussitôt la main et en arracha un petit carreau. L'entaille n'était que superficielle, la vitesse du projectile ayant été en grande partie diminuée par la cotte de mailles en mithral qu'il portait. Il poursuivit donc sa course, ne pouvant qu'espérer que trop peu de poison était entré dans son sang pour l'épuiser.

La corniche tourna sur la droite, ce qui le plaça dos à ses ennemis. L'espace de quelques instants, il se sentit encore plus vulnérable, avant de prendre conscience que ce changement de direction était sans doute une bonne chose puisque cela l'éloignait des arbalètes en action. Peu après, alors que les carreaux ne l'atteignaient plus, la corniche tourna encore, cette fois sur la gauche et vers le pied d'une autre colline.

Les eaux clapotantes de Donigarten se retrouvèrent alors sur sa droite, environ trois mètres en contrebas. Il songea à rengainer ses lames et plonger mais y renonça quand il aperçut les trop nombreux rochers saillants émergeant de l'eau à cet endroit.

La corniche resta globalement en surplomb du gouffre tandis qu'il poursuivait sa course, l'à-pic parfois remplacé par quelques stalagmites. La colline se précisa sur sa gauche et le protégea tout à fait des archers distancés… mais pas des ennemis plus proches, comme il le constata. Alors qu'il débouchait d'une légère courbe, il découvrit au dernier moment un ennemi, dissimulé dans un creux formé juste après ce virage.

Le soldat bondit sur le rôdeur, épée et poignard déjà en action.

Un cimeterre dévia l'épée et Drizzt frappa droit devant lui, parfaitement conscient que ce coup serait intercepté par le poignard. Quand les armes se rencontrèrent, comme prévu, Drizzt se servit de son élan pour repousser le poignard et donna un coup de genou dans le ventre du drow.

Il referma ensuite ses mains écartées l'une vers l'autre et frappa simultanément le visage de son adversaire des poignées de ses cimeterres. Il se protégea aussitôt après, redoutant un coup d'épée ou de dague, mais l'ennemi, hors d'état de riposter, s'effondra à terre, inconscient. Drizzt l'enjamba et poursuivit sa course.

Il augmenta l'allure, saisi par des instincts sauvages et persuadé qu'aucun drow ne pourrait l'arrêter. Il était vite redevenu un chasseur, l'incarnation d'une furie primaire et enragée.

Quand un elfe noir bondit depuis la stalagmite suivante, Drizzt posa un genou à terre dans un dérapage et pivota, effectuant là une manœuvre similaire à celle dont il s'était servi devant la porte de la cabane.

Cette fois, son adversaire eut davantage de temps pour réagir et baissa son épée contre la pierre pour bloquer cet assaut.

Le chasseur l'avait prévu.

Drizzt planta son pied avant dans le sol et se redressa, tandis que de son autre jambe il assenait un coup de pied circulaire qui atteignit le drow, qui n'avait rien vu venir, à hauteur du menton et le fit basculer par-dessus la corniche. Le malheureux parvint à s'accrocher un peu plus bas, encore sonné par le coup reçu et convaincu que ce démon aux yeux violets allait le tuer.

Le chasseur avait toutefois déjà disparu et courait. Il courait vers la liberté.

Drizzt aperçut un autre drow sur son chemin, droit devant lui, un bras levé et probablement armé d'une arbalète de poing.

Les instincts du chasseur lui répétèrent plusieurs fois qu'il était plus rapide que le carreau, ce qui fut vérifié quand un cimeterre intercepta la fléchette.

Une fraction de seconde plus tard, Drizzt était sur le drow, puis sur son allié, surgi du monticule voisin. Les deux elfes noirs ennemis se lancèrent furieusement avec leurs armes, certains que leur avantage numérique se révélerait plus que suffisant.

Ils ne comprenaient pas le chasseur… contrairement aux yeux rouges d'Artémis Entreri, qui observait la scène depuis un creux dans la roche, non loin de là.

QUATRIÈME PARTIE

DANS LA TOILE DE L'ARAIGNÉE

L'une des sectes de Faerûn dénombre sept péchés au sein de l'humanité, parmi lesquels, en premier lieu, l'orgueil. J'y ai toujours vu l'arrogance des rois, qui se prétendent des dieux ou qui persuadent leurs sujets qu'ils s'entretiennent avec quelques divinités, insistant ainsi sur le fait que leur pouvoir leur a été offert par les dieux.

Ce n'est qu'une manifestation de ce péché, qui compte parmi les plus mortels. Il n'est pas nécessaire d'être roi pour être la proie d'un faux orgueil. Montolio DeBrouchee, le rôdeur qui fut mon mentor, m'a mis en garde contre cela, cependant ses enseignements concernaient un aspect plus personnel de l'orgueil. « *Un rôdeur marche souvent seul mais jamais sans qu'un ami se trouve non loin de lui.* » disait-il avec sagesse. « *Un rôdeur connaît son environnement et sait où trouver des alliés.* »

D'après la façon de penser de Montolio, l'orgueil est une forme de cécité ; cela brouille la vue et la sagesse et conduit à la perte de confiance. Un homme trop orgueilleux marche seul et ne se soucie pas de l'endroit où trouver des alliés.

Quand j'ai découvert que la toile d'araignée de Menzoberranzan se déployait autour de moi, j'ai compris mon erreur, mon arrogance. En étais-je venu à m'estimer, ainsi que mes capacités, au point d'oublier les alliés qui m'avaient jusqu'alors permis de survivre ? Submergé par la colère due à la mort de Wulfgar et par mes craintes concernant Catti-Brie, Bruenor et Régis, je n'ai jamais songé que

225

ces amis, encore en vie, pouvaient m'aider à prendre soin d'eux. Je me croyais entièrement responsable du problème qui s'était abattu sur nous et, par conséquent, j'estimais que mon devoir était de le résoudre, malgré l'ampleur de la tâche, impossible à mener à bien pour une seule personne.

Je comptais me rendre à Menzoberranzan, découvrir la vérité et mettre un terme au conflit, même au prix de ma propre vie.

Quel idiot j'ai été.

Mon orgueil m'a convaincu que j'étais responsable de la mort de Wulfgar et que j'étais le seul capable de rendre la justice. Une pure arrogance m'a empêché d'en parler ouvertement avec mon ami le roi nain, qui aurait pu rassembler les forces nécessaires pour repousser les offensives drows à venir.

Sur cette corniche de l'île des rothés, j'ai compris que je paierais pour mon arrogance. Plus tard, j'ai également compris que d'autres, chers à mon cœur, en paieraient aussi le prix.

Prendre conscience que son arrogance provoque de telles pertes et une telle douleur est une défaite de l'esprit. L'orgueil vous invite à vous porter à des cimes de triomphe personnel, où le vent est plus violent et l'équilibre plus précaire. Plus dure est donc la chute.

Drizzt Do'Urden.

18

UN ÉCHEC PLEIN DE BRAVOURE

Elle remarqua un elfe noir sur le quai de l'île, qui agitait les bras et lui faisait signe de faire demi-tour. Il semblait seul.

Catti-Brie leva *Taulmaril* et décocha une flèche, qui fendit les ténèbres comme la foudre avant de se planter dans la poitrine du drow, qui fut projeté trois mètres plus loin. Catti-Brie et Guenhwyvar débarquèrent sur la plage une minute plus tard. Après s'être concentrée sur le médaillon, la jeune femme s'apprêta à charger la panthère de se diriger sur la droite, mais cette dernière, qui avait déjà flairé la proximité de son maître, était déjà lancée à toute allure sur le paysage désolé et s'éloignait de la plage.

Catti-Brie la suivit aussi vite qu'elle le put mais la perdit de vue dès que le félin eut tourné après la colline la plus proche, ses griffes rejetant des mottes de terre humide.

Elle entendit alors un cri de surprise et, quand elle parvint au pied de cette éminence, elle aperçut un soldat elfe noir, qui ne la vit pas puisqu'il suivait du regard la course de la panthère, un bras dressé et son arbalète de poing prête à tirer.

Sans cesser de courir, Catti-Brie lâcha une flèche, qui s'éleva et troua la colline, quelques centimètres au-dessus de la tête du drow. Celui-ci fit aussitôt volte-face et riposta, sa fléchette se plantant dans la terre, non loin de la jeune femme, qui avait plongé en un roulé-boulé.

Elle ne perdit pas une seconde et encocha une nouvelle flèche, qu'elle tira immédiatement, pour cette fois percer le *piwafwi* flottant

227

du soldat, alors qu'il fuyait sur le côté. Il posa un genou à terre, arma un carreau et leva de nouveau le bras.

Catti-Brie tira également et sa flèche fit exploser l'arbalète de poing et la main de l'elfe noir, tranchant son poignet avant de plonger dans son torse.

La jeune femme avait remporté ce duel mais perdu un temps précieux. Désorientée, elle eut encore recours au médaillon pour se diriger et repartit en courant.

⚔ ⚔ ⚔ ⚔ ⚔

Les violents assauts de ses adversaires devinrent bientôt des coups mesurés, à mesure que Drizzt parait chacun de leurs gestes et parvenait souvent à les contrer avec efficacité. L'un des drows ne maniait désormais plus qu'une seule arme, le bras qui lui avait servi à brandir son poignard désormais collé au corps afin d'endiguer le flot de sang d'une entaille due à un cimeterre.

Drizzt avait de plus en plus confiance en lui. Il se demanda combien d'ennemis se trouvaient sur cette île et osa croire qu'il pourrait tous les vaincre.

Son sang se glaça quand il entendit un rugissement derrière lui, imaginant un monstrueux allié venu aider ses ennemis. Toutefois, le soldat blessé écarquilla les yeux, terrifié, et se mit à reculer, ce qui ne réconforta guère Drizzt. Les alliés des drows étaient pour la plupart au mieux incontrôlables, des créatures chaotiques d'une puissance aussi incroyable qu'imprévisible. S'il s'agissait bel et bien de quelque monstre invoqué, d'un allié démoniaque surgissant derrière lui, Drizzt était certain de faire figure de cible prioritaire.

Le drow effrayé s'enfuit en courant à toutes jambes le long de la corniche et Drizzt en profita pour se retourner afin de voir ce qu'il devait désormais affronter.

Une forme féline noire le frôla et s'élança à la poursuite du fuyard. Le temps d'une seconde, il songea qu'un drow, qui devait posséder une figurine semblable à la sienne, avait invoqué sa panthère, qui ressemblait fort à Guenhwyvar. Mais c'était Guenhwyvar! Drizzt le sut d'instinct. C'était sa Guenhwyvar!

228

Son excitation laissa vite la place à une certaine perplexité; il imagina que Régis avait appelé le fauve, à Castelmithral, et que celui-ci s'était lancé sur ses traces. Cette idée ne tenait cependant pas debout puisque Guenhwyvar était incapable de demeurer sur le plan matériel suffisamment longtemps pour effectuer le trajet depuis la place forte naine. La statuette avait forcément dû être apportée à Menzoberranzan.

Une épée habilement maniée traversa alors provisoirement les défenses de Drizzt et cette pointe perça son armure, le touchant légèrement à la poitrine. Cela sortit le rôdeur distrait de ses pensées et lui rappela qu'il lui fallait gérer un ennemi et un problème à la fois.

Il se fendit donc de quelques coups, ses cimeterres plongeant et se redressant selon différents angles vers l'elfe noir qui lui faisait face. Celui-ci se révéla à la hauteur et ses épées repoussèrent les lames mortelles, parvenant même à écarter la botte du rôdeur quand ce dernier tenta de frapper le genou du soldat.

Patience, se rappela Drizzt, bien que, avec l'apparition de Guenhwyvar et tant de questions sans réponses, la patience soit difficile à trouver.

⚔ ⚔ ⚔ ⚔ ⚔

Le drow en fuite s'engagea dans une courbe et, alors que la panthère le rattrapait, il s'accrocha, de son bras valide, sur une étroite stalagmite et vira sec sur la droite, avant de bondir par-dessous le rebord de la corniche et atterrir dans la boue, non sans de grandes éclaboussures. Une fois redressé, il se pencha pour retrouver son épée submergée mais fut soudain écrasé par Guenhwyvar, qui le fit plonger sous l'eau.

Il se débattit, donnant quelques coups de pied, et quand la mêlée se fut calmée, la gueule de la panthère était refermée sur le cou du drow, qui se tortillait. Même s'il avait le visage hors de l'eau, il ne pouvait plus respirer. Il ne le pourrait plus jamais.

Après avoir tué le malheureux, Guenhwyvar s'apprêtait à franchir les trois mètres qui la séparaient de la corniche quand elle s'arrêta net et tourna la tête, laissant échapper un grondement méfiant, vers une bulle teintée de toutes les couleurs de l'arc-en-ciel qui flottait vers elle. Avant que l'animal réagisse, cette étrange chose éclata et Guenhwyvar fut arrosée de particules d'un matériau picotant.

Elle sauta vers la corniche mais eut la sensation que son objectif s'éloignait de plus en plus. Elle émit un nouveau rugissement de protestation, ayant deviné la nature de ces fragments, ayant compris qu'ils la renvoyaient sur son propre plan d'existence.

Le rugissement fut bientôt avalé par le doux clapotis de la surface de l'eau troublée et le fracas de l'acier, plus haut sur la corniche.

Jarlaxle s'adossa contre la paroi de pierre et médita sur ce nouvel événement. Il rangea son sifflet métallique, ô combien précieux, objet qui avait renvoyé la dangereuse panthère, puis souleva une botte afin d'en ôter la boue. L'air de rien, l'effronté mercenaire leva la tête en direction des incessants échos du combat, persuadé que Drizzt Do'Urden serait bientôt capturé.

⚔ ⚔ ⚔ ⚔ ⚔

Catti-Brie était bloquée dans le ravin ; deux elfes noirs s'abritaient derrière deux monticules jumeaux juste devant elle, tandis qu'un troisième, muni de son arbalète à poing, venait de surgir au pied de la colline qui se trouvait sur sa gauche. Elle se collait de son mieux à la stalagmite qui la protégeait mais se sentait tout de même vulnérable quand les fléchettes ricochaient autour d'elle. Elle parvenait de temps à autre à tirer à son tour, hélas ses ennemis restaient bien à couvert et les flèches au sillage argenté explosaient sur les nombreuses pierres sans provoquer de dégâts dans les rangs adverses.

Un carreau finit par l'atteindre au genou, puis un autre la força à se tapir davantage, dans une position qui ne lui permettrait sans doute pas de se servir de son arc. Catti-Brie prit alors peur et pensa qu'elle allait être vaincue. Il lui serait impossible de l'emporter sur trois soldats drows armés et parfaitement entraînés.

230

Un carreau se planta dans le talon de sa botte sans l'atteindre. Elle prit alors une profonde inspiration et se répéta avec obstination qu'elle devait essayer de riposter, que le fait de rester ainsi accroupie ne lui apporterait rien et ne déboucherait que sur sa mort, ainsi que sur celle de Drizzt.

Penser à son ami lui redonna du courage, aussi se tortilla-t-elle pour tirer de nouveau. Elle lâcha un juron quand elle décocha sa flèche ; ses ennemis étaient toujours bien cachés.

Vraiment ? Catti-Brie jaillit en trombe de l'autre côté des stalactites, tout en prenant garde de laisser de nombreux obstacles entre le drow posté sur la colline et elle. Elle se savait désormais une cible facile pour les deux drows qui lui faisaient face, néanmoins ce ne serait le cas que si ces derniers parvenaient à éviter ses propres tirs.

Taulmaril se mit à tirer sans interruption, la jeune femme lâchant un sérieux tir de barrage. Elle ne discerna aucune silhouette d'elfe noir à viser mais se précipita vers leur abri, chaque flèche enchantée pilonnant les stalagmites jumelles. Des étincelles volèrent sur toute la zone visée, alors que des morceaux de pierre grésillants volaient dans les airs.

Incapables de se découvrir suffisamment longtemps pour riposter, les deux drows perdirent leur sang-froid et s'enfuirent dans le ravin. Catti-Brie en atteignit un dans le dos, puis encocha une autre flèche, destinée au second.

C'est alors qu'elle ressentit une piqûre sur le côté ; elle se retourna et aperçut un autre ennemi, à peine à trois mètres d'elle, qui souriait, sûr de lui, son arbalète de poing brandie.

Catti-Brie leva instantanément son arc mortel et, alors qu'il poussait soudain un cri de terreur, lui décocha en plein visage une flèche qui le fit culbuter en arrière.

Elle baissa ensuite les yeux sur son flanc ensanglanté et grimaça quand elle en retira le carreau piquant. Puis elle se redressa et observa les environs. Il lui était impossible d'être certaine que ce dernier drow était celui qu'elle avait vu sur la colline mais elle sentait le poison insidieux se répandre en elle et savait qu'elle n'avait pas le temps de s'assurer qu'aucun autre ennemi ne la suivait. Déterminée, elle se mit à escalader la paroi inégale du ravin et se retrouva bientôt sur la corniche, où elle se mit à trotter, tout en essayant de ne perdre ni sa concentration ni son équilibre.

Scintillante accrocha l'intérieur de l'épée du drow et fut redressée par Drizzt, qui contraignit ainsi les deux armes à décrire d'immenses cercles dans les airs entre les deux combattants. Son adversaire tenta furtivement un assaut après l'un des passages des lames, mais l'autre cimeterre était apprêté et dévia la seconde épée.

Drizzt maintint la vitesse de rotation de *Scintillante*, allant même jusqu'à l'accélérer. Les lames poursuivirent leur danse, de haut en bas et de bas en haut, puis ce fut au tour de Drizzt de fendre l'air de son autre arme dans le sillage des deux précédentes, assenant alors plusieurs coups incisifs qui firent reculer son adversaire, qui rencontra des difficultés pour conserver son équilibre. Son agilité supérieure permettant à Drizzt de garder le contrôle des lames tournoyantes, les ennemis constataient tous deux que le rôdeur prenait l'avantage.

L'elfe noir se contracta de façon à contrer la pression de *Scintillante*… ce qui était précisément ce que le rusé Drizzt attendait. Dès l'instant où il sentit davantage de poids sur sa lame, tandis qu'épée et cimeterre se dressaient encore devant lui, il mit un terme à ce manège et en inversa le sens ; *Scintillante* décrivit un court demi-cercle et percuta l'épée de l'autre côté. Déséquilibré par ce revirement soudain, le soldat trébucha et ne parvint pas à inverser la pression qu'il déployait sur son arme, laquelle plongea bas et fit pivoter le corps du drow du fait de son inertie.

Il tenta une parade de son autre épée mais le second cimeterre de Drizzt se montra plus vif et se planta sur le côté de son abdomen.

Il recula, chancelant, et lâcha une épée sur le sol de pierre.

Drizzt entendit alors un cri et quelqu'un le percuta violemment à hauteur d'épaule, le propulsant durement contre la paroi. Après y avoir rebondi, il se retourna, cimeterres dressés.

Entreri ! Drizzt en resta bouche bée et baissa sa garde.

Catti-Brie aperçut Drizzt sur la corniche et vit l'autre drow prendre la fuite, une main sur le flanc. Elle poussa un cri quand une autre silhouette sombre surgit d'une petite faille et se précipita sur son ami. Elle leva son arc mais interrompit son geste; si sa flèche n'atteignait pas cet ennemi, elle toucherait Drizzt. D'autre part, une vague d'engourdissement la prit soudain d'assaut; le poison somnifère commençait à se diffuser dans ses veines.

Taulmaril toujours en position de tir, elle tituba sur quelques pas. Les quelque quinze mètres qui la séparaient encore de son cher drow lui faisaient l'effet d'une centaine de kilomètres.

⚔ ⚔ ⚔ ⚔

L'épée d'Entreri brillait d'un vert furieux qui révélait davantage les traits de l'assassin. *Comment est-ce possible?* se demanda Drizzt. Il l'avait vaincu, il l'avait laissé pour mort dans un gouffre traversé par les vents à l'extérieur de Castelmithral.

Manifestement, ce n'était pas le cas de tout le monde.

L'épée se fendit en une diabolique double offensive dirigée vers la hanche de Drizzt, puis vers le haut, et manqua de peu les yeux du rôdeur.

Ce dernier essaya de retrouver son équilibre et ses sensations, mais Entreri le submergeait, frappant avec sauvagerie tout en grognant. Un coup de pied le toucha au genou puis il dut s'écarter de la paroi quand l'épée s'y abattit en provoquant une traînée d'étincelles.

L'assassin, qui grondait toujours, suivit le mouvement de Drizzt, qu'il agressa ensuite d'un coup de poignard à bout de bras. La courte arme vola un peu plus loin, éjectée par un cimeterre, mais Entreri insista du poing, cette fois à l'intérieur de l'angle formé par le cimeterre.

Une fraction de seconde avant que le poing de l'assassin s'écrase sur son nez, Drizzt se rendit compte que son adversaire l'avait devancé d'un temps; il avait prévu sa parade précédente, il l'avait même souhaitée.

Le rôdeur surpris chancela en arrière. Seule une fine sta-lagmite l'empêchait désormais de basculer dans le vide. Entreri se jeta immédiatement sur lui. Des étincelles, vertes et bleues, jaillirent quand son épée frappa brutalement et força Drizzt à lâcher *Scintillante*.

L'autre lame du rôdeur bloqua le coup à revers qui s'ensuivit, toutefois, avant que ce dernier ait la possibilité de se pencher pour récupérer son arme perdue, Entreri s'accroupit et, d'un coup de pied, il jeta *Scintillante* par-dessus le bord de la corniche.

Toujours déséquilibré, Drizzt tenta un coup par en dessous, qui fut aisément évité par l'assassin, qui le contra par un nouveau lourd coup de poing, cette fois dans le ventre du drow.

Entreri se redressa, entraînant de l'épée le cimeterre dans un arc de cercle orienté vers le côté. Ce combat était une partie d'échecs. Entreri jouait avec les blancs et, bénéficiant de l'avantage, il ne comptait pas cesser ses offensives. L'épée et le cimeterre écartés, il se jeta brutalement bras en avant sur le rôdeur, qu'il frappa au visage et dont il envoya ainsi la tête percuter durement le mur rocheux. L'épée s'en prit de nouveau au cimeterre, qu'elle écarta encore, puis encore, vers le haut cette fois. Drizzt, un bras levé pour contenir l'épée et Entreri sur le point de se jeter une fois de plus sur lui, comprit qu'il se trouvait dans une situation plus que délicate et se jeta dans un roulé-boulé sur sa droite. L'épée réagit et déchira sa cape avant de toucher sévèrement son armure forgée par les nains, qu'elle déchira à hauteur de l'aisselle, aidée en cela par l'élan de la chute.

Drizzt se retrouva dans le vide, plongeant la tête la première vers la boue.

D'instinct, Entreri bondit et roula sur lui-même quand il remarqua du coin de l'œil un éclat lumineux. Une flèche au sillage argenté traversa la mêlée d'humain et de cape avant de poursuivre sa trajectoire le long de la corniche, laissant l'assassin étendu sur le sol et gémissant. Il parvint tout de même à tendre une main et, centimètre après centimètre, ses doigts se rapprochèrent de son poignard perdu.

— Drizzt! cria Catti-Brie, son étourdissement provisoirement surmonté par la vue de la chute de son ami.

Elle dégaina son épée et accéléra l'allure, hésitant entre commencer par achever l'assassin ou aller regarder où était tombé le drow.

Quand elle approcha du lieu où s'était déroulé le combat, elle se dirigea vers la stalagmite, ce qui s'avéra un choix discutable puisque Entreri se releva d'un bond, apparemment indemne.

La flèche l'avait manqué et n'avait provoqué qu'un trou net dans sa cape flottante.

Les yeux larmoyants et les dents serrées, Catti-Brie repoussa le premier coup d'épée d'Entreri et tendit la main vers la dague incrustée de bijoux qu'elle portait à la ceinture. Hélas, ses gestes étaient mous, le poison somnifère prenant à présent le dessus sur le flux d'adrénaline. Quand ses doigts se refermèrent sur la dague, son épée lui fut arrachée et un poignard vint s'appuyer sur le dos de sa main, ainsi clouée contre le manche de la dague.

La pointe de l'épée de l'assassin se redressa, dangereusement haute et libre d'agir.

Catti-Brie comprit alors que sa fin était proche. Son monde s'écroulait. Elle ne sentit bientôt plus que l'acier froid de l'épée d'Entreri percer la tendre peau de son cou.

19

Faux orgueil

Il est vivant, émit le soldat à Jarlaxle, alors qu'il examinait le rôdeur après sa chute.

Le chef mercenaire ordonna d'un geste à son soldat de retourner Drizzt, de façon que celui-ci ait la tête hors de l'eau, puis il regarda de l'autre côté du lac calme, conscient que les échos des combats s'étaient clairement répercutés sur les eaux. Il aperçut d'ailleurs sur la rive opposée la lueur bleu pâle caractéristique de disques dérivants, ces disques d'énergie volants qui servaient essentiellement à transporter des Mères Matrones à travers la cité. Des soldats de la Maison Baenre étaient à bord, Jarlaxle en était certain.

— Laisse-le, ordonna-t-il à son soldat. Avec son équipement.

Comme saisi d'une idée subite, Jarlaxle porta encore son sifflet à la bouche et en fit sortir une note aiguë en regardant Drizzt. Le dweomer de l'instrument lui indiqua que le rôdeur portait une armure magique, au moins aussi fine que celles des drows, puis le mercenaire soupira quand il vit l'intensité de l'enchantement de *Scintillante*. Il aurait adoré ajouter ce cimeterre à son armurerie, cependant il était de notoriété publique à Menzoberranzan que Drizzt Do'Urden combattait avec deux cimeterres. Si l'un d'eux manquait, Jarlaxle n'y gagnerait que des ennuis de la part de Matrone Baenre.

Drizzt ne portait pas beaucoup d'autres choses enchantées, à l'exception d'un objet, dont la puissante magie brillait de teintes communes aux charmes et qui attira l'attention du méfiant drow, qui utilisait à merveille ce genre d'outil.

Quand il eut installé le rôdeur inconscient, le visage au-dessus de l'eau boueuse, le soldat revint vers Jarlaxle, qui l'arrêta.

— Empare-toi du pendentif, lui ordonna-t-il.

Le drow se retourna et parut remarquer pour la première fois les disques dérivants qui approchaient.

— Les Baenre? demanda-t-il à voix basse à son supérieur.

— Ils trouveront leur proie et Matrone Baenre saura qui lui a offert Drizzt Do'Urden, répondit Jarlaxle, confiant.

⚔ ⚔ ⚔ ⚔ ⚔

Entreri n'avait pas l'intention de se demander quelle drow il allait tuer cette fois. Il travaillait avec Bregan D'aerthe et cette elfe noire, comme celle dans la cabane en champignon, était intervenue et était un témoin.

Il fut tout de même freiné par un regard, tombant à point nommé, qu'il porta sur un objet familier, une dague incrustée de bijoux accrochée à la ceinture de sa victime.

Il examina alors de près cette drow, dont le cou était toujours menacé par la pointe de l'épée, qui faisait déjà couler quelques gouttelettes de sang. Il modifia avec adresse l'angle de la lame, faisant ainsi apparaître un léger pli sur la peau de la jeune femme.

— Que fais-tu ici? haleta-t-il, totalement stupéfait.

Il savait que la jeune femme n'était pas venue à Menzoberranzan avec Drizzt: le conseiller Firble de Blingdenpierre n'aurait pas manqué de le préciser et Jarlaxle aurait été au courant de sa présence!

Et pourtant, elle était ici, pleine de ressources à un point surprenant.

Entreri pressa encore son épée sur le cou de sa prisonnière puis, délicatement, il en glissa la lame sous le pli qu'il avait repéré sous le menton et ôta le masque magique.

Catti-Brie luttait de toutes ses forces pour surmonter la terreur qui grandissait en elle. Cet instant ressemblait trop à la première fois où elle s'était retrouvée prise dans les griffes d'Artémis Entreri; l'assassin déclenchait en elle un effroi presque irrationnel, une peur profonde qu'aucun autre monstre, pas même un dragon ou un démon de Tartérus, n'était capable de lui inspirer.

Il était de nouveau devant elle, étonnamment vivant, son épée plaquée contre sa gorge vulnérable.

— Une prime inattendue, lâcha-t-il, avant de glousser, l'air mauvais, comme s'il réfléchissait à la façon de profiter au mieux de sa prisonnière.

Catti-Brie envisagea de sauter par-dessus le bord de la corniche : elle y aurait cependant réfléchi à deux fois si elle s'était trouvée près d'un gouffre de trois cents mètres ! Elle sentit les poils de sa nuque se hérisser, tandis que son front se baignait de sueur.

— Non, dit-elle, ce qui rendit l'assassin perplexe.

— Non ? reprit-il en écho, sans comprendre que la jeune femme s'était adressée à elle-même.

— Ainsi, tu as survécu, lui dit-elle, le regardant droit dans les yeux. Et maintenant, tu vis parmi ceux qui te ressemblent le plus.

Elle devina à la grimace que laissa alors échapper son tortionnaire que celui-ci n'avait pas apprécié cette description. Il confirma cette impression en la frappant de la poignée de son épée, ce qui la marqua sur la joue et la fit saigner du nez.

Catti-Brie esquissa un mouvement de recul mais se reprit aussitôt et le dévisagea sans ciller, bien résolue à ne pas lui offrir la satisfaction de la voir terrorisée. Pas cette fois.

— Je devrais te tuer, murmura Entreri. Lentement.

— Vas-y, alors, lui répondit-elle en riant. Tu n'as aucune prise sur moi, pas depuis que je sais que Drizzt est plus fort que toi.

Soudain fou de rage, Entreri faillit la transpercer d'un coup d'épée.

— Était, corrigea-t-il, avant de jeter un regard mauvais vers le précipice.

— Je vous ai tous les deux vus chuter plus d'une fois, rétorqua Catti-Brie, avec autant de conviction qu'elle parvint à en exprimer en ce pénible moment. Je ne tiendrais aucun de vous deux pour mort avant d'avoir touché son cadavre refroidi !

— Drizzt est vivant, intervint une voix, tout juste un murmure, jailli derrière eux en une parfaite langue commune de la surface.

Jarlaxle et deux soldats de Bregan D'aerthe rejoignirent l'assassin. L'un d'eux s'arrêta, le temps d'achever le drow blessé au flanc, qui s'agitait encore.

Dominé par sa rage, Entreri essaya de frapper sa prisonnière, qui cette fois dévia d'une main ferme le coup qui lui était destiné.

Jarlaxle s'interposa en un instant entre les deux humains et gratifia Catti-Brie d'un regard chargé d'un intérêt plus que passager.

— Par la chance des araignées bénies par Lolth, dit-il, avant de caresser la joue meurtrie de la jeune femme.

— Baenre approche, lui fit remarquer en langue drow le soldat posté derrière lui.

— En effet, répondit-il sur un ton quelque peu absent, visiblement totalement absorbé par l'exotique créature qui se tenait devant lui. Il faut partir.

Catti-Brie se raidit, redoutant un coup mortel imminent ; heureusement Jarlaxle se contenta de tendre la main et d'ôter le bandeau qu'elle portait sur la tête, ce qui la plongea dans l'obscurité. Elle ne résista pas davantage quand *Taulmaril* et son carquois lui furent retirés, puis elle reconnut la poigne brutale d'Entreri quand celui-ci s'empara de la dague incrustée de bijoux.

Une main puissante, mais étonnamment douce, la prit par le haut du bras et la guida, l'éloignant de l'endroit où Drizzt était tombé.

⚔ ⚔ ⚔ ⚔ ⚔

Encore prisonnier, songea Drizzt, qui savait que cette fois l'accueil ne serait pas aussi chaleureux qu'à Blingdenpierre. Il s'était dirigé droit sur la toile d'araignée et s'était offert comme un mets de valeur pour le dîner.

Enchaîné à un mur et contraint de se maintenir sur la pointe des pieds afin de ne pas rester suspendu par ses poignets douloureux, il ne se rappelait pas être entré dans cette pièce, pas plus qu'il ne savait depuis combien de temps il était retenu dans cet endroit sombre et crasseux. Grâce à son infravision, il voyait que ses poignets étaient sévèrement marqués, comme s'ils avaient été écorchés. Il souffrait également de l'épaule gauche et ressentait une désagréable élongation entre le haut du torse et l'aisselle, où l'épée d'Entreri l'avait touché.

Il remarqua qu'une prêtresse avait tout de même dû nettoyer sa blessure et le soigner, cette entaille ayant été plus inquiétante au moment où il avait basculé par-dessus la corniche. Cette pensée ne rassura que très peu le rôdeur, les drows ayant pour habitude d'offrir à la Reine Araignée des sacrifiés en pleine forme physique.

Malgré la douleur et le désespoir, il tenta de son mieux de voir le bon côté des choses. Il avait toujours su, au plus profond de son cœur, qu'il connaîtrait une telle fin, qu'il serait capturé et tué pour que ses amis de Castelmithral puissent vivre en paix. Il avait depuis longtemps accepté l'idée de la mort et s'était résigné à cette éventualité quand il avait quitté pour la dernière fois Castelmithral. Mais alors, pourquoi se sentait-il si mal à l'aise ?

Cette pièce banale n'était qu'une cave dans laquelle des chaînes avaient été scellées dans trois de ses murs de pierre et où une cage était suspendue au plafond. Drizzt fut interrompu dans son observation des lieux quand la porte gainée de fer s'ouvrit dans un craquement. Deux soldates drows entrèrent aussitôt et se placèrent au garde-à-vous, chacune d'un côté du seuil.

Drizzt serra la mâchoire et leva les yeux, déterminé à affronter la mort avec dignité.

Un illithid pénétra dans la pièce.

Le rôdeur en resta bouche bée quelques instants, avant de se reprendre. Un flagelleur mental ? Après s'être quelque peu dérobé face à cette vision, il prit le temps d'observer la créature et se rendit compte qu'il se trouvait probablement dans le donjon de la Maison Baenre, ce qui n'était guère rassurant, ni pour lui ni pour ses amis.

Deux prêtresses drows, une petite à l'air agressif, les traits anguleux et le visage paré d'une perpétuelle moue, et une autre, plus grande et d'apparence plus sérieuse mais tout aussi impressionnante, suivirent de près l'illithid. Vint ensuite la légendaire Mère Matrone, vieillie, confortablement installée sur un disque dérivant flottant et accompagnée d'une autre drow, version plus jeune et plus belle de Matrone Baenre. Enfin, le cortège se termina par deux elfes noirs, deux combattants, à en juger par leur équipement et leurs armes.

241

La lueur émise par le disque de Matrone Baenre permit à Drizzt de repasser en vision ordinaire, ce qui lui donna l'occasion de remarquer un tas d'os sous l'une des autres paires de chaînes.

Il reporta son attention sur les nouveaux venus, notamment sur les deux guerriers, et son regard se riva un long moment sur le plus jeune d'entre eux, en qui il pensait reconnaître Berg'inyon, un camarade de classe qu'il avait connu à l'Académie drow, le deuxième meilleur combattant de sa promotion... derrière lui.

Les trois jeunes elfes noires s'alignèrent derrière le disque dérivant de Matrone Baenre et les deux guerriers se placèrent aux côtés des deux soldates, près de la porte. Quant à l'illithid, Drizzt eut la désagréable surprise de le voir effectuer quelques pas devant lui, ses tentacules s'agitant devant son visage et lui effleurant la peau, comme pour le taquiner. Le rôdeur, qui cherchait pourtant à se calmer malgré la proximité de cette maudite créature, fut incapable de songer à autre chose qu'au fait qu'il avait déjà vu de tels appendices aspirer l'esprit d'un elfe noir.

—Drizzt Do'Urden, laissa tomber Matrone Baenre.

Elle connaissait son nom. Drizzt comprit que c'était mauvais signe et fut de nouveau envahi par cet écœurant sentiment de malaise, dont il commençait à comprendre l'origine.

—Pauvre idiot! s'écria soudain la Mère Matrone. Venir à Menzoberranzan sachant que ta pitoyable tête est mise à prix! (Elle descendit du disque et gifla le prisonnier.) Pauvre idiot arrogant! Tu as osé croire que tu pouvais l'emporter? Te pensais-tu capable de détruire ce qui existe depuis cinq mille ans?

Cet éclat surprit Drizzt, qui conserva toutefois une expression impassible, le regard fixe devant lui.

Matrone Baenre laissa alors brusquement apparaître un sourire ironique. Drizzt avait toujours détesté ce trait caractéristique de son peuple. Versatiles et imprévisibles au plus haut point, les elfes noirs ne cessaient de surprendre leurs ennemis comme leurs alliés, ne permettant jamais à un prisonnier ou un invité de deviner le fond de leurs pensées.

—Oublie ton orgueil, Drizzt Do'Urden, gloussa Matrone Baenre. Je te présente ma fille Bladen'Kerst Baenre, la plus âgée après

242

Triel. (Elle désigna ensuite la drow qui se tenait entre les deux autres, puis la plus petite :) Et voici Vendes Baenre et Quenthel. Derrière elles se trouvent mes fils Dantrag et Berg'inyon, que tu connais déjà.

—Salutations, dit Drizzt avec entrain à Berg'inyon, parvenant même à esquisser un sourire avant de recevoir une nouvelle gifle de la part de la Mère Matrone.

—Six Baenre se sont déplacés pour te voir, Drizzt Do'Urden, dit-elle. Tu devrais te sentir flatté, Drizzt Do'Urden.

—Je vous serrerais volontiers dans mes bras mais…

Tout en souhaitant qu'elle cesse de prononcer son nom à chaque phrase, il jeta un regard impuissant à ses poignets entravés afin d'illustrer ses paroles. Il broncha à peine quand une gifle supplémentaire prévisible claqua sur sa joue.

—Tu sais que tu vas être offert à Lolth, enchaîna Baenre.

—Mon corps, peut-être, mais certainement pas mon âme, rétorqua Drizzt en la regardant droit dans les yeux.

—Bien, roucoula la vieille drow. Tu mourras lentement, je te le promets. Tu vas devenir une véritable mine d'informations, Drizzt Do'Urden.

Pour la première fois depuis le début de cette entrevue, les traits du prisonnier s'assombrirent.

—Je peux le torturer, Mère, proposa Vendes avec enthousiasme.

—Duk-Tak! s'exclama la Mère Matrone en se retournant vivement vers sa fille.

—Duk-Tak, marmonna Drizzt en reconnaissant ce nom. Merveilleux…

Cette expression drow, «duk-tak», pouvait littéralement se traduire par «exécuteur inavouable». Il s'agissait également du surnom de l'une des filles Baenre – celle-ci, visiblement – dont les œuvres, qui prenaient la forme d'elfes noirs changés en statues d'ébène, étaient souvent exposées à l'Académie drow.

—Tu as entendu parler de ma chère fille ? lui demanda Matrone Baenre. Elle passera du temps avec toi, je te le promets, Drizzt Do'Urden, mais pas avant que tu m'aies fourni des informations essentielles. (Le rôdeur laissa échapper un regard dubitatif.) Tu peux

243

supporter n'importe quelle torture, je n'en doute pas, pauvre idiot, mais sauras-tu résister aux intrusions d'un flagelleur mental ?

Et la vieille drow de caresser d'une main ridée l'illithid, qui s'était approché d'elle.

Drizzt se sentit blêmir. Autrefois malheureux prisonnier de ces êtres cruels, son esprit avait presque été détruit par leur volonté surpuissante. Serait-il cette fois capable de repousser de telles attaques ?

— Tu pensais nous achever, pauvre idiot ! poursuivit Matrone Baenre, qui criait à présent. En réalité, tu nous as offert notre proie, stupide, arrogant et pauvre idiot !

Drizzt éprouvait désormais cette sensation de malaise au centuple. Il ne put retenir un mouvement de recul, tandis que la Mère Matrone poursuivait, sa logique suivant un cours inéluctable jusqu'au cœur de Drizzt Do'Urden :

— Tu es une belle prise et tu nous aideras à en conquérir une autre. Nous prendrons Castelmithral d'autant plus facilement que le plus puissant allié du roi Bruenor Marteaudeguerre est écarté. C'est précisément cet allié qui nous indiquera les faiblesses des nains.

» Methil !

Sur cet ordre, l'illithid s'approcha de Drizzt, qui ferma les yeux mais sentit les tentacules aux allures de membres de pieuvre de la tête de cette monstrueuse créature s'agiter devant son visage, comme à la recherche de certains points précis.

Il poussa un cri de terreur et secoua violemment la tête, parvenant même à mordre l'un des appendices.

L'illithid recula.

— Duk-Tak ! ordonna Matrone Baenre.

L'impatiente Vendes se précipita et frappa le prisonnier sur la joue de son poing recouvert de cuivre. Elle enchaîna avec deux autres coups, de plus en plus appuyés, se nourrissant de cette torture.

— Doit-il rester conscient ? demanda-t-elle d'une voix implorante.

— Assez !

Drizzt avait entendu la réponse de Matrone Baenre, dont la voix lui avait pourtant paru très lointaine. Vendes le frappa encore une fois puis il sentit de nouveau les tentacules lui effleurer le visage. Il essaya de protester, de secouer la tête, hélas il n'en avait plus la force.

Les tentacules trouvèrent une prise ; Drizzt sentit de légères impulsions énergétiques lui parcourir le visage.

Les cris qu'il poussa au cours des dix minutes qui suivirent ne furent que pur instinct primaire, alors que le flagelleur mental sondait son esprit, envoyait d'affreuses images qui faisaient vaciller ses pensées et engloutissaient toute opposition mentale que Drizzt pouvait espérer dresser. Il se sentait nu, vulnérable, débarrassé de ses émotions propres.

Malgré tout, et même s'il n'en avait pas conscience, Drizzt luttait vaillamment, si bien que Methil finit par s'écarter et adresser un haussement d'épaules à Matrone Baenre.

—Qu'as-tu appris ? demanda cette dernière.

Il est fort, répondit l'illithid par télépathie. *D'autres séances seront nécessaires.*

—Continue ! lâcha Baenre.

—Il en mourrait, expliqua Methil d'une voix gargouillante. Demain.

Matrone Baenre prit quelques instants pour réfléchir avant de hocher la tête. Elle se tourna ensuite vers Vendes, sa terrible Duk-Tak, et claqua des doigts, ce qui libéra la drow enragée, qui se rua sauvagement sur le prisonnier.

Drizzt sombra dans les ténèbres.

20

À chacun son programme

—Et la drow ? demanda Triel avec impatience, tandis qu'elle faisait les cent pas dans les appartements privés de Jarlaxle, aménagés dans une grotte secrète à l'intérieur d'une paroi de Griffe-Gorge, ce gigantesque gouffre situé au nord-est de Menzoberranzan.

—Décapitée, répondit sans hésiter le mercenaire. Ce n'était qu'une fille cadette, une noble sans envergure issue d'une faible maison.

Bien qu'ayant remarqué que Triel faisait agir un sort de détection de mensonge, Jarlaxle s'estimait capable de contourner ce genre de magie.

La Baenre, furieuse, s'arrêta et toisa le mercenaire évasif, qui savait pertinemment que la question ne concernait pas cette Khareesa H'kar. Cette dernière, comme tous les gardiens d'esclaves de l'île des rothés, avait été tuée, comme ordonné, cependant Triel avait perçu des échos évoquant une autre drow, ainsi qu'un mystérieux félin géant.

Jarlaxle était imbattable quand il s'agissait de contempler son vis-à-vis sans ciller. Il s'installa confortablement derrière son imposant bureau et se permit le luxe de se détendre sur son fauteuil, en s'y adossant avant de poser les pieds sur le meuble.

Triel traversa en une seconde la pièce et écarta brutalement les jambes du drow afin de se pencher sur le bureau d'un air menaçant face au mercenaire. Elle entendit alors un léger chuintement d'un côté, suivi d'un autre, qui semblait venir du sol, et devina que Jarlaxle

247

disposait ici de nombreux alliés, dissimulés derrière des passages secrets et prêts à bondir pour protéger le chef de Bregan D'aerthe.

—Pas celle-là ! haleta la prêtresse, qui tentait tant bien que mal de conserver son calme.

Triel, qui dirigeait la plus importante école de l'Académie drow, était la fille aînée de la Première Maison de Menzoberranzan, ainsi qu'une puissante prêtresse qui jouissait – pour autant qu'elle le sache – pleinement des faveurs de la Reine Araignée. Elle ne craignait ni Jarlaxle ni ses alliés, toutefois elle redoutait la colère de sa mère si elle en arrivait à tuer ce mercenaire, si souvent utile, ou si elle précipitait une guerre clandestine, ou même simplement un affaiblissement de la coopération entre Bregan D'aerthe, outil ô combien précieux, et la Maison Baenre.

Elle n'ignorait pas non plus que Jarlaxle comprenait cette paralysie qu'elle éprouvait face à lui. Il la saisissait mieux que personne et l'exploiterait à chaque instant.

Le drow cessa ostensiblement de sourire et prit un air sérieux, puis il ôta son chapeau aux couleurs voyantes et se passa lentement la main sur le côté de son crâne chauve.

—Chère Triel, répondit-il avec calme, je t'affirme, en toute honnêteté, qu'il n'y avait pas d'autre femme drow sur l'île des rothés, exception faite des soldates de la Maison Baenre.

Triel se détourna du bureau et se mordit les lèvres, se demandant comment agir à présent. Il lui semblait que le mercenaire ne mentait pas. Soit il avait trouvé une façon de contrer sa magie, soit il disait la vérité.

—Si tel avait été le cas, je t'en aurais parlé, tu t'en doutes, ajouta-t-il, mensonge évident qui sonna faux dans l'esprit de la prêtresse.

Jarlaxle, qui dissimula alors parfaitement son sourire, avait ainsi menti pour que Triel constate que son sort fonctionnait. Voyant l'expression incrédule de la drow, il comprit qu'il avait remporté cet affrontement mental.

—J'ai entendu parler d'une immense panthère, reprit Triel.

—Un somptueux félin, concéda le mercenaire. Il appartient à un certain Drizzt Do'Urden, si j'ai bien lu l'histoire de ce renégat. Il s'est emparé de Guenhwyvar – ainsi se nomme cet animal – sur le cadavre de Masoj Hun'ett après avoir tué celui-ci au combat.

—Et on dit que cette panthère, cette Guenhwyvar, se trouvait sur l'île des rothés, insista Triel.

—En effet, répondit Jarlaxle, qui sortit un sifflet métallique des plis de sa cape et le brandit devant lui. Sur l'île, puis dissoute en une fumée immatérielle.

—Et l'objet qui permet de l'invoquer ?

—Toi et les tiens détenez Drizzt, ma chère Triel. Ni moi ni quiconque de ma bande ne nous sommes approchés du rebelle en dehors du combat. Si tu n'as jamais vu Drizzt Do'Urden se battre, je peux t'assurer que mes soldats et moi-même avions autre chose à faire que lui fouiller les poches ! (Triel prenant soudain un air suspicieux, Jarlaxle fit mine de se souvenir d'un détail mineur :)

» Ah oui ! Il est vrai qu'un soldat s'est approché de Drizzt après sa chute, sans pour autant y récupérer une figurine ou un autre dispositif d'invocation, je te l'assure.

—Tes soldats et toi n'avez donc pas mis la main sur cette statuette en onyx ?

—Non.

De nouveau, l'habile mercenaire n'avait dit que la vérité puisque, techniquement, Artémis Entreri n'était pas un soldat de Bregan D'aerthe.

Le sort de Triel lui révéla que Jarlaxle n'avait pas menti, malgré les rapports faisant état de la présence de la panthère sur l'île, alors que les soldats de la Maison Baenre n'avaient pas réussi à retrouver cette figurine de valeur. Certains estimaient qu'elle avait peut-être été éjectée quand Drizzt avait basculé par-dessus la corniche, puis atterri quelque part dans les eaux boueuses. Le fait que les sorts de détection magiques ne l'aient ensuite pas repérée s'expliquait aisément pour qui connaissait la nature de Donigarten. Calme en surface, le lac sombre était réputé pour ses forts courants, ainsi que pour certaines choses, plus noires encore, tapies en profondeur.

La fille Baenre n'était pourtant toujours pas convaincue par les explications données au sujet de la drow et de la panthère. Elle savait que Jarlaxle l'avait cette fois battue mais elle faisait autant confiance à ses rapports qu'elle se méfiait de cet elfe noir, qui fut étonné par l'expression qu'elle afficha alors, un air boudeur inhabituel pour la fière Baenre.

249

—Le plan se poursuit comme prévu, dit-elle soudain. Matrone Baenre a mis en place un grand rituel, une cérémonie qui sera d'autant plus grandiose maintenant qu'un sacrifice de grande valeur est assuré.

Jarlaxle soupesa avec soin ces mots, ainsi que l'intensité qu'y avait mise Triel. Même si Drizzt, le premier lien avec Castelmithral, leur avait été cédé, Matrone Baenre voulait tout de même lancer, et rapidement, la conquête de Castelmithral. *Que penserait Lolth de cela?* ne put-il s'empêcher de se demander.

—Ta Matrone prendra certainement le temps d'examiner toutes les éventualités, dit-il, sans se départir de son calme.

—Elle sent sa fin approcher. Elle a faim de conquête et ne se laissera pas mourir avant que ce projet soit mené à bien.

Cette phrase, «ne se laissera pas mourir», fit presque rire Jarlaxle, qui songea que la vieille Mère Matrone aurait dû mourir des siècles auparavant. Et pourtant, elle parvenait à survivre. *Triel a peut-être raison*, se dit-il. Peut-être Matrone Baenre avait-elle compris que les décennies allaient finir par la rattraper, ce qui pouvait expliquer son désir de conquête sans souci des conséquences. Jarlaxle adorait le chaos, il adorait la guerre, cependant il s'agissait là d'un problème qui méritait une sérieuse réflexion. Il appréciait au plus haut point sa vie à Menzoberranzan. Était-il possible que Matrone Baenre mette en péril ce mode de vie?

—Elle pense que la capture de Drizzt est une bonne chose, poursuivit Triel. Et c'est le cas, et comment! Cela fait longtemps que ce rebelle doit être sacrifié à la Reine Araignée.

—Mais…

—Mais comment l'alliance tiendra-t-elle quand les autres Mères Matrones apprendront que Drizzt a déjà été capturé? Elle n'est que provisoire, au mieux, et sera encore plus hasardeuse si certains en viennent à croire que Lolth ne voit plus ce raid d'un bon œil et que l'objectif de nous rendre en surface a déjà été atteint.

Jarlaxle joignit les mains devant lui et resta muet un long moment. Cette fille Baenre était intelligente, et elle maîtrisait les habitudes des drows mieux que quiconque dans la cité… à l'exception de sa mère et, peut-être, de lui-même. Malgré cela, avec bien plus à

250

perdre, elle venait de lui exposer un détail auquel il n'avait pas songé et qui pouvait s'avérer un sérieux problème.

Tout en essayant en vain de dissimuler sa frustration, Triel se retourna et traversa la petite pièce, ne ralentissant qu'à peine quand elle plongea droit dans l'étrange porte, qui paraissait faite d'une matière visqueuse interplanaire et qui la fit marcher dans un couloir humide sur plusieurs mètres, alors que la porte ne semblait épaisse que de quelques centimètres. Elle en sortit pour déboucher dans un boyau, entre deux gardes ricanants de Bregan D'aerthe.

Quelques instants plus tard, Jarlaxle vit le contour chaud d'une main de drow sur sa porte presque translucide, signalant que Triel avait quitté le complexe. D'un levier, situé sous le rabat du bureau, le mercenaire ouvrit plusieurs passages secrets – sur les murs et dans le sol – d'où surgirent plusieurs elfes noirs, ainsi qu'un humain, Artémis Entreri.

—Triel a entendu dire qu'une drow se trouvait sur l'île, dit Jarlaxle à ces soldats, les conseillers en qui il avait le plus confiance. Fondez-vous dans nos rangs et voyez si quelqu'un nous a trahis au profit de la fille Baenre.

—Doit-on tuer ce traître ? s'enquit avec impatience un elfe noir, un spécimen brutal dont les talents étaient très utiles à son chef lorsque celui-ci menait des interrogatoires.

Le mercenaire posa un regard condescendant sur l'impétueux drow, aussitôt imité par les autres membres de Bregan D'aerthe. Il était de coutume au sein de cette bande clandestine de ne pas exécuter les espions mais plutôt de les manipuler de façon plus subtile. Jarlaxle avait à de nombreuses reprises prouvé qu'il était capable de faire aussi bien, de semer autant de désinformation, par l'intermédiaire d'un informateur ennemi que grâce à ses propres espions. Pour l'organisation disciplinée qu'était Bregan D'aerthe, tout agent infiltré mis en place par Triel dans ses rangs se révélerait bénéfique.

Sans avoir besoin d'ajouter un mot à ses conseillers, aussi bien entraînés qu'expérimentés, Jarlaxle les congédia d'un geste.

—Cette aventure devient de plus en plus palpitante, fit-il remarquer à Entreri quand ses soldats furent partis, puis il regarda l'assassin droit dans les yeux. Malgré certaines déceptions… (Entreri,

251

totalement pris au dépourvu par cette remarque, tenta de comprendre ce qu'insinuait le drow.)

» Tu savais que Drizzt était en Outreterre, tu savais même qu'il approchait de Menzoberranzan, qu'il n'allait plus tarder à arriver.

Ces précisions n'apportèrent aucun éclaircissement à Entreri.

— Le piège a été parfaitement dressé et exécuté, rappela-t-il, ce que Jarlaxle ne pouvait véritablement nier, même si plusieurs soldats avaient été blessés et quatre d'entre eux tués, de telles pertes étant à envisager lorsque l'on s'attaquait à quelqu'un d'aussi fougueux que Drizzt. C'est moi qui ai fait tomber Drizzt et ai capturé Catti-Brie.

— C'est là que tu te trompes, dit le drow, ponctuant ses mots d'un hennissement accusateur, ce qui n'eut pour effet que de plonger l'assassin dans la plus totale et authentique confusion.

» L'humaine que l'on appelle Catti-Brie a suivi Drizzt jusqu'ici, grâce à Guenhwyvar et à ceci. (Il montra à Entreri le médaillon magique en forme de cœur.) Elle l'a suivi aveuglément, sans réfléchir, à travers les grottes étroites et les dangereux dédales. Elle ne pouvait pas espérer retrouver son chemin pour retourner à la surface.

— Elle ne repartira sans doute pas.

— Tu fais de nouveau erreur, dit Jarlaxle, un grand sourire aux lèvres, tandis qu'Entreri commençait à comprendre. La simple présence de Drizzt Do'Urden pourrait te guider depuis les profondeurs de l'Outreterre. (Il jeta le médaillon à l'assassin.) Sens comme il est chaud. C'est la chaleur du sang de guerrier qui court dans les veines de Drizzt Do'Urden. Quand il refroidira, tu sauras que Drizzt n'est plus ; ton monde ensoleillé te sera perdu à jamais.

Et le mercenaire d'ajouter, avec un clin d'œil narquois :

— Sauf une fois de temps en temps peut-être, quand Castelmithral aura été pris.

Entreri résista à la violente envie de bondir par-dessus le bureau et d'assassiner le mercenaire, principalement parce qu'il soupçonnait un autre levier capable d'ouvrir sept autres portes dissimulées et ainsi permettre aux proches, très proches, conseillers de Jarlaxle de lui sauter dessus. Cela dit, ce moment de rage passé, il se sentit sincèrement plutôt intrigué que furieux, autant par la déclaration soudaine de Jarlaxle, d'après qui il ne reverrait plus jamais le monde de la surface, que par la pensée que Drizzt Do'Urden pouvait le conduire hors de l'Outreterre. Pensif, le médaillon toujours en main, il se dirigea vers la porte.

— T'ai-je dit que la Maison Horlbar avait entamé une enquête au sujet de la mort de Jerlys ? lança le drow dans son dos, ce qui eut pour effet de l'arrêter net. Ils sont même entrés en contact avec Bregan D'aerthe et semblaient prêts à payer cher toute information. Ironique, tu ne trouves pas ?

Entreri ne se retourna pas. Il marcha jusqu'à la porte et sortit de la pièce, beaucoup de choses auxquelles réfléchir en tête.

Jarlaxle resta lui aussi songeur ; cette affaire pouvait devenir tout à fait délectable. Triel avait en effet mis en évidence quelques difficultés que Matrone Baenre, aveuglée par sa soif de pouvoir, ne remarquerait jamais. Plus important encore, la Reine Araignée, par amour du chaos, l'avait placé, lui, en position de renverser le monde de Menzoberranzan.

Matrone Baenre suivait son propre programme, tout comme Triel le sien, à n'en pas douter, et désormais, le rusé mercenaire en concrétisait un autre pour lui-même, uniquement guidé par l'avènement d'un chaos total, duquel il paraissait toujours émerger plus puissant qu'auparavant.

⋉⋉⋉⋉⋉

À demi conscient, Drizzt ignorait combien de temps les coups avaient continué à pleuvoir. Vendes, qui excellait dans son art cruel, savait dénicher la moindre zone sensible sur le malheureux prisonnier, qu'elle frappait et torturait avec des instruments sévèrement pointus. Elle avait gardé Drizzt aux limites de l'inconscience, sans jamais lui permettre de tout à fait sombrer, afin qu'il ne cesse de sentir la douleur insoutenable.

Puis elle l'avait quitté. Il s'était alors laissé pendre à ses chaînes, incapable de penser à ses poignets, sérieusement blessés par les anneaux tranchants. En ce terrible moment, le rôdeur ne souhaitait qu'une chose ; quitter le monde, quitter ce corps douloureux. Il ne pensait plus à la surface ni à ses amis. Il se rappelait avoir aperçu Guenhwyvar sur

253

l'île mais ne parvenait pas à suffisamment se concentrer pour réfléchir à la signification de la présence de l'animal.

Il se sentait vaincu ; pour la première fois de sa vie, il se demanda si la mort n'était pas préférable à la vie.

Il sentit quelqu'un lui agripper violemment les cheveux et lui tirer la tête en arrière. Il essaya de voir quelque chose à travers ses yeux brouillés et enflés, craignant le retour de cette maudite Vendes. Il entendit cependant des voix masculines.

Une flasque fut portée à ses lèvres, puis sa tête fut brutalement inclinée de façon à permettre au liquide de couler dans sa gorge. Il résista d'instinct, pensant qu'il s'agissait d'un poison quelconque ou d'une potion qui le priverait de sa volonté. Il recracha un peu de liquide, ce qui lui valut de voir sa tête violemment plaquée contre le mur, avant que davantage de cette boisson aigre s'insinue dans sa gorge.

Il sentit son corps brûler, comme si ses entrailles avaient pris feu. Au cours de ce qu'il imaginait être ses derniers instants, il lutta de toutes ses forces contre les chaînes inflexibles, puis s'effondra, épuisé et dans l'attente de la mort.

Puis la sensation de brûlure devint un fourmillement, quelque chose de plus doux. Il se sentit soudain plus fort et sa vision se fit plus nette, tandis que ses yeux semblaient de moins en moins enflés.

Les frères Baenre se tenaient devant lui.

— Drizzt Do'Urden, dit Dantrag sur un ton égal. Cela fait de nombreuses années que j'attends de te rencontrer. (Drizzt ne trouva rien à répondre.) Sais-tu qui je suis ? As-tu entendu parler de moi ?

Le prisonnier ne répondit pas plus que la première fois, ce qui lui coûta une gifle en plein visage.

— As-tu entendu parler de moi ? insista Dantrag, avec davantage de vigueur.

Drizzt essaya de son mieux de se rappeler le nom que Matrone Baenre avait attribué à ce drow. Il connaissait Berg'inyon depuis leurs années passées ensemble à l'Académie et en patrouille mais celui-ci lui était inconnu et il ne se souvenait pas de son nom. Il devina que l'amour-propre de ce personnage était dans la balance ; il paraissait prudent de calmer ce faux orgueil. Il examina un court instant son équipement et en tira ce qu'il espéra être la bonne conclusion.

—Le maître d'armes de la Maison Baenre, articula-t-il avec difficulté, du sang accompagnant chacun des mots de sa bouche meurtrie.

Il lui semblait que la piqûre de ces blessures n'était plus si intolérable, comme si elles se soignaient rapidement. C'est ainsi qu'il comprit quelle était la nature de la potion qu'on l'avait forcé à avaler.

—Zaknafein t'a donc parlé de Dantrag, en conclut son vis-à-vis, qui bomba le torse comme un coq de basse-cour.

—Bien sûr, mentit Drizzt.

—Tu sais donc pourquoi je suis ici.

—Non, répondit Drizzt en toute sincérité, sérieusement perturbé.

Dantrag tourna la tête et indiqua d'un regard au prisonnier des éléments de matériel – l'équipement de Drizzt ! – soigneusement empilés de l'autre côté de la pièce.

—Durant tant d'années, j'ai souhaité un combat face à Zaknafein afin de prouver que je lui étais supérieur, expliqua Dantrag. Il avait peur de moi et n'a jamais voulu sortir du trou où il se terrait. (Drizzt résista à l'envie de se moquer ouvertement de ces propos ; Zaknafein n'avait jamais eu peur de personne.)

» Aujourd'hui, je t'ai, toi.

—Pour faire tes preuves ? demanda Drizzt. (Dantrag leva une main, comme pour frapper, mais contint sa fougue.) Que dira Matrone Baenre si on se bat et que tu me tues ?

Le rôdeur avait deviné quel était le dilemme que devait affronter Dantrag ; il avait été capturé pour des raisons plus importantes que pour satisfaire l'orgueil d'un enfant Baenre arriviste. Tout lui parut soudain réduit à un jeu, un jeu auquel Drizzt avait déjà joué. Quand sa sœur s'était rendue à Castelmithral et l'avait capturé, elle avait passé un accord qui consistait en partie à laisser cet humain, Artémis Entreri, affronter Drizzt en combat singulier, simplement pour faire ses preuves.

—La gloire de ma victoire m'empêchera de subir la moindre punition, répondit Dantrag, comme si de rien n'était, comme s'il pensait sincèrement ce qu'il avançait. Et je ne te tuerai peut-être pas. Il est possible que je me contente de te mutiler avant de te rendre à tes chaînes pour que Vendes puisse continuer à jouer. C'est pour cela

255

que nous t'avons fait boire cette potion. Tu seras guéri, puis reconduit aux portes de la mort, puis de nouveau guéri. Cela durera cent ans, si telle est la volonté de Matrone Baenre.

Drizzt, qui n'avait pas oublié les habitudes de ce peuple à la peau noire, ne douta pas une seconde de ce qui venait d'être dit. Il avait eu l'occasion d'entendre les gémissements de nobles prisonniers, capturés lors de l'une des nombreuses guerres entre Maisons et gardés des siècles durant en tant qu'esclaves torturés par les Maisons victorieuses.

— Notre combat aura lieu, n'en doute pas, Drizzt Do'Urden, dit Dantrag, avant d'approcher le visage tout près de celui du drow renégat. Quand tu seras guéri et capable de te défendre.

Avec une vivacité telle que les yeux de Drizzt ne purent accompagner ce mouvement, Dantrag leva les mains et le gifla tour à tour sur chaque joue. Drizzt prit note de cette rapidité d'exécution, qui dépassait tout ce dont il avait été témoin jusqu'ici, et songea qu'il la reverrait en action dans des circonstances nettement plus dangereuses.

Dantrag se retourna et se dirigea vers la porte, passant à côté de Berg'inyon. Le jeune Baenre n'ajouta qu'un ricanement à l'adresse du prisonnier suspendu et lui cracha au visage avant de suivre son frère.

✕✕✕✕✕

— Quelle beauté, lâcha le mercenaire chauve en laissant courir ses doigts fins sur les épais cheveux auburn de Catti-Brie.

Celle-ci ne cilla pas et continua à contempler ce visage faiblement éclairé et indéniablement séduisant. La jeune femme sensible percevait quelque chose de différent en ce drow, qu'elle n'imaginait pas la forcer et dont l'allure truculente dissimulait un certain sens de l'honneur, certes quelque peu faussé mais qui n'en restait pas moins un code de conduite bien défini et qui n'était pas sans évoquer celui d'Artémis Entreri. Quand il l'avait retenue prisonnière durant de nombreux jours, l'assassin n'avait pas posé la main sur elle, à part pour la faire avancer dans la direction qu'il souhaitait.

Elle croyait et espérait qu'il en irait de même avec le mercenaire. Si celui-ci la trouvait réellement attirante, il tenterait sans doute de la séduire et de capter son attention, au moins pour un temps.

256

—Ton courage est une évidence, poursuivit Jarlaxle, dans son dialecte de la surface, parfait au point d'en être déroutant. Venir seule à Menzoberranzan ! (Il secoua la tête d'incrédulité et se tourna vers Entreri, la seule autre personne présente dans la petite pièce carrée.) Artémis Entreri lui-même n'est venu ici que contraint et forcé. Il ne fait aucun doute qu'il s'en irait s'il savait quel chemin emprunter.

» Cet endroit n'est pas fait pour les habitants de la surface…

Afin d'illustrer son propos, le drow leva soudain la main et arracha de nouveau le bandeau œil-de-chat de la tête de sa prisonnière. Une obscurité, plus totale encore que celle des nuits que l'on trouvait au plus profond des mines de Bruenor, l'engloutit, si bien qu'elle dut fournir un violent effort pour ne pas se laisser submerger par une vague de panique.

Jarlaxle se trouvait juste devant elle. Elle le sentait, elle sentait sa respiration, mais elle ne voyait que ses yeux rouges, qui la jaugeaient dans le spectre infrarouge. De l'autre côté de la pièce, les yeux d'Entreri brillaient du même éclat, ce qu'elle ne comprit pas. Comment pouvait-il, lui, un humain, avoir acquis une telle capacité ?

Elle regretta amèrement de ne pas en être également dotée, tandis que les ténèbres continuaient à l'envelopper, à l'avaler. Sa peau était devenue extrêmement sensible et tous ses sens affûtés à leur maximum.

Elle voulait hurler mais était fermement résolue à ne pas offrir cette satisfaction à ses ravisseurs.

Jarlaxle prononça un mot qu'elle ne comprit pas, puis la pièce fut soudain baignée d'une douce lumière bleutée.

—Tu peux maintenant y voir ici, lui dit l'elfe noir. Au-delà de cette porte, il n'y a que l'obscurité. (Il taquina sa prisonnière en la laissant regarder avec envie le bandeau, puis le glissa dans une poche de son pantalon, avant de poursuivre sur un ton des plus doux qui ne manqua pas de surprendre Catti-Brie :)

» Pardonne-moi. Je ne souhaite pas te faire souffrir mais je dois assurer ma sécurité. Matrone Baenre te veut – plus que tout, je pense, puisqu'elle détient Drizzt – et sait que tu lui permettrais d'effriter la volonté inébranlable de son prisonnier.

Catti-Brie ne cacha pas sa joie, ni même une étincelle d'espoir, en apprenant que son ami était en vie.

257

—Ils ne l'ont bien entendu pas tué, poursuivit le mercenaire, qui s'adressait autant à Entreri – comme celui-ci le comprit – qu'à sa prisonnière. C'est un prisonnier de valeur, un puits d'informations, comme ils disent à la surface.

—Ils le tueront, intervint Entreri, non sans une certaine colère, ce que Catti-Brie eut la présence d'esprit de noter.

—Oui, en fin de compte, répondit Jarlaxle, avant de glousser. Mais vous serez alors tous les deux sans doute morts de vieillesse depuis longtemps, ainsi que vos enfants. Sauf si ces derniers sont des demi-drows… (Il lança une œillade à Catti-Brie, qui dut lutter contre l'envie de lui assener son poing dans l'œil.)

» Quel dommage, vraiment, que les événements se soient ainsi déroulés. Je souhaitais tant discuter avec le légendaire Drizzt Do'Urden avant que les Baenre le capturent. Si je possédais ce masque en forme d'araignée, je me rendrais ce soir même sur le domaine Baenre, quand les prêtresses procéderont au grand rituel, et je me faufilerais pour lui parler. J'agirais au début de la cérémonie, bien évidemment, au cas où Matrone Baenre décide de le sacrifier dès cette nuit. Enfin… (Il soupira et haussa les épaules, puis fit une dernière fois courir ses doigts élégants dans la chevelure abondante de Catti-Brie avant de se tourner vers la porte et d'ajouter à l'intention d'Entreri :)

» Je ne pourrais pas y aller, de toute façon ; je dois rencontrer Matrone Ker Horlbar pour discuter du prix d'une enquête…

L'assassin ne répondit que par un sourire à cette remarque cruelle. Il se leva quand le mercenaire passa près de lui, puis le suivit avant de soudain s'arrêter et se retourner vers Catti-Brie.

—Je crois que je vais rester lui parler, dit-il.

—Comme tu veux, mais ne la blesse pas, ordonna le drow, qui gloussa encore. Ou au moins, ne laisse pas de traces sur son joli visage.

Jarlaxle sortit de la pièce et ferma la porte derrière lui. Il laissa ensuite ses bottes magiques claquer bruyamment sur le sol de pierre du couloir afin qu'Entreri l'imagine parti. Tout en marchant, il tapota sa poche et sourit largement quand il découvrit, sans grande surprise, que le bandeau avait disparu.

Jarlaxle avait semé les graines du chaos ; il pouvait à présent s'asseoir et regarder pousser les fruits de son travail.

21

Buts dévoilés

Dans la petite pièce du complexe secret de Bregan D'aerthe, Catti-Brie et Entreri restèrent un long moment à se regarder, pour la première fois seuls depuis la capture de la jeune femme. Celle-ci devinait, d'après l'expression qu'il arborait, que l'assassin avait quelque chose en tête.

Il leva la main devant lui et écarta les doigts ; l'instant d'après, l'agate œil-de-chat se balançait au bout de sa chaîne en argent.

Catti-Brie observa l'objet avec curiosité, incertaine des intentions de cet homme. Il l'avait dérobé dans la poche de Jarlaxle, c'était manifeste, cependant pourquoi prendre un tel risque sur un elfe noir aussi dangereux ?

— T'es aussi prisonnier qu'moi, déduisit-elle. Y t'a enfermé ici pour suivre ses ordres.

— Je n'aime pas ce mot, répondit Entreri. Prisonnier. Il implique une certaine impuissance. Or je t'assure que ce n'est jamais mon cas.

Catti-Brie ne fut pas dupe ; il y avait dans ces mots neuf dixièmes de bravade et un autre d'espoir, néanmoins elle conserva cette pensée pour elle.

— Et que vas-tu faire quand Jarlaxle s'apercevra d'sa disparition ? demanda-t-elle.

— Je danserai à la surface à ce moment, répondit froidement l'assassin.

Catti-Brie l'observa un instant. Il lui parlait clairement, sans rien lui cacher. Mais pourquoi s'être emparé du bandeau ? Elle se posait encore cette question quand elle prit soudain peur ; Entreri avait peut-être décrété que la lumière d'étoile était préférable, ou complémentaire, à son infravision, cependant il ne lui aurait pas révélé qu'il avait l'intention de partir s'il comptait la laisser… en vie.

—T'as pas besoin d'ça, dit-elle, essayant de garder une voix ferme. Grâce à l'infravision qu't'as reçue, t'y vois suffisamment pour retrouver ton chemin.

—Mais toi, tu en as besoin, lui expliqua l'assassin en lui lançant le bandeau.

Catti-Brie l'attrapa et le garda quelques secondes en main, le temps pour elle de mesurer les conséquences du fait de le porter.

—J'peux pas t'conduire à la surface, dit-elle, pensant que l'assassin s'était trompé sur son compte. J'ai trouvé ma route jusqu'ici qu'avec l'aide d'la panthère et du médaillon magique, qui m'ont indiqué la direction à prendre pour suivre Drizzt. (L'assassin ne broncha pas.)

» J'te dis qu'je peux pas t'sortir d'ici.

—Drizzt le peut. Je te propose un marché, que tu n'es pas en position de refuser. Je vous sors de Menzoberranzan, Drizzt et toi, et vous deux m'aidez à rejoindre la surface. Une fois là-haut, nous nous séparons. Pour toujours.

Catti-Brie médita un long moment sur cette proposition surprenante.

—Tu penses que j'vais t'faire confiance ?

Entreri ne répondit pas, c'était inutile. La jeune femme était emprisonnée dans une pièce cernée par de féroces drows ennemis, tandis que Drizzt se trouvait dans une situation encore plus fâcheuse. Quoi que le malfaisant Entreri ait à lui proposer, cela ne pouvait pas être pire.

—Et Guenhwyvar ? reprit-elle. Et mon arc ?

—J'ai récupéré l'arc et le carquois mais c'est Jarlaxle qui détient la panthère.

—Je ne partirai pas sans Guenhwyvar.

Entreri la considéra avec un œil étonné, comme s'il pensait qu'elle bluffait.

Elle jeta alors le bandeau à ses pieds, puis se hissa sur le rebord d'une petite table et croisa les bras en prenant un air de défi.

L'humain baissa les yeux sur l'objet magique, puis avisa de nouveau la prisonnière.

—Je peux vous faire sortir d'ici, assura-t-il.

—Tu t'trompes. J'parie qu'y t'faudrait mon aide et ma coopération pour évoluer ici, or j'vais pas t'l'offrir, ni moi ni Drizzt, pas sans la panthère, en tout cas.

» Et Drizzt approuvera ma décision. Guenhwyvar est notre amie à tous les deux et nous avons pas l'habitude d'nous enfuir en abandonnant nos amis !

Du bout du pied, Entreri lança le bandeau en direction de la jeune femme, qui l'attrapa de nouveau et, cette fois, le plaça sur sa tête. Sans un mot de plus, l'assassin lui enjoignit d'un geste de ne pas bouger puis, subitement, il sortit de la pièce.

L'unique garde posté à l'extérieur des quartiers privés de Jarlaxle ne manifesta que peu d'intérêt pour l'humain qui approchait, au point qu'Entreri dut presque le secouer pour attirer son attention.

—Jarlaxle, dit-il ensuite en désignant l'étrange porte ondulante.

Le soldat secoua la tête.

Entreri fit un nouveau geste en direction de l'ouverture, les yeux soudain écarquillés de surprise. Quand le garde se pencha pour voir ce qui n'allait pas, l'assassin l'attrapa par les épaules et le tira avec lui à travers le passage. Les deux hommes glissèrent instantanément dans le couloir humide. À force de contorsions, Entreri se mit à tirer le drow surpris, comme dans un combat de lutte au ralenti. Plus grand et aussi agile que cet elfe noir, l'humain parvint peu à peu à le faire avancer.

Puis ils plongèrent de l'autre côté et débouchèrent dans le bureau de Jarlaxle. Alors qu'il tentait de dégainer son épée, le drow fut renversé par un crochet du gauche de l'assassin, suivi d'une série de coups de poing, qui fut ponctuée d'un violent coup de pied sur la joue quand le soldat posa un genou à terre.

Entreri porta autant qu'il traîna le drow sur le côté de la pièce, où il le plaqua brutalement contre le mur, avant de le frapper encore à plusieurs reprises afin de s'assurer qu'il n'offrirait plus de résistance. L'elfe noir se retrouva bientôt inoffensif, à genoux, à peine conscient, les mains liées dans le dos et la bouche fermement bâillonnée. Il fut ensuite bloqué contre la paroi, le temps que son agresseur retrouve un mécanisme secret. La porte donnant sur un petit débarras ne tarda pas à s'ouvrir et Entreri y fit entrer de force son adversaire vaincu.

Il se demanda alors s'il devait ou non achever ce drow. D'un côté, s'il le tuait, il n'y aurait aucun témoin et Jarlaxle perdrait un certain temps à deviner qui avait commis ce crime. Toutefois, quelque chose retenait sa dague, quelque instinct lui dictant de procéder de façon propre, sans provoquer de perte pour Bregan D'aerthe.

Quand il trouva non seulement la statuette de Guenhwyvar mais aussi le masque magique de Catti-Brie qui l'attendaient – oui, qui l'attendaient ! – sur le bureau de Jarlaxle, Entreri se rendit compte que c'était trop facile. Il s'en empara avec prudence, guettant le moindre piège à proximité et s'assurant qu'il s'agissait bien des objets authentiques.

Il se passait quelque chose d'étrange.

Il songea alors aux allusions, pas si subtiles que cela, lâchées par le mercenaire, puis au fait que ce dernier l'avait conduit à Sorcere, lui indiquant ainsi de façon bien pratique le chemin qui menait au masque en forme d'araignée. Il plongea la main dans une de ses poches et en sortit le médaillon magique d'Alustriel, la balise qui signalait la proximité de Drizzt Do'Urden, que Jarlaxle lui avait cédé comme si de rien n'était. L'elfe noir était même allé jusqu'à lui glisser l'heure idéale pour sa tentative ; les premières heures du grand rituel, célébré à la Maison Baenre le soir même.

Dans quel but? se demanda-t-il. Jarlaxle suivait son propre programme, qui allait visiblement à l'encontre des projets de la Maison Baenre concernant Castelmithral. Alors qu'il se tenait là, dans le bureau du mercenaire, il parut évident à Entreri que Jarlaxle s'était servi de lui comme d'un pion.

Il serra le médaillon, puis le remisa dans sa poche. *Très bien*, décida-t-il. Il allait se révéler un pion très efficace.

Vingt minutes plus tard, Entreri, qui, grâce au masque magique, avait pris une apparence de soldat, et Catti-Brie progressaient rapidement et en silence parmi les stalagmites sur les chemins tortueux de Menzoberranzan. Ils se dirigeaient vers le nord-est, en direction du plus haut niveau de Tier Breche et de l'Académie drow.

⚔ ⚔ ⚔ ⚔

Il vit de nouveau les marches usées de la grande ville souterraine des nains, le cœur de Castelmithral. Il imagina l'entrée par la porte ouest, par la vallée du Gardien, et visualisa encore l'immense gouffre que l'on appelait le Défilé de Garumn.

Drizzt luttait de toutes ses forces pour voiler ces images, pour déformer la vérité à propos de Castelmithral, mais les détails étaient si nets dans son esprit ! Il avait la sensation d'y être revenu, d'y marcher librement aux côtés de Bruenor et des autres. En proie à l'hypnose du flagelleur mental, Drizzt était submergé. Il n'avait plus de barrière à élever face aux intrusions mentales de la créature de Matrone Baenre, plus de volonté à opposer à ce géant mental.

À mesure que les images lui venaient, il les sentait s'évanouir, mentalement arrachées de son esprit comme autant de nourriture pour le maudit illithid. Chaque intrusion le brûlait douloureusement et envoyait des chocs électriques sur ses connexions synaptiques.

Enfin, il sentit les tentacules insidieux de cet être hideux relâcher leur emprise sur son front, puis il s'écroula, l'esprit réduit à un mélange d'images confuses et la tête le faisant atrocement souffrir.

— Nous avons obtenu des informations aujourd'hui, dit une voix aqueuse au loin.

Obtenu des informations…

Ces mots se répercutèrent de façon sinistre en Drizzt. L'illithid et Matrone Baenre parlaient encore mais il ne les écoutait plus. Il se concentrait sur ces trois mots, terribles, et songeait à leurs conséquences.

Ses yeux lavande s'ouvrirent mais il garda la tête inclinée, tout en observant discrètement Methil, qui lui tournait le dos, à seulement une cinquantaine de centimètres de lui.

263

Cette créature connaissait désormais une partie de l'agencement de Castelmithral et ses intrusions répétées dans l'esprit du prisonnier lui révéleraient bientôt le complexe dans son ensemble.

Drizzt ne pouvait pas laisser cela se produire ; lentement, il serra de plus en plus fort ses chaînes.

Soudain, il frappa d'un coup de talon la tête spongieuse de l'illithid. Avant que Methil puisse s'écarter, il serra les jambes sur le cou de sa cible en une prise étouffante et commença à la secouer dans tous les sens afin de briser cette chose.

Il sentit les tentacules glisser sur sa peau et se faufiler entre ses jambes mais il lutta contre le dégoût qu'il éprouvait et se débattit sauvagement. Il devina ce qu'il allait subir quand il aperçut Vendes s'approcher sur le côté, sans pour autant se déconcentrer ; pour la sécurité de ses amis, Methil devait être tué !

Celui-ci rejeta son poids en arrière, essayant de perturber Drizzt et de lui faire lâcher sa prise ; cependant le talentueux drow accompagna le mouvement, ce qui propulsa l'illithid au sol, à demi plaqué contre le mur et à demi suspendu à la poigne ferme de l'elfe noir. Drizzt le releva et le frappa de nouveau, relâchant sa prise qui ne parvenait pas à l'étouffer. Les illithids n'étant pas des créatures imposantes d'un point de vue physique, Methil leva pitoyablement ses mains à trois doigts afin de tenter de parer les coups de pied, qui s'étaient soudain mis à pleuvoir.

Quelque chose de dur frappa Drizzt sur les côtes, ce qui lui coupa le souffle. Il ne cessa toutefois pas de frapper obstinément mais reçut un autre coup, puis un troisième, suivi d'un quatrième.

Il se laissa alors retomber et, suspendu à ses chaînes, il tenta de se recroqueviller pour protéger les zones touchées par Vendes. Il pensa que sa mort n'allait plus tarder quand il vit les yeux furieux de la redoutable Duk-Tak, emplis d'un mélange de venin, de haine et d'extase, comme si elle tenait là l'occasion de libérer cette colère perpétuelle.

Elle s'interrompit, plus tôt que Drizzt avait osé l'espérer, et s'en alla d'un pas calme, le laissant accroché à ses fers, incapable de trouver la force de se plier sur lui-même.

264

Methil avait rejoint Matrone Baenre, confortablement installée sur son disque dérivant, et considérait le prisonnier de ses yeux d'un blanc laiteux dépourvu de pupilles.

Drizzt avait compris que, la prochaine fois que l'illithid fouillerait dans son esprit, il s'arrangerait pour rendre la douleur encore plus intense.

— Pas de potion pour lui, ordonna Matrone Baenre à Dantrag, qui était posté, impassible, près de la porte.

Le maître d'armes suivit le regard de sa mère jusqu'à plusieurs flasques, alignées le long du mur, sur la gauche de Drizzt, puis acquiesça.

— *Dobluth*, dit-elle au drow rebelle, se servant d'un synonyme péjoratif de « paria » en langue drow. Le grand rituel ne sera que meilleur si nous savons que tu es ici en train de souffrir.

Elle adressa un signe de tête à Vendes, qui se retourna et lança une fléchette.

Le projectile se planta sur l'estomac de Drizzt, qui ressentit une piqûre. Peu après, il eut la sensation qu'un feu avait été allumé dans ses entrailles. Il eut des haut-le-cœur, il essaya de hurler, puis la douleur lui donna la force de se recroqueviller sur lui-même, changement de position qui ne fut guère profitable. La fléchette magique continuait à répandre ses gouttelettes de poison en lui, elle continuait à le brûler de l'intérieur.

À travers ses yeux remplis de larmes, Drizzt vit le disque dérivant glisser hors de sa cellule, Vendes et Methil suivant docilement Matrone Baenre. Dantrag, le visage dénué d'expression, resta un certain temps adossé contre le montant de la porte, puis s'approcha de Drizzt.

Celui-ci se força à ne plus crier et parvint à n'émettre que quelques grognements et gémissements, les dents serrées, une fois le maître d'armes près de lui.

— Tu n'es qu'un idiot, lui dit Dantrag. Si tes tentatives contraignent ma mère à te tuer avant que j'en aie l'occasion, je te promets de torturer et massacrer personnellement toute créature vivante qui se dira l'amie de Drizzt Do'Urden !

De nouveau avec une vivacité qui ne permit pas à Drizzt de l'apercevoir, Dantrag le frappa au visage. Le rôdeur demeura inerte

265

quelques secondes, puis dut se replier sur lui-même quand une série d'explosions brûlantes de la fléchette empoisonnée se déclencha dans son estomac.

$$\times \quad \times \quad \times \quad \times \quad \times$$

Hors de vue au pied de l'escalier géant qui menait à Tier Breche, Artémis Entreri essayait de son mieux de se souvenir de l'apparence de Gromph Baenre, l'Archimage de la cité. Il ne l'avait vu qu'en quelques occasions, la plupart du temps alors qu'il espionnait pour le compte de Jarlaxle. Ce dernier, qui avait un temps soupçonné ce personnage de raccourcir les nuits de Menzoberranzan en allumant les feux éternels de l'horloge de Narbondel quelques instants trop tôt, s'était alors intéressé aux projets du dangereux sorcier, raison pour laquelle il avait envoyé Entreri le surveiller.

La cape de l'assassin se changea et devint la robe flottante du sorcier, ses cheveux s'épaissirent et s'allongèrent en une longue crinière blanche, tandis que de légères rides, à peine visibles, apparaissaient autour de ses yeux.

—J'arrive pas à croire qu'tu tentes ça, lui dit Catti-Brie quand il émergea de l'ombre.

—Le masque en forme d'araignée se trouve sur le bureau de Gromph, lui répondit sèchement l'humain, qui n'était pas plus enthousiasmé que la jeune femme par ce projet. Il n'existe aucun autre moyen d'entrer dans la Maison Baenre.

—Et si Gromph est assis à son bureau ?

—Alors, toi et moi, nous serons éparpillés dans la caverne…

Entreri s'approcha de Catti-Brie, qu'il prit par la main et tira vers l'escalier.

Il comptait autant sur la chance que sur ses aptitudes. Il n'ignorait pas que Sorcere, l'école de sorcellerie, était remplie de maîtres reclus qui en général s'évitaient. Il ne pouvait qu'espérer que Gromph, malgré sa condition masculine, ait été invité au grand rituel de la Maison Baenre. Les parois de ce domaine impénétrable étant protégées des scrutations comme des téléportations, si son déguisement lui permettait de franchir les éventuelles barrières magiques dressées, il devait être en mesure d'entrer et ressortir du bureau de Gromph sans être inquiété. L'Archimage de la cité était réputé pour son caractère revêche et son humeur massacrante, si bien que personne ne s'opposait jamais à lui.

Au sommet de la volée de marches, au niveau de Tier Breche, ils aperçurent les trois structures de l'Académie drow. Sur leur droite se dressait le bâtiment pyramidal de Melee-Magthere, l'école des guerriers, tandis que devant eux s'élevait la masse impressionnante, en forme d'araignée, d'Arach-Tinilith, l'école de Lolth. Entreri se réjouit de ne pas être contraint d'entrer dans l'un de ces deux bâtiments. Melee-Magthere était un endroit sévèrement gardé où grouillaient les soldats armés, alors qu'Arach-Tinilith était protégé par les hautes prêtresses de Lolth, qui œuvraient de concert pour le bien de leur Reine Araignée. Seule la structure qui se trouvait sur la gauche, Sorcere, semblait suffisamment empreinte de mystère pour permettre d'y pénétrer.

Catti-Brie dégagea son bras et faillit s'enfuir, en proie à une terreur sans nom. Elle ne bénéficiait d'aucun camouflage et se sentait terriblement vulnérable en ce lieu. Néanmoins, elle trouva en elle-même suffisamment de courage pour ne pas résister quand Entreri l'attrapa vigoureusement de nouveau par le bras et la contraignit à accélérer l'allure.

Ils se présentèrent à l'entrée ouverte de Sorcere, où deux gardes leur bloquèrent aussitôt le passage. Quand l'un d'eux fit mine de lui poser une question, Entreri ne répondit qu'en lui assenant une gifle, espérant que la cruauté renommée de Gromph suffirait à les faire passer.

Le bluff fonctionna et les gardes reprirent leurs places, sans même oser murmurer entre eux avant que le mage se soit nettement éloigné.

Entreri se souvenait parfaitement des couloirs sinueux et parvint bientôt au mur au-delà duquel étaient situés les appartements privés de Gromph. Il inspira profondément et jeta un regard à Catti-Brie tout en se répétant en silence que si l'Archimage se trouvait derrière cette porte ils étaient à coup sûr tous les deux morts.

— *Kolsen'shea orbb*, murmura-t-il.

Pour son plus grand soulagement, la paroi commença à s'étirer et se déformer, jusqu'à devenir une toile d'araignée, dont les brins pivotèrent de façon à laisser apparaître une lueur bleutée à travers le trou ainsi créé. Avant de perdre son sang-froid, Entreri s'y précipita, sans lâcher Catti-Brie.

Gromph n'était pas présent.

L'assassin se dirigea vers le bureau en os de nains, puis se frotta les mains, sur lesquelles il souffla avant de tendre le bras vers le tiroir approprié. Pendant ce temps, intriguée par ce bazar de toute évidence magique, Catti-Brie fit quelques pas, observa quelques parchemins – de loin – et alla jusqu'à s'approcher d'un flacon en céramique, dont elle osa ouvrir le bouchon.

Le cœur d'Entreri bondit dans sa poitrine quand il entendit la voix de l'Archimage, puis il se détendit quand il comprit qu'elle provenait du récipient.

Catti-Brie examina le flacon, ainsi que son bouchon, d'un œil étonné, puis le referma, ce qui fit taire la voix.

— Qu'est-ce que c'était ? demanda-t-elle, ne comprenant pas un mot de la langue drow.

— Je n'en sais rien, lui répondit durement Entreri. Ne touche à rien !

La jeune femme haussa les épaules et laissa l'assassin se retourner vers le bureau. Il essayait de s'assurer d'être capable de prononcer correctement le mot de passe qui ouvrait le tiroir. Il se remémora sa conversation avec Jarlaxle, quand ce dernier lui avait donné ce sésame. Le mercenaire avait-il parlé franchement ou cela faisait-il partie de son jeu compliqué ? Jarlaxle l'avait-il poussé à se rendre en cet endroit pour qu'il prononce un mot de passe erroné, ouvre le tiroir et détruise ainsi la moitié de Sorcere en même temps que lui-même ? Il imagina même que le drow avait pu placer une réplique du masque dans le tiroir avant de s'arranger pour le faire venir ici et faire exploser les quartiers bien protégés de Gromph, ce qui détruirait ainsi toute preuve.

Entreri chassa ces pensées perturbantes. Il s'était engagé sur cette voie, il s'était convaincu que sa tentative de libérer Drizzt faisait d'une façon ou d'une autre partie de la trame des plans d'ensemble de

Jarlaxle, quels qu'ils puissent être. Il ne pouvait pas céder à ses peurs à cet instant. Il articula le mot et ouvrit le tiroir.

Le masque en forme d'araignée l'attendait.

Il s'en saisit et se retourna vers Catti-Brie, qui avait rempli le haut d'un petit sablier de sable blanc et fin, qu'elle regardait couler. Entreri jaillit du bureau en os de nains et traversa en un éclair la pièce avant d'écarter l'objet.

Catti-Brie le gratifia d'un regard étonné.

— Je passais le temps, lui expliqua-t-elle sans s'énerver.

— Ce n'est pas une horloge! lui répondit avec brusquerie l'assassin, qui renversa l'objet et en ôta soigneusement le sable, qu'il replaça dans son sachet avant de refermer celui-ci. C'est un explosif. Quand le sable a fini de s'écouler, tout le quartier sombre dans les flammes! Ne touche à rien! Gromph ne saura même pas que nous sommes passés si tout reste en ordre. (Il embrassa le fouillis de la pièce du regard.) Ou en tout cas, dans le bon désordre. Il n'était même pas ici quand Jarlaxle a rapporté le masque.

Catti-Brie hocha la tête, visiblement sincèrement honteuse, ce qui n'était en réalité qu'une façade. Elle avait soupçonné la nature générale – à défaut d'être capable de la préciser – du sablier depuis le début et n'aurait pas laissé le sable s'écouler jusqu'au bout. Elle n'avait lancé ce mécanisme que pour obtenir la confirmation de ses pensées de la part de l'assassin expérimenté.

Ils sortirent tous les deux sans plus tarder de la pièce du sorcier, puis quittèrent Sorcere. Catti-Brie ne révéla pas qu'elle avait glissé dans une poche de sa ceinture plusieurs de ces dangereux sabliers, ainsi que les sachets de sable explosif correspondants.

22

INTRUSION

Qu'ellarz'orl, le plateau occupé par certaines des familles nobles les plus fières, était étrangement calme. Entreri, qui avait repris une apparence de soldat drow ordinaire, et Catti-Brie progressaient discrètement en silence le long du bosquet de champignons, vers la clôture en toile d'araignée, haute de six mètres, qui entourait le domaine Baenre.

La panique montait peu à peu en eux, sans qu'aucun prononce un mot, tous deux se forçant à se concentrer sur les enjeux de cette joute : la victoire finale ou la défaite absolue.

Tapis dans les ombres d'une stalagmite, ils observaient un long cortège qui, mené par plusieurs prêtresses assises sur des disques dérivants bleutés, se frayait un chemin à travers le territoire de la famille et se dirigeait vers les immenses portes de la chapelle centrale. Entreri reconnut Matrone Baenre et estima que certaines des autres drows proches d'elle devaient être ses filles. En examinant avec attention les nombreux disques, il en vint à comprendre que les Mères Matrones d'autres Maisons étaient également présentes dans le défilé.

Jarlaxle avait précisé qu'il s'agissait là d'un grand rituel. Entreri lâcha un ricanement en songeant à quel point l'habile mercenaire avait tout arrangé dans les moindres détails.

—Qu'y a-t-il ? demanda Catti-Brie, qui n'avait pas compris cette réaction.

Entreri secoua la tête et se renfrogna, puis lui fit signe de se taire. La jeune femme se mordit la lèvre inférieure et ne cracha pas les nombreuses répliques cinglantes qui lui vinrent à l'esprit. Elle avait besoin de cet homme pour le moment, tout comme il avait besoin d'elle ; la haine qu'ils se vouaient l'un à l'autre devait attendre.

Attendre était exactement ce que firent Catti-Brie et Entreri. Ils restèrent assis derrière le monticule de longues minutes, tandis que la procession s'engouffrait peu à peu dans la chapelle surmontée d'une coupole. Entreri se fit la réflexion que plus d'un millier de drows, peut-être même deux mille, étaient entrés dans le bâtiment ; peu de soldats ou de cavaliers montés sur des lézards étaient désormais visibles depuis sa cachette.

Ce moment leur apporta bientôt un autre avantage quand des chants dédiés à Lolth s'élevèrent depuis les portes de la chapelle et se répandirent sur le domaine.

— La panthère ? murmura Entreri à Catti-Brie.

La jeune femme effleura la statuette dans sa sacoche et réfléchit à cette question, puis jeta un regard dubitatif à la clôture en toile d'araignée du territoire Baenre.

— Quand nous l'aurons franchie, répondit-elle.

Elle n'avait toutefois aucune idée de la façon dont Entreri comptait s'y prendre pour passer de l'autre côté de cette barrière apparemment inviolable, dont les brins étaient aussi épais que ses avant-bras.

L'assassin acquiesça et plaqua le masque de velours noir en forme d'araignée sur son visage. Catti-Brie ne put s'empêcher de tressaillir en le regardant, sa tête ressemblant à présent à quelque affreuse caricature d'une gigantesque araignée.

— Ceci est mon unique avertissement, murmura l'humain. Tu es une personne clémente, à un point que cela en devient stupide, mais la pitié n'a pas sa place au royaume des drows. Ne pense pas à blesser ou assommer les éventuels adversaires que nous pourrions croiser. Frappe pour tuer.

Catti-Brie ne prit pas la peine de répondre. D'ailleurs, si Entreri avait pu voir le feu qui brûlait en elle, il n'aurait pas pris la peine de lui adresser cette remarque.

Il lui fit signe de le suivre et se mit en route, d'une ombre à une autre et avec une grande prudence, jusqu'au pied de la clôture, dont il effleura avec hésitation les brins, de façon à s'assurer que ses doigts n'y resteraient pas collés, puis il l'empoigna fermement et enjoignit à la jeune femme de grimper sur son dos.

—Prends garde de ne pas toucher la barrière, sans quoi je me verrais contraint de sectionner les membres qui y seraient collés ! la prévint-il.

Catti-Brie s'agrippa avec soin sur cet homme qu'elle haïssait, un bras passé sur son torse, par-dessus son épaule, et l'autre sous le bras de l'assassin. Ses mains se refermèrent alors l'une sur l'autre avec force, puis elle serra autant qu'elle le put.

Bien que de taille ordinaire et pas tellement plus lourd qu'elle, Entreri était costaud et ses muscles affûtés pour le combat. Il entama sans difficulté son ascension, tout en maintenant son corps aussi éloigné que possible de la dangereuse clôture, de sorte que les mains de Catti-Brie ne s'y accrochent pas. La partie la plus délicate intervint au sommet de l'obstacle, notamment quand Entreri aperçut deux soldats, juchés sur leurs lézards, qui approchaient.

—Ne respire même pas, ordonna-t-il à Catti-Brie.

Il se décala lentement sur le rebord de la barrière afin de se cacher, autant que possible, dans les ombres d'une stalagmite qui servait de pieu à cet édifice.

Si aucune lumière n'avait été allumée sur le territoire Baenre, les deux intrus auraient certainement été repérés, leurs silhouettes chaudes se détachant nettement sur la pierre froide de la colonne. Heureusement, les lumières étaient bel et bien allumées, parmi lesquelles de nombreuses torches embrasées ; les soldats Baenre ne se servaient donc pas de leur infravision alors qu'ils rejoignaient leur poste. Ils frôlèrent la clôture à moins de trois mètres des deux humains. Artémis Entreri était un tel maître quand il s'agissait de se dissimuler dans les ombres qu'ils ne remarquèrent pas l'étrange saillie dont était affublée la concrétion rocheuse, habituellement lisse.

Quand ils furent partis, l'assassin se redressa en position verticale sur le sommet de la clôture et se pencha sur le côté pour permettre à Catti-Brie de s'appuyer contre le pilier. Il avait dans un premier temps prévu de se reposer quelques instants dans cette position mais la jeune femme, si impatiente, le délaissa et s'accrocha à la stalagmite, de laquelle elle descendit, glissant autant que tombant, du côté du domaine Baenre, où elle finit par s'immobiliser.

Entreri la rejoignit en toute hâte, retira son masque et la dévisagea durement, furieux de ces stupides actes irréfléchis.

Catti-Brie ne cilla pas devant le regard de ce dangereux assassin si détesté.

— Par où ? articula-t-elle en silence.

Entreri glissa une main dans une poche et la referma sur le médaillon magique, puis se tourna vers plusieurs directions jusqu'à ce que l'objet lui semble plus chaud. Il avait en réalité deviné l'endroit où était détenu Drizzt avant même que le médaillon le lui confirme ; le monticule géant, l'endroit le mieux gardé de tout le domaine.

Il ne leur restait plus qu'à espérer que les soldats d'élite de la force Baenre soient pour la plupart partis assister au grand rituel.

Traverser le domaine jusqu'à cette structure complexe ne présenta pas de difficulté, peu de gardes étant visibles et les ombres nombreuses, tandis que les chants émanant de la chapelle couvraient largement le moindre bruit. Aucune Maison ne s'attendait à subir une attaque, pas plus qu'on n'aurait osé invoquer la Reine Araignée lors d'un grand rituel pour en lancer une. La seule menace possible pour la Maison Baenre provenant d'une autre Maison drow, la sécurité de son territoire n'était pas étendue à son maximum.

— Là-dedans, murmura Entreri quand, avec Catti-Brie, ils se plaquèrent contre les murs qui se dressaient autour de l'entrée d'une immense stalagmite creuse.

L'assassin effleura alors délicatement la porte de pierre afin d'y discerner des pièges éventuels, même s'il imaginait que, s'il en existait, ceux-ci seraient de nature magique et ne se dévoileraient à lui qu'en lui explosant au visage. Il fut surpris de voir le portail soudain se lever, puis disparaître au sommet du montant pour révéler un couloir étroit et faiblement éclairé.

Catti-Brie et lui échangèrent un regard empreint de doutes puis, après un long temps d'arrêt silencieux, ils y entrèrent tous les deux… et s'effondrèrent presque de soulagement quand ils constatèrent qu'ils étaient toujours en vie.

Cela ne dura cependant guère puisqu'un cri guttural, peut-être une question, retentit peu après. Avant que les deux intrus puissent en déchiffrer un mot, un immense humanoïde musculeux, qui mesurait facilement plus de deux mètres et semblait aussi large que le couloir, fit son apparition à l'autre extrémité, ce qui eut pour effet de masquer presque entièrement la légère source lumineuse. La corpulence de cette créature et sa tête de taureau caractéristique trahissaient à elles seules sa nature.

Catti-Brie sursauta violemment quand la porte se referma derrière elle.

Le minotaure grogna encore sa question, en langue drow.

—Il demande un mot de passe, murmura Entreri. Enfin, je crois.

—Alors donne-le-lui!

C'était plus facile à dire qu'à faire, étant donné que Jarlaxle n'avait jamais évoqué devant son complice humain de mot de passe à prononcer à l'intérieur du bâtiment Baenre. Entreri décida en cet instant d'en toucher un mot au mercenaire, si toutefois il avait un jour l'occasion de le revoir.

Le monstrueux minotaure avança d'un pas menaçant, tout en agitant devant lui un gourdin en adamantium terminé par des piques.

—Comme si les minotaures n'étaient pas déjà assez terrifiants sans qu'on les munisse d'armes drows…, marmonna Entreri.

Un autre pas approcha la créature à quelque trois mètres des deux humains.

—*Usstan belbol… usstan belbau ulu… dos*, bégaya l'assassin, avant de secouer une des sacoches qu'il portait à la ceinture. *Dosst?*

Le minotaure s'arrêta et fit une grimace qui plissa ses traits bovins.

—Qu'as-tu dit? chuchota Catti-Brie.

—Aucune idée, reconnut Entreri, qui pensait tout de même avoir parlé d'un cadeau.

Un grondement sourd sortit de la gueule du monstre, qui s'impatientait.

—*Dosst?* dit Catti-Brie avec audace, tendant son arc d'une main et tâchant de paraître chaleureuse.

Elle lui sourit et hocha bêtement la tête, comme si elle lui offrait l'arc, alors que pendant ce temps son autre main se glissait dans les plis de sa cape de voyage et s'approchait d'une flèche, rangée dans le carquois qu'elle portait à hauteur de hanche.

—*Dosst?* répéta-t-elle, ce à quoi le minotaure répondit en se désignant le torse d'un énorme doigt boudiné. Ouais, pour toi!

Sur ces mots, elle se saisit de la flèche, la cala contre la corde et la décocha avant même que le stupide minotaure ait baissé son doigt. La flèche se planta dans la poitrine du monstre et le fit tituber en arrière.

—Sers-toi d'ton doigt pour boucher ce trou! rugit la guerrière en encochant un autre projectile. T'as combien d'doigts?

Elle jeta un rapide coup d'œil à Entreri, qui la contemplait, sidéré. Elle lui rit au visage et lâcha une autre flèche sur la créature, qui recula encore de plusieurs pas, avant de tomber à la renverse dans la pièce plus large sur laquelle débouchait le couloir. Quand ce fut fait, plus d'une demi-douzaine de minotaures firent leur apparition, prêts à remplacer leur congénère.

—Tu es folle! s'écria l'assassin.

Sans prendre la peine de lui répondre, Catti-Brie tira une flèche dans le ventre du minotaure le plus proche, qui se plia en deux de douleur et fut piétiné par ses camarades lancés à l'assaut.

Entreri dégaina ses lames et se dressa face à cette offensive, ayant compris qu'il lui fallait maintenir les géants à l'écart de Catti-Brie pour qu'elle puisse se servir de son arc. Il eut affaire au premier minotaure à deux pas du bout du couloir et dut lever son épée pour parer un coup de massue à pointes dont la force le fit vaciller.

Nettement plus vif que le géant lourdaud, Entreri contre-attaqua avec trois coups de dague enchaînés et portés à mi-hauteur du monstre, dont le gourdin s'abattit de nouveau. Malgré son épée, qui intercepta ce coup, l'assassin dut effectuer un tour complet sur lui-même pour absorber le choc et se mettre hors de portée du danger.

Puis il se relança en avant, brandissant son épée, dont la pointe d'un vert brillant dessina sous la mâchoire de son adversaire une fine coupure qui trancha l'os et la langue bovine de la créature.

Celle-ci se mit à vomir du sang, ce qui ne l'empêcha pas de frapper de nouveau, forçant l'humain à reculer.

Un filet argenté aveugla les combattants quand une flèche de Catti-Brie passa au-dessus de l'épaule du minotaure pour se planter dans le crâne épais de l'ennemi qui se présentait juste derrière.

Entreri ne put alors qu'espérer que le monstre avait été aussi gêné que lui quand il se lança dans un assaut désespéré, frappant brutalement de sa dague et assenant de violents coups d'épée de haut en bas. Il toucha à plusieurs reprises et à une vitesse sidérante la bête blessée et stupéfaite. Il commençait à y revoir plus clair quand le minotaure s'effondra devant lui.

Il n'hésita pas une seconde et, d'un bond, se jucha sur le corps volumineux de cette chose, puis sauta sur le cadavre de son collègue, également tué, afin de pouvoir attaquer de haut le monstre suivant, que son épée toucha à l'épaule. Entreri pensa alors que celui-ci serait facile à tuer, le bras qui tenait sa massue pendant désormais mollement sur le côté, mais il n'avait encore jamais affronté ces êtres à tête de taureau, aussi sa surprise fut-elle totale quand son adversaire lui donna un coup de tête en pleine poitrine.

Le minotaure s'inclina sur le côté et se lança dans une charge à travers la pièce, l'assassin toujours coincé entre ses cornes.

— Bon sang! lâcha Catti-Brie quand elle vit que l'espace qui la séparait des autres monstres était désormais dégagé.

Elle posa un genou à terre et se mit à décocher avec frénésie des flèches vers le bout du couloir.

Ce tir de barrage aveuglant toucha un, puis deux minotaures, mais le troisième attrapa celui qui le précédait et le souleva comme un bouclier. Catti-Brie parvint à tirer une flèche, qui frôla la tête de la créature, qui approchait très vite, sans véritablement la blesser.

La jeune femme tira encore une fois, autant pour aveugler ses ennemis que par espoir d'arrêter cette charge, puis elle plongea au sol et s'élança courageusement en avant, se glissant à côté des jambes qui menaçaient de la piétiner.

Le minotaure se fracassa contre la porte qui donnait sur l'extérieur. Le fait de porter son camarade mort devant lui l'empêchant

277

de voir que Catti-Brie s'était écartée, il leva le cadavre et l'abattit plusieurs fois contre la paroi.

Toujours à quatre pattes, Catti-Brie dut se frayer un chemin entre trois paires de jambes épaisses comme des troncs d'arbres. Ces trois minotaures hurlaient tous et la couvraient, persuadés que celui qui se trouvait à l'avant était occupé à écraser la chétive intruse.

Elle s'en sortit presque.

Quand le dernier minotaure sentit quelque chose frotter sa jambe, il baissa les yeux et lâcha un beuglement tout en agrippant son gourdin à deux mains.

Catti-Brie se roula sur le dos et plaça son arc devant elle. Elle parvint à décocher une flèche, qui freina la créature l'espace d'un instant. D'instinct, elle fit passer ses jambes par-dessus son corps et se lança dans une roulade arrière.

La massue du minotaure aveuglé emporta un morceau de bonne taille du sol dallé, à quelques centimètres à peine du dos de sa cible, qui s'était écartée.

Celle-ci se releva et fit face à la bête. Elle fouetta l'air de son arc, fit demi-tour et s'enfuit en courant.

⚔ ⚔ ⚔ ⚔ ⚔

L'impact lui coupa le souffle. Le minotaure enroula son bras valide autour de la taille d'Entreri, le maintint fermement et recula d'un bond, visiblement décidé à projeter de nouveau l'assassin contre le mur. Quelques mètres plus loin, un autre minotaure encourageait son camarade.

Entreri assena avec sauvagerie plusieurs coups de dague sur l'épais crâne, en vain.

Il eut la sensation que sa colonne vertébrale avait explosé quand il percuta pour la deuxième fois le mur, puis il se força à voir au-delà de la douleur et de la peur afin de procéder à un examen rapide de la situation. Un esprit clair étant le meilleur atout de tout combattant, il ne l'ignorait pas, il modifia sa tactique. Au lieu de frapper avec sa dague sur des os solides, il en plaça la pointe sur la chair qui se

278

trouvait entre les cornes de taureau, puis la fit descendre sur le côté du visage du minotaure, s'appliquant autant à la faire glisser qu'à la pousser vers l'intérieur.

Il heurta encore le mur.

Entreri maintenait ses mains en place, convaincu que la dague s'avérerait efficace. Dans un premier temps, la lame glissa régulièrement, incapable de pénétrer ce cuir, puis, quand il repéra une zone plus charnue, il redressa aussitôt son angle d'attaque et la plongea à la verticale.

Dans l'œil du minotaure.

Il sentit l'arme affamée se nourrir de la force vitale de la créature, il la sentit pulser, envoyer des vagues de puissance le long de son bras.

Le minotaure resta un long moment saisi de frissons, plaqué contre la paroi, tandis que son camarade l'encourageait toujours, pensant qu'il réduisait l'humain en morceaux.

Soudain, il tomba raide mort. Entreri, agile comme à l'accoutumée, retomba sur ses pieds et ne perdit pas une seconde pour se jeter sur le torse de l'autre monstre, avant que ce dernier réagisse. Il lui assena une combinaison à la un-deux-trois, épée-dague-épée, en un clin d'œil.

Surprise, la créature recula, mais Entreri suivit le mouvement, sa dague toujours plantée et absorbant également l'énergie de cet ennemi agonisant. Celui-ci tenta un coup de massue médiocre, que l'épée de l'assassin para sans difficulté.

Tandis que sa dague se délectait de ce festin.

⚔ ⚔ ⚔ ⚔

Elle surgit en courant dans la petite pièce, se retourna et s'agenouilla. Il était pour elle inutile de viser puisque la masse des minotaures lancés à sa poursuite comblait la largeur du couloir.

Fort heureusement, le plus proche d'entre eux, gêné par une flèche plantée dans la cuisse, n'était pas lancé à pleine vitesse. C'était toutefois un être obstiné, qui encaissait les coups les uns après les autres sans cesser d'insister.

Derrière lui, le minotaure suivant hurlait au troisième, celui qui plaquait un cadavre contre le mur, d'attaquer de l'autre côté. Ces bêtes n'avaient jamais été réputées pour leur intelligence ; celui à qui l'on s'adressait assura à son congénère qu'il avait écrasé l'humaine.

La dernière flèche fut tirée à bout portant, à seulement une quinzaine de centimètres du museau de la créature quand elle fut projetée de *Taulmaril*. Elle fendit le crâne et les naseaux de l'assaillant, dont la tête fut presque coupée en deux. Il mourut instantanément mais, emporté par son élan, renversa Catti-Brie.

Bien que loin d'être gravement blessée, elle se retrouva dans l'incapacité de s'extraire de cette masse et de tirer une flèche à temps pour arrêter le deuxième minotaure, qui chargeait depuis le couloir.

Une silhouette vive surgit soudain en glissant devant le monstre et lui assena une pluie de coups. Quand cette averse se fut calmée, le monstre était accroupi, les mains plaquées sur ses genoux déchiquetés. Il pivota pour riposter mais Entreri l'évita aisément.

Il courut vers le centre de la pièce et se posta derrière un pilier de marbre noir, suivi par le monstre, penché en avant. Entreri fit le tour de la colonne et son poursuivant – faisant preuve d'un esprit plutôt vif pour un minotaure – se lança dans une course chancelante et accrocha d'un bras le pilier, qu'il parvint ainsi à contourner grâce à son élan.

Entreri se montra encore plus réactif. Dès qu'il fut hors de vue de la créature, il s'arrêta net et s'écarta de deux pas du pilier. Le minotaure en plein virage se retrouva donc entre la colonne et l'assassin, ce qui permit à ce dernier de porter une dizaine de coups précis dans le dos et sur le flanc de la bête.

Artémis Entreri n'en avait jamais besoin de tant.

⚔ ⚔ ⚔ ⚔ ⚔

Le minotaure souleva son compagnon mort puis, d'un bond, recula de trois pas, lâcha un meuglement et projeta le cadavre contre la porte extérieure.

Une flèche enchantée se planta, grésillante, dans son dos.

—Hein? grogna-t-il en essayant de se retourner.

Une deuxième flèche l'atteignit sur le flanc et lui perça un poumon.

—Hein? répéta-t-il, haletant, l'air stupide, quand il eut suffisamment pivoté pour apercevoir Catti-Brie, de l'autre côté du couloir, le visage sévère et son maudit arc dressé devant elle.

Quand un troisième projectile explosa sur sa joue, la bête avança d'un pas, avant de s'effondrer sur le cadavre de son camarade après une quatrième flèche, reçue en plein torse.

—Hein?

Il reçut cinq autres flèches – mais n'en sentit aucune – avant qu'Entreri rejoigne Catti-Brie et lui dise que le combat était terminé.

—Nous avons de la chance qu'aucun drow ne se soit trouvé dans les environs, dit-il en regardant avec un air nerveux les douze portes et alcôves que comprenait cette pièce circulaire.

Puis il serra le médaillon dans sa poche et se tourna vers le pilier central, qui reliait le sol au plafond.

Sans un mot d'explication, il s'y précipita et fit courir ses doigts sensibles sur sa surface lisse.

—Qu'y a-t-il? demanda Catti-Brie quand il cessa de bouger les mains et lui adressa un sourire.

Elle répéta sa question et, en guise de réponse, l'assassin appuya sur la pierre, ce qui fit glisser une portion de marbre et révéla que cette colonne était creuse. Il y pénétra et tira Catti-Brie derrière lui avant que la porte se referme d'elle-même après leur passage.

—Qu'est-ce que c'est? s'enquit la jeune femme, qui pensait qu'ils s'étaient réfugiés dans un genre de placard.

Elle désigna le trou pratiqué dans le plafond, sur sa gauche, puis celui qui se trouvait au sol, sur sa droite.

Entreri ne lui répondit pas. Suivant le guidage du médaillon, il s'approcha du trou inférieur et s'agenouilla afin d'y jeter un coup d'œil.

Catti-Brie le rejoignit et lui adressa un regard étonné quand elle constata l'absence d'échelle, puis elle observa plus attentivement la pièce banale dans laquelle elle se trouvait, en quête d'un endroit où fixer une corde.

—Il y a peut-être des prises, suggéra Entreri, qui se laissa glisser dans le conduit.

Il prit une expression d'incrédulité quand, soudain débarrassé de son poids, il se sentit flotter.

—Que se passe-t-il ? s'inquiéta Catti-Brie, voyant le visage stupéfait de l'assassin.

Entreri leva les mains, les écarta et se laissa descendre avec un sourire suffisant. Catti-Brie le suivit aussitôt dans le trou, où elle se mit aussi à flotter et descendre lentement dans l'obscurité. Elle retrouva un peu plus bas l'assassin qui, ayant repris son sérieux, replaçait le masque magique sur son visage afin de changer d'apparence.

—Tu es ma prisonnière, dit-il froidement.

Le temps d'une fraction de seconde, elle ne comprit pas et crut qu'il l'avait doublée. Ce n'est que lorsqu'elle atteignit le sol et prit pied près de lui, et quand il lui désigna *Taulmaril*, qu'elle devina ses intentions.

—L'arc, dit Entreri avec impatience.

La voyant vivement secouer la tête, il n'insista pas, sachant à quel point elle pouvait se montrer entêtée. Il s'approcha du mur le plus proche et commença à le palper, si bien que la porte qui donnait sur ce niveau ne tarda pas à s'ouvrir. Deux drows les y attendaient, arbalètes de poing apprêtées, ce qui fit douter Catti-Brie ; peut-être avait-elle eu tort de garder son arc.

Les arbalètes – ainsi que les mâchoires – des gardes tombèrent net quand ils se rendirent compte que Triel Baenre se tenait devant eux !

Entreri attrapa brutalement Catti-Brie et la poussa en avant.

—Drizzt Do'Urden ! s'écria-t-il avec la voix de Triel.

Les soldats ne voulaient pas s'attirer d'ennuis avec la fille aînée Baenre. Leurs ordres ne disaient rien à propos du fait de conduire Triel, ou quiconque en dehors de Matrone Baenre, jusqu'à ce prisonnier de valeur, cependant ils n'avaient pas non plus reçu de consigne au sujet d'une prisonnière humaine. L'un d'eux se précipita en avant et l'autre agrippa Catti-Brie.

Celle-ci se laissa tomber mollement et lâcha son arc, obligeant ainsi un garde et Entreri à la soutenir, chacun d'un côté. L'autre elfe noir se hâta de récupérer *Taulmaril*. La jeune femme ne put réprimer

282

une légère grimace quand elle vit cette splendide arme aux mains de cette créature malfaisante.

Ils avancèrent le long d'un étroit couloir et dépassèrent plusieurs portes renforcées par des barres de fer, jusqu'à ce que le drow qui ouvrait la marche finisse par s'arrêter devant l'une d'elles, tout en produisant une baguette minuscule. Il frotta cet objet contre une plaque métallique disposée à côté de la poignée, puis frappa à deux reprises sur la plaque, ce qui ouvrit enfin la porte.

Il commençait à se retourner, un grand sourire aux lèvres, comme s'il était ravi de rendre service à Triel, quand la main d'Entreri se plaqua contre sa bouche, lui inclinant ainsi la tête sur le côté, suivie de près par la dague de l'assassin, dont la lame plongea dans la gorge du soldat stupéfait.

L'assaut de Catti-Brie ne fut pas aussi parfait mais au moins aussi violent. Elle pivota sur un pied et frappa de son autre jambe le drow en plein ventre, qui alla percuter le mur. Puis elle recula d'un demi-pas et assena un coup de tête sur le nez fragile du drow.

Une rafale de coups de poing s'ensuivit, ainsi qu'un coup de genou dans le ventre, après quoi la guerrière poussa son adversaire dans la pièce et le bloqua d'une clé; passée derrière lui, elle le souleva du sol, ses bras glissés sous les aisselles du drow et ses doigts serrés sur sa nuque.

L'elfe noir s'agita violemment mais fut incapable de se libérer. C'est à cet instant qu'Entreri entra à son tour dans la pièce et se débarrassa du cadavre dans un coin.

— Pas de pitié! grogna Catti-Brie, les dents serrées.

Entreri s'approcha, imperturbable, et le drow se mit à ruer et frappa du pied l'avant-bras de l'assassin, qui essayait de l'immobiliser.

— Triel! s'écria le soldat, qui n'y comprenait plus rien.

Entreri recula, sourit, ôta le masque et, tandis qu'une expression de terreur s'affichait sur le visage du drow impuissant, il lui plongea sa dague en plein cœur.

Catti-Brie sentit son prisonnier tressaillir puis s'affaisser. Le sentiment d'écœurement qui la saisit alors ne dura guère; elle venait d'apercevoir Drizzt, meurtri et enchaîné. Il était suspendu au mur et gémissait, tout en essayant sans succès de se recroqueviller. Catti-Brie lâcha le drow mort et courut rejoindre son cher ami, sur l'estomac duquel elle remarqua aussitôt la fléchette plantée, de toute évidence très nocive.

—Je dois la retirer, dit-elle à Drizzt, espérant le voir acquiescer.

Mais le drow rebelle n'avait plus toute sa conscience. Il semblait même à la jeune femme qu'il ne s'était pas rendu compte de sa présence.

Entreri approcha à son tour et ne jeta qu'un rapide regard à la fléchette avant de s'intéresser aux liens qui entravaient le prisonnier.

Catti-Brie tira sur le projectile et le retira, puis libéra d'un coup l'air qu'elle avait retenu dans la manœuvre.

Drizzt se tortilla et lâcha un cri de douleur avant de sombrer, inconscient.

—Il n'y a pas de cadenas auxquels s'attaquer, gronda Entreri, voyant que les liens étaient constitués de solides anneaux.

—Écarte-toi, lui ordonna Catti-Brie, qui s'éloigna rapidement.

Quand il se retourna vers elle, il la vit lever son arc mortel et obtempéra aussitôt.

Deux tirs suffirent à briser les chaînes. Drizzt tomba et fut rattrapé par Entreri. Le rôdeur blessé, qui parvint à ouvrir un œil enflé, ne comprenait pas ce qu'il se passait et ignorait si ces nouveaux venus étaient des alliés ou des ennemis.

—Les flasques…, supplia-t-il.

Catti-Brie regarda autour d'elle et avisa les rangées de flacons alignées contre le mur. Elle s'y précipita et en trouva un rempli, qu'elle porta à son ami.

—Il ne devrait pas être en vie, déclara Entreri quand elle l'eut rejoint avec la boisson à l'odeur aigre. Ses entailles sont trop profondes. Quelque chose a dû l'aider.

Catti-Brie posa un regard douteux sur le récipient.

L'assassin fit de même et hocha la tête.

—Vas-y, lui ordonna-t-il, sachant qu'ils ne parviendraient jamais à faire sortir Drizzt du domaine Baenre dans cet état.

Catti-Brie appliqua la flasque contre les lèvres de Drizzt et lui inclina la tête en arrière, le forçant ainsi à avaler une large gorgée. Il toussa et cracha et, durant quelques instants, elle redouta de l'avoir empoisonné ou noyé.

—Que fais-tu ici? articula-t-il finalement, les deux yeux soudain grands ouverts, alors que ses forces commençaient à se régénérer en lui.

Malgré cela, il ne pouvait toujours pas se tenir debout et sa respiration restait très hasardeuse.

Catti-Brie courut jusqu'au mur et rapporta plusieurs flacons supplémentaires, qu'elle renifla afin de s'assurer qu'il en émanait la même odeur que du premier, puis elle en versa le contenu dans la gorge de Drizzt. En seulement quelques minutes, le rôdeur parvint à se lever et se maintenir debout sans difficulté, plus que stupéfait de voir son amie la plus chère et son pire ennemi côte à côte devant lui.

—Ton équipement, lui dit Entreri, en le faisant pivoter sans ménagement vers le matériel empilé.

Drizzt regardait surtout l'assassin, plutôt que ses affaires, et se demandait quel sinistre jeu ce personnage jouait. Quand l'humain remarqua cette expression, les deux ennemis s'observèrent l'un l'autre sans ciller.

—On n'a pas l'temps! intervint brusquement Catti-Brie.

—Je te croyais mort, dit Drizzt.

—Tu t'es trompé, répondit calmement Entreri.

Toujours sans ciller, il passa devant le drow et s'empara de la cotte de mailles, qu'il lui tendit.

—Regarde s'il n'y a personne dans le couloir, dit-il ensuite à Catti-Brie.

Celle-ci se retourna juste au moment où la porte barrée de fer s'ouvrit à la volée.

Et laissa entrevoir la longue baguette de Vendes Baenre.

Cinquième partie

L'œil du guerrier

Courage.

Dans toutes les langues, ce mot résonne d'une façon particulière, autant, j'imagine, du fait de la déférence avec laquelle il est prononcé que du véritable son que produisent ces lettres. Courage. Ce mot évoque des images d'actes glorieux et de personnages qui le sont tout autant, comme les visages tendus d'hommes défendant les murs de leur ville face à un raid de gobelins, ou la résistance d'une mère qui s'occupe de ses jeunes enfants alors que le monde qui l'entoure lui est clairement devenu hostile. Dans la plupart des grandes cités des Royaumes, de jeunes enfants abandonnés arpentent les rues, sans parents, sans domicile. Leur courage est unique car ils endurent des souffrances tant sur le plan physique qu'émotionnel.

Je soupçonne Artémis Entreri d'avoir dû livrer de tels combats dans les avenues boueuses de Portcalim. D'un certain point de vue, il en est sans aucun doute sorti vainqueur, il a assurément surmonté nombre d'obstacles physiques et s'est hissé à un rang qui lui a valu un pouvoir et un respect inouïs.

D'un autre côté, Artémis Entreri a perdu, c'est certain. Je me demande souvent ce qu'il serait devenu si son cœur n'avait pas été infecté à ce point. Cela dit, je ne confonds pas ma curiosité avec de la pitié. Les chances d'Entreri n'étaient au départ pas moins bonnes que les miennes. Il aurait pu triompher de ces luttes, dans son corps comme dans son cœur.

Je me pensais courageux, altruiste, quand j'ai quitté Castelmithral, déterminé à mettre un terme à la menace qui planait sur mes amis. Je m'imaginais m'offrir en sacrifice suprême pour le bien de ceux qui m'aimaient.

Quand Catti-Brie est entrée dans ma cellule de la Maison Baenre, quand, les yeux à demi clos, j'ai entrevu ses cheveux et ses traits faussement délicats, j'ai compris la vérité. Je n'avais pas compris quelles étaient mes propres motivations en quittant Castelmithral. J'étais alors trop submergé par un chagrin inconnu pour reconnaître ma propre résignation. Je n'étais pas si courageux en décidant de plonger en Outreterre car, au fond de mon cœur, j'avais le sentiment de ne plus rien avoir à perdre. Je ne m'étais pas autorisé à pleurer Wulfgar, ce vide happait ma volonté et il ne me semblait plus possible de rétablir les choses de façon correcte.

Les êtres courageux ne renoncent jamais à l'espoir.

De même, Artémis Entreri n'a pas non plus fait preuve de courage en venant me sauver aux côtés de Catti-Brie. Ses actes n'étaient alors dictés que par un pur désespoir, car, s'il restait à Menzoberranzan, il était à coup sûr perdu. Ses objectifs, comme toujours, étaient totalement égoïstes. Son sauvetage n'était qu'un choix délibéré, qui correspondait à sa meilleure chance de survie. Il m'a porté secours par calcul et non par courage.

Quand elle quitta Castelmithral pour se lancer à la poursuite de son idiot d'ami drow, Catti-Brie avait sincèrement surmonté le chagrin qu'elle éprouvait vis-à-vis de Wulfgar. Ce processus était parvenu à son terme pour elle et ses actions n'étaient plus motivées que par la fidélité. Elle avait tout à perdre, et pourtant, elle s'est lancée dans la sauvage Outreterre, seule, pour sauver un ami.

J'en suis venu à comprendre cela quand j'ai pour la première fois croisé son regard dans les donjons de la Maison Baenre. J'ai alors pleinement compris la signification du mot courage.

Pour la première fois depuis la mort de Wulfgar, j'ai été inspiré. J'avais jusqu'alors combattu comme un chasseur, avec sauvagerie et sans pitié, mais ce n'est que lorsque j'ai de nouveau songé à mon fidèle ami que j'ai retrouvé l'œil du guerrier. Ma résignation et mon acceptation du destin disparurent soudain ; je ne croyais désormais plus qu'il soit juste que la Maison Baenre obtienne son sacrifice, qu'elle offre mon cœur à Lolth.

Dans ce donjon, les potions de guérison ont redonné des forces à mes membres meurtris et le fait de voir Catti-Brie, sévère et déterminée, en a redonné à mon cœur. Je me suis alors juré de résister, de me battre contre les événements écrasants, pour l'emporter.

Quand j'ai vu Catti-Brie, je me suis rappelé tout ce que j'avais à perdre.

Drizzt Do'Urden

23

Duk-Tak

Elle se saisit d'une flèche, puis leva son arc devant elle au moment où une masse de substance visqueuse verdâtre jaillit de la baguette dans sa direction.

Catti-Brie vit soudain son arme se coller contre sa poitrine quand elle fut propulsée en arrière pour aller se fracasser contre le mur. Un bras douloureusement plaqué contre le torse et l'autre sur la hanche, il lui fut alors impossible de bouger les jambes. Elle ne retomba même pas du mur!

Elle essaya d'appeler à l'aide mais sa mâchoire ne se desserra pas, tandis qu'un de ses yeux ne voulait plus s'ouvrir. Elle y voyait tout juste de l'autre et parvenait tant bien que mal à continuer à respirer.

Entreri se retourna, épée et dague dressées, et plongea sur le côté, vers le milieu de la pièce, devant Catti-Brie, quand il vit entrer les trois drows menaçantes, dont deux le visaient avec des arbalètes de poings chargées.

L'agile assassin se rétablit sur ses pieds d'une roulade et s'élança en avant, se redressant en bondissant sur les agresseurs, avant de plonger de nouveau, épée en tête.

Les elfes noires, rompues à l'art du combat, retinrent leurs coups sans verser dans la feinte de l'humain et redressèrent leurs mains. La première fléchette toucha Entreri à l'épaule et le secoua davantage qu'il s'y était attendu, son élan brusquement brisé alors qu'il s'était redressé. Des arcs noirs d'électricité, se tortillant tels des tentacules formés d'étincelles, jaillirent du projectile et le firent reculer de quelques pas, non sans le brûler au passage.

La deuxième fléchette se planta dans son ventre, et si le choc en lui-même ne fut pas trop douloureux, le considérable arc électrique qui s'ensuivit le projeta à terre. Son épée fut éjectée et manqua de peu Catti-Brie, toujours coincée, près de laquelle il acheva sa glissade.

Il songea immédiatement à lancer sa dague incrustée de bijoux, qu'il tenait encore fermement, cependant il ne put qu'observer, abasourdi, ses doigts se desserrer contre sa volonté et sa prise sur son arme se relâcher. Il aurait voulu voir son bras soulever sa lame mais ses muscles ne répondaient plus, aussi la dague échappa-t-elle bientôt à sa main tremblante.

Décontenancé et effrayé, il était allongé sur les dalles, au pied de Catti-Brie. Pour la première fois de sa vie, ses muscles parfaitement affûtés ne lui obéissaient plus.

Drizzt, quant à lui, s'intéressait principalement à la troisième drow, qui se tenait au milieu du trio : Vendes Baenre, alias Duk-Tak, celle qui l'avait torturé sans pitié durant ces longues journées. Il demeura immobile, la cotte de mailles toujours à bout de bras, sans même oser cligner des paupières. Les soldates qui accompagnaient la cruelle fille Baenre rangèrent leurs arbalètes et dégainèrent chacune deux épées brillantes.

Drizzt crut sa fin arrivée – il s'attendit en tout cas à subir une intrusion magique – quand Vendes se mit à marmonner en toute hâte une incantation.

—Quels amis valeureux, remarqua-t-elle ensuite sur un ton sarcastique, dans une langue commune de la surface parfaite.

Drizzt comprit alors la nature de son sort ; un dweomer qui lui permettait de communiquer avec Entreri et Catti-Brie.

Entreri remua les lèvres d'une étrange façon, l'expression de son visage trahissant sa volonté d'exprimer davantage que des mots compréhensibles.

—Le grand rituel ?

—En effet, répondit Vendes. Ma mère et mes sœurs, ainsi que de nombreuses Mères Matrones invitées, sont rassemblées dans la chapelle. J'ai été exemptée des cérémonies d'ouverture et chargée de

294

leur apporter Drizzt Do'Urden un peu plus tard. (Elle jeta un regard satisfait sur le drow renégat.) Je vois que tes amis m'ont épargné la peine de te forcer à boire des potions de guérison. (Puis elle se tourna vers l'assassin.)

» Et toi, t'attendais-tu sincèrement à entrer par effraction sur le domaine de la Maison Baenre, nous dérober le prisonnier auquel nous attachons le plus de valeur et repartir ? Tu as été repéré avant même de franchir la clôture en toile d'araignée, et une enquête sera menée afin de déterminer comment tes sales pattes ont pu se poser sur le masque de mon frère ! Gromph, ou peut-être ce dangereux Jarlaxle, aura bien des réponses à nous fournir.

» Tu me surprends, l'assassin. Ta réputation n'est plus à faire ; je m'attendais à mieux de ta part. N'as-tu pas compris pourquoi j'avais placé de simples soldats pour garder notre prise si importante ? (Elle posa les yeux sur Drizzt et secoua la tête.)

» Ces prétendus gardes n'étaient évidemment que du consommable.

Drizzt ne bougea pas d'un cil, ne répondit par aucun changement dans son attitude. Il sentait ses forces lui revenir à mesure que les potions de guérison faisaient leur œuvre, ce qui ne ferait néanmoins guère de différence, il en était conscient, face à Vendes et ses deux soldates parfaitement armées et entraînées. Il considéra avec dédain sa cotte de mailles, qui ne lui servirait pas à grand-chose s'il la conservait ainsi en main.

De son côté, malgré son sang-froid retrouvé, Entreri n'était pas au mieux physiquement. Les chocs électriques se poursuivaient, l'empêchant d'esquisser le moindre mouvement. Il parvint tout de même à glisser une main dans une de ses poches, suite à un détail précisé par Vendes, quelque chose qui ressemblait à un vague espoir.

— Nous nous doutions que l'humaine était encore en vie – et sans doute aux mains de Jarlaxle –, mais nous étions loin d'espérer qu'elle nous serait si facilement offerte, continua Vendes.

Entreri se demanda alors si le mercenaire l'avait trahi. Avait-il élaboré ce plan compliqué dans le seul but de livrer Catti-Brie à la Maison Baenre ? Cette hypothèse ne semblait pas logique... cela dit,

295

rares étaient les actions de Jarlaxle, au cours de ces dernières heures, que l'assassin avait estimées sensées.

Entendre parler de Catti-Brie ranima la flamme dans les yeux de Drizzt, qui n'arrivait pas à croire à sa présence ici, à Menzoberranzan. Elle avait tant risqué pour le rejoindre. Où était Guenhwyvar? Bruenor et Régis avaient-ils accompagné Catti-Brie?

Il grimaça quand il se tourna vers son amie, piégée par la substance gluante verte. Comme elle paraissait vulnérable et affreusement sans défense.

Les yeux lavande du drow s'enflammèrent de plus belle quand il regarda de nouveau Vendes. Il ne craignait désormais plus sa tortionnaire, il n'était plus résigné quant à la façon dont tout devait se terminer.

D'un geste vif, il lâcha sa cotte de mailles et dégaina ses cimeterres.

Après un signe de la tête de leur supérieure, les deux soldates s'approchèrent de Drizzt et le cernèrent, une de chaque côté. La première frappa la lame courbe de *Scintillante* de son épée, comme pour exiger qu'il la lâche. Il baissa les yeux sur son cimeterre et comprit que la logique voulait qu'il obtempère.

Au lieu de cela, il fit décrire un large arc de cercle à sa lame, écartant ainsi l'épée de la drow. Son autre arme se redressa aussitôt et para un assaut surgi de l'autre côté avant même qu'il soit déclenché.

—Quel idiot! s'exclama Vendes, de toute évidence ravie. J'ai tellement envie de te voir te battre, Drizzt Do'Urden… puisque Dantrag tient tant à te massacrer.

La façon dont elle avait prononcé ces mots fit s'interroger Drizzt sur celui qu'elle aurait souhaité voir remporter cet éventuel combat. Il n'eut cependant pas le temps de réfléchir aux incessants complots qui avaient cours dans ce monde chaotique, pas quand deux soldates le harcelaient de la sorte.

Repassant en langue drow, Vendes ordonna à ses guerrières de se montrer impitoyables avec Drizzt, sans pour autant le tuer.

Celui-ci s'engagea soudain dans une rotation, telle une hélice, ses lames suivant de dangereuses trajectoires de tous côtés. Il y mit brutalement un terme et frappa l'elfe noire qui se trouvait sur sa gauche, qu'il toucha légèrement, sans véritablement endommager l'extraordinaire armure drow, protection dont il ne bénéficiait pas lui-même.

Ce détail lui fut rappelé quand la pointe d'une épée l'atteignit sur la droite. Grimaçant, il pivota et l'écarta d'un revers de cimeterre avant qu'elle le blesse réellement.

⚔ ⚔ ⚔ ⚔ ⚔

Entreri espérait que Vendes était aussi concentrée sur le combat que ses soldates. En effet, le moindre de ses gestes lui semblait maladroit et peu discret. Il parvint tout de même, d'une main tremblante, à retirer le masque en forme d'araignée de sa poche, puis il tendit le bras et agrippa la ceinture de Catti-Brie.

Hélas, ses doigts affaiblis ne supportèrent pas cet effort et il retomba à terre.

Vendes lui jeta un regard négligent, ricana – elle n'avait manifestement pas remarqué le masque – et reporta son attention sur le combat.

À demi appuyé contre le mur, Entreri tenta de se contrôler de son mieux, de façon à contrer ce redoutable enchantement drow, mais ses efforts se révélèrent vains ; ses muscles ne cessaient de se contracter indépendamment de sa volonté.

⚔ ⚔ ⚔ ⚔ ⚔

L'une des épées, qui frappaient Drizzt de tous côtés, lui entailla douloureusement la joue. Les talentueuses combattantes agissaient en un accord parfait et ne tardèrent pas à l'acculer dans un coin, où il n'eut guère de place pour s'exprimer. Néanmoins, les parades du drow restaient d'excellente facture et Vendes applaudissait ses remarquables efforts, bien qu'inutiles.

Drizzt n'ignorait pas qu'il se trouvait dans de sales draps. Dépourvu d'armure et encore affaibli – malgré les potions magiques qui continuaient à se répandre dans ses veines –, il ne disposait pas de beaucoup de ruses susceptibles de lui permettre de prendre le dessus sur un tandem si efficace.

297

Une épée l'attaqua par le bas ; il sauta par-dessus la lame. Une autre plongea de haut, de l'autre côté, mais Drizzt, qui s'était recroquevillé alors qu'il se trouvait encore dans les airs, la dévia grâce à *Scintillante*. Son autre cimeterre se déchaîna alors devant lui et repoussa deux assauts portés à mi-hauteur, un de chaque soldate, ce qui compléta cette quadruple parade.

Ces incessants coups l'empêchaient de réagir de façon offensive et le contraignaient à demeurer sur les talons et à se défendre selon des angles difficiles.

Il bondissait, se baissait, faisait tournoyer ses lames ici et là, parvenant tant bien que mal à protéger son corps vulnérable de ces épées, même si les légères coupures se multipliaient.

Il jeta un regard désespéré sur Catti-Brie, terrifié à l'idée de ce qu'elle allait bientôt subir.

⚔ ⚔ ⚔ ⚔

Après avoir plusieurs fois tenté de mener ce combat particulier, Entreri s'effondra, vaincu, pensant qu'il lui serait impossible de se défaire du puissant enchantement.

Il n'avait pourtant pas survécu dans les rues de la dangereuse Portcalim et ne s'était pas élevé à la position de chef du monde souterrain de cette cité du Sud en acceptant la défaite. Il révisa son opinion et décida qu'il lui fallait s'adapter aux conditions.

Il leva le bras. Ses doigts ne se refermèrent sur aucune prise – il n'essaya même pas d'en trouver une – mais il plaqua violemment la main contre la substance visqueuse.

Cette colle lui suffisait amplement.

Dans un effort inouï, il plia le bras et se hissa, réduisant ainsi de moitié la distance qui le séparait de la femme piégée.

Catti-Brie l'observait, impuissante et désespérée, sans aucune idée de ses intentions. Elle tressaillit et essaya même de se baisser – bien entendu, sa tête ne bougea pas d'un centimètre – quand le bras libre de l'assassin se détendit, comme si elle craignait qu'il la frappe.

Cette main ne tenait pas la dague incrustée de bijoux mais le masque en forme d'araignée. Catti-Brie y vit plus clair quand celui-ci

298

s'approcha de sa tête. Il eut d'abord un peu de mal à glisser sur son visage, gêné par la matière collante, qui céda instantanément au contact de la puissante magie de cet objet.

Elle fut totalement aveuglée par une vague de substance verte, puis le bas du masque recouvrit son œil ouvert.

Quelques secondes plus tard, son autre œil s'ouvrit.

⚔ ⚔ ⚔ ⚔ ⚔

Des étincelles volaient au milieu de ce combat qui s'intensifiait, les soldates se faisant plus agressives face aux défenses obstinées du renégat.

—Finissez-en! gronda Vendes, impatiente. Immobilisez-le pour que nous le conduisions à la chapelle, où il assistera au sacrifice de cette stupide femme, qui sera offerte à Lolth!

Vendes n'aurait pas pu proférer de menace plus idiote à l'encontre de Drizzt Do'Urden, qui ne supporta pas d'imaginer Catti-Brie, sa chère et innocente Catti-Brie, jetée en pâture à l'ignoble Reine Araignée.

Le Drizzt Do'Urden rationnel céda alors la place aux instincts grandissants du chasseur bestial, du sauvage.

La drow postée sur sa gauche porta un coup mesuré mais l'autre frappa de façon plus incisive, si bien que l'une de ses épées dépassa nettement la pointe du cimeterre de Drizzt chargé de la bloquer.

Bien qu'habile, cette botte parut se dérouler au ralenti pour les sens intensifiés du chasseur. Il laissa l'extrémité de l'épée approcher jusqu'à quelques centimètres de son abdomen avant de l'abattre d'un coup du cimeterre qu'il tenait de la main gauche, sous son autre bras dressé, son autre cimeterre aux prises avec la seconde épée de la drow.

Ses lames se croisèrent alors en une puissante parade en diagonale, alternant les cibles, son bras gauche zigzaguant vers le haut et le droit vers le bas.

Il plongea à genoux et se servit du corps de la soldate la plus proche pour se protéger de son autre adversaire. Sa main droite se fendit et pivota adroitement de façon à faire tourner la lame, qui

299

entailla l'extérieur du genou de la drow. Il enchaîna avec une frappe du gauche au ventre, qui repoussa son ennemie, dont la jambe blessée céda.

Toujours à genoux, le rôdeur se retourna vivement et se défendit du bras gauche alors que l'autre drow se ruait sur lui.

De trop haut. Le cimeterre écarta une épée et l'autre lame ennemie frappa un peu plus bas.

Le second cimeterre l'intercepta, non sans lui avoir laissé le temps de déchirer la peau de Drizzt, à hauteur d'une côte.

Assauts et contres se succédèrent encore, le chasseur ne ressentant aucune douleur de cette dernière blessure, pourtant non négligeable. Vendes n'en crut pas ses yeux quand elle le vit réussir, petit à petit, à se redresser et se lever face à sa redoutable soldate.

L'autre elfe noire se tortillait au sol, une main portée sur sa jambe meurtrie et l'autre sur son estomac ouvert.

—Assez! s'écria Vendes qui, si elle avait apprécié le spectacle, n'avait pas l'intention de perdre ses gardes.

Alors qu'elle tendait sa baguette en direction de Drizzt, un cri perçant éclata:

—Guenhwyvar!

Elle se retourna et vit l'humaine – qui portait le masque en forme d'araignée! – accroupie, loin de la matière collante. Catti-Brie s'élança et lâcha la figurine, récupérant au passage une certaine dague.

D'instinct, Vendes lâcha une autre giclée de substance verte, qui sembla traverser la femme lancée pour s'écraser de façon inoffensive contre le mur.

Quelque peu désorientée et certainement déséquilibrée, Catti-Brie plongea en avant, dague brandie, et parvint à toucher la main de Vendes, qui, grâce à sa baguette, dévia ce coup avant que l'arme mortelle s'enfonce dans sa chair.

Catti-Brie percuta violemment les cuisses de la drow et toutes deux roulèrent à terre, l'humaine essayant de garder sa prise tandis que l'elfe noire tentait de se dégager à coups de pied.

300

Les cimeterres de Drizzt heurtaient les épées de la drow restante avec une telle rapidité que l'on croyait n'entendre qu'un unique et long tintement. Elle soutint son rythme un moment, ce en quoi elle eut du mérite, mais peu à peu ses parades se firent plus tardives face aux bottes incessantes.

D'une épée, elle repoussa *Scintillante*, puis son autre lame se redressa afin d'écarter le second cimeterre.

En réalité, celui-ci n'avait pas été brandi avec force, ce qui éloigna en fin de compte l'épée de la soldate, qui comprit la feinte et fit aussitôt revenir son arme dans la mêlée.

Mais trop tard. Le cimeterre de Drizzt plongea dans l'armure. Il s'offrait ainsi au moindre contre mais son adversaire, sans force et sans vie quand la lame atteignit son cœur, ne réagit que par un soubresaut quand il retira son arme.

$$\times\ \times\ \times\ \times\ \times$$

Une rafale de poings s'abattait sur la tête de Catti-Brie, qui s'accrochait fermement à la cuisse de la drow maléfique. Le masque en forme d'araignée avait été décalé, ce qui l'empêchait de voir ce qu'il se passait, mais la jeune femme avait compris que si Vendes s'emparait d'une arme elle ferait face à un sérieux problème.

À l'aveuglette, elle leva la main et essaya d'attraper le poignet de la tortionnaire. Celle-ci se montra plus vive et dégagea non seulement son bras mais également une jambe. Elle se débattit alors davantage, sans cesser de donner des coups de pied, et fut près de faire perdre connaissance à Catti-Brie.

Elle la repoussa avec force et se libéra. Catti-Brie s'agita alors frénétiquement afin de reprendre la prise qui avait brusquement cédé. Elle hésita, une fraction de seconde, à ôter de son visage le masque, qui la gênait, et poussa un cri de désespoir quand elle vit les pieds de la drow lui échapper trop vite. La fille Baenre se releva en un éclair et sortit de la pièce en courant.

Il ne fut pas difficile pour Catti-Brie d'imaginer ce qu'il se produirait si cette elfe noire parvenait à s'enfuir. Obstinée, elle commençait à se redresser quand elle fut délicatement freinée par

301

une main, tandis que quelqu'un la doublait d'un saut. Elle aperçut Drizzt Do'Urden, pieds nus sur les dalles, se lancer à la poursuite de Vendes.

À peine surgi dans le couloir, Drizzt pivota d'une étrange façon et se jeta si violemment à terre que la jeune femme crut qu'il avait été touché. Elle comprit qu'il s'agissait là d'une manœuvre volontaire de sa part quand un jet de matière collante verte le survola sans l'atteindre.

D'une roulade, il se rétablit et s'élança, tel un félin sur sa proie.

Il fut d'ailleurs suivi par un véritable félin, Guenhwyvar, qui bondit par-dessus Catti-Brie et s'engagea dans le couloir en un virage si parfait, à l'instant où ses coussinets touchèrent les dalles, que Catti-Brie dut se frotter les yeux pour s'assurer qu'elle n'avait pas rêvé.

—*Nau!* s'écria la drow, furieuse, depuis le couloir.

Le guerrier qu'elle avait torturé, qu'elle avait frappé sans pitié, était sur elle, les yeux embrasés par les feux de la vengeance.

Guenhwyvar survint juste derrière lui, voulant à tout prix aider son maître, mais alors qu'elle s'apprêtait à prendre part au combat, un cimeterre avait déjà plongé dans l'estomac de Vendes.

⚔ ⚔ ⚔ ⚔ ⚔

Un gémissement émis depuis le côté attira l'attention de Catti-Brie. Elle se tourna vers la drow blessée et la vit qui rampait vers ses armes.

Catti-Brie réagit instantanément et, toujours au sol, entoura le cou de la soldate de ses jambes, qu'elle serra de toutes ses forces. Deux mains noires se levèrent pour la griffer, pour la frapper, puis la drow se calma. Catti-Brie crut qu'elle se rendait… jusqu'à ce qu'elle remarque que les lèvres de son ennemie remuaient.

Elle jetait un sort !

Suivant son instinct, Catti-Brie planta un doigt tour à tour dans chaque œil de l'elfe noire. Son incantation se mua en un cri de douleur et de rage, avant de se réduire à un sifflement quand l'humaine serra davantage les jambes.

302

La douce et généreuse jeune femme détestait cela de tout son cœur. Tuer la révoltait, en particulier lors d'un tel combat, où il lui faudrait assister aux longues secondes – peut-être à la minute – que durerait l'agonie de son adversaire étouffée.

Elle avisa la dague d'Entreri, non loin de là, et s'en saisit. Des larmes de rage et d'innocence perdue emplirent ses yeux bleus quand elle abattit la lame mortelle.

⚔ ⚔ ⚔ ⚔ ⚔

Guenhwyvar s'arrêta en une glissade. Drizzt retira brusquement la lame enfoncée et recula d'un pas.

— *Nau ?* répéta Vendes, abasourdie.

Alors qu'elle prononçait ce mot, l'équivalent de « non » en langue drow, la redoutable Duk-Tak parut minuscule à Drizzt, presque pitoyable, recroquevillée sur elle-même de douleur et agitée de violents spasmes.

Elle s'effondra aux pieds de Drizzt. Sa bouche s'entrouvrit et forma une dernière fois ce mot de déni, sans qu'aucun son sorte de ses lèvres tremblantes. La lueur rouge de ses yeux s'éteignit alors pour toujours.

24

LA TÊTE LA PREMIÈRE

Drizzt revint dans sa cellule et y vit Catti-Brie, toujours étendue sur le sol, le masque en forme d'araignée en main, haletante tandis qu'elle essayait de reprendre son souffle. Derrière elle, Entreri était suspendu d'une façon étrange par un bras, tordu et collé à la paroi enduite de substance visqueuse.

— Ceci le décollera, expliqua Catti-Brie en lançant le masque à Drizzt. (Le drow attrapa l'objet mais ne fit pas un geste de plus, l'esprit occupé par bien d'autres choses que l'envie de libérer l'assassin, puis elle expliqua ce qui était évident :) Régis m'a tout dit. Je l'ai forcé à me dire la vérité.

— Tu es venue seule ?

Catti-Brie secoua la tête, ce qui ébranla sérieusement Drizzt, qui, l'espace d'un instant, imagina un autre de ses amis en danger, peut-être mort. Quand elle lui désigna Guenhwyvar, le rôdeur laissa échapper un soupir de soulagement.

— Tu es inconsciente ! la tança-t-il.

Ses mots étaient teintés d'autant d'incrédulité que de frustration ; il jeta un regard noir à son amie afin qu'elle se rende bien compte qu'il était furieux.

— Pas plus que toi, lui répondit-elle avec un sourire mélancolique qui fit aussitôt s'effacer la mine renfrognée de l'elfe noir, tout de même ravi de revoir Catti-Brie, malgré ces circonstances dangereuses. Tiens-tu vraiment à en parler maintenant ? Ou préfères-tu attendre d'être de retour à Castelmithral ?

Drizzt ne trouva rien à répondre à cela. Il secoua la tête et se passa la main dans les cheveux. Ses yeux se posèrent ensuite sur le masque, puis sur Entreri, ce qui fit revenir son air sinistre.

—On a conclu un accord, s'empressa de préciser Catti-Brie. Il m'a conduite jusqu'à toi et a promis d'nous faire sortir tous les deux ; on doit maintenant l'guider jusqu'à la surface.

—Et une fois là-haut ?

—Tu le laisses partir de son côté et on part du nôtre.

Catti-Brie s'était exprimée avec fermeté, comme si elle avait besoin d'entendre la force de sa voix pour affirmer sa détermination.

Une fois de plus, Drizzt regarda le masque, puis l'assassin, avec une expression dubitative. Il avait du mal à avaler l'idée de lâcher Artémis Entreri à la surface. Combien d'autres victimes pâtiraient ensuite de ce geste de Drizzt ? Combien seraient terrorisées par cette sinistre entité qu'était Artémis Entreri ?

—Je lui ai donné ma parole, insista Catti-Brie, voyant les doutes visibles de son ami.

Drizzt prit encore un peu de temps pour réfléchir. Il était évident que la présence d'Entreri au cours du voyage qui s'annonçait – en particulier lors des combats qu'ils devraient sans doute livrer pour sortir du domaine Baenre – pouvait s'avérer profitable. Il avait déjà combattu aux côtés de l'assassin en de telles occasions ; à eux deux, ils avaient tout simplement atteint la perfection.

Mais tout de même…

—Je suis de bonne foi, bégaya Entreri à travers des dents claquantes qu'il avait du mal à contrôler. Je… Je l'ai… sauvée.

Il tendit son bras libre vers Catti-Brie mais celui-ci fut violemment attiré en arrière et heurta le mur.

—Tu vas me faire une promesse, alors, décida Drizzt, s'approchant de l'humain.

Il comptait exiger de la part de l'assassin le serment de renoncer à ses activités néfastes et même de l'inciter, une fois à la surface, à se prêter de bon gré à un procès. Entreri le devina instantanément et le devança, sa colère montante lui permettant même un court instant de reprendre le contrôle de ses muscles peu coopératifs.

306

—Hors de question ! gronda-t-il. Contente-toi de ce que j'ai promis à ton amie !

Drizzt se tourna vers Catti-Brie, qui s'était relevée et se dirigeait vers son arc.

—Je lui ai donné ma parole, insista-t-elle en soutenant son regard empli de doutes.

—Et le… temps… presse, ajouta Entreri.

Le rôdeur effectua sans plus attendre les deux pas qui le séparaient encore de son ennemi, sur le visage duquel il appliqua le masque. L'assassin parvint alors à extraire le bras de la matière collante, à la suite de quoi il s'effondra au sol, incapable de simplement se relever, tant ses muscles ne lui obéissaient plus. Drizzt se saisit des flacons de potion restants, espérant qu'ils rendraient ses forces au blessé. Bien que toujours pas entièrement convaincu que le fait de reconduire cet homme à la surface soit le bon choix, il estima qu'il ne pouvait se permettre de prendre le temps d'y réfléchir. Il le libérerait et, ensemble, tous les trois, avec l'aide de Guenhwyvar, ils tenteraient de s'échapper de ce domaine puis de la cité. Il s'occuperait des autres problèmes plus tard.

Quoi qu'il en soit, la question ne se poserait même pas si la magie de la potion de guérison n'agissait pas sur l'assassin, qu'il serait alors impossible pour Drizzt et Catti-Brie de transporter hors de ce lieu.

Entreri se releva dès la première gorgée de la flasque en céramique. Les effets des fléchettes étaient temporaires et s'atténuaient assez rapidement, tandis que la boisson revitalisante accélérait encore la guérison.

Drizzt et Catti-Brie partagèrent un autre flacon et l'elfe noir, après avoir enfilé son armure, en attacha deux – sur les six qu'il restait – à sa ceinture et en donna deux autres à chacun de ses compagnons.

—Il nous faut sortir par le monticule géant des Baenre, dit Entreri, qui se préparait. Le grand rituel est toujours en cours, ça ne fait aucun doute, mais si les minotaures massacrés au niveau supérieur ont été découverts, nous serons probablement attendus par une meute de soldats.

307

—Sauf si Vendes, dans toute son arrogance, est descendue ici seule, fit remarquer Drizzt.

Le ton qu'il avait employé et le regard que lui rendit l'assassin indiquaient qu'aucun des deux guerriers n'envisageait sérieusement cette éventualité.

—La tête la première, déclara Catti-Brie, que les deux autres contemplèrent sans comprendre. Comme les nains. Quand on est dos au mur, il faut baisser la tête et foncer.

Drizzt considéra Guenhwyvar, Catti-Brie et son arc, Entreri et ses lames mortelles, puis enfin ses propres cimeterres : l'effronté Dantrag lui avait bien facilité la tâche en laissant ses effets près de lui, dans l'attente de son combat contre le rôdeur prisonnier !

—Peut-être nous ont-ils coincés, mais je doute qu'ils aient véritablement compris ce qu'ils avaient coincé ! dit-il.

⚔ ⚔ ⚔ ⚔ ⚔

Matrone Baenre, Matrone Mez'Barris Armgo, ainsi que K'yorl Odran, étaient regroupées en un triangle resserré au sommet de l'autel central de l'immense chapelle de la Maison Baenre. Cinq autres Mères Matrones, souveraines des Maisons classées du quatrième au huitième rang dans la hiérarchie de la cité, encerclaient ce trio. Les membres de cette élite, le Conseil régnant de Menzoberranzan, se retrouvaient fréquemment dans la petite pièce secrète qui servait de Chambre du Conseil mais n'avaient pas prié ensemble depuis des siècles.

Matrone Baenre se sentait sincèrement au sommet de sa puissance. Elle les avait toutes rassemblées et avait uni les huit Maisons régnantes en une alliance qui contraindrait Menzoberranzan dans sa totalité à se joindre à son expédition sur Castelmithral. L'acerbe K'yorl elle-même, pourtant si réticente à ce projet et cette alliance, semblait désormais prise par l'excitation croissante. Plus tôt au cours de la cérémonie, K'yorl avait de sa propre initiative proposé de faire partie de la vague offensive. Mez'Barris Armgo – qui ne voulait pas que la souveraine d'une Maison moins bien classée que la sienne brille de façon encore plus sinistre aux yeux de Matrone Baenre – avait aussitôt fait la même offre.

Matrone Baenre était persuadée du plus profond de son cœur maléfique que Lolth était avec elle. Les autres estimant également que la déesse était avec la vieille Mère Matrone, l'alliance avait été fermement scellée.

Elle dissimula parfaitement son sourire durant le restant de la cérémonie, au cours de laquelle il lui fut difficile de se montrer patiente quant au retour de Vendes. Elle l'avait envoyée chercher Drizzt et sa fille était suffisamment expérimentée en matière de rituels drows pour deviner que le renégat ne survivrait sans doute pas à cette cérémonie. Matrone Baenre n'en voudrait pas à Vendes si celle-ci prenait la liberté de le torturer encore un peu. Cependant, Baenre espérait ne pas sacrifier le drow rebelle aujourd'hui. Il lui restait encore de nombreux jeux à pratiquer sur ce prisonnier, sans compter qu'elle souhaitait ardemment offrir à Dantrag une chance de surpasser les autres maîtres d'armes de Menzoberranzan. Néanmoins, ces frénésies religieuses pouvaient à elles seules décider des événements, elle ne l'ignorait pas, et si la situation exigeait que Drizzt soit offert à Lolth, alors elle abattrait avec joie la dague du sacrifice.

Cette idée n'était pas des plus déplaisantes.

⚔ ⚔ ⚔ ⚔

Au premier rang de la structure circulaire, non loin des immenses battants, Dantrag et Berg'inyon devaient effectuer un choix délicat. Un garde les rejoignit et leur murmura qu'un combat s'était déroulé dans le grand monticule, que plusieurs minotaures avaient apparemment été tués et que Vendes et son escorte s'étaient rendues aux niveaux inférieurs.

Dantrag observa les rangées d'elfes noirs assis, jusqu'à l'estrade centrale. Ses autres sœurs étaient toutes présentes, tout comme Gromph, même s'il était certain que celui-ci aurait accepté avec plaisir le fait de ne pas participer à cette comédie dominée par les Matrones. Le grand rituel était une cérémonie au cours de laquelle se succédaient des crescendos et des moments plus calmes. Or les Mères Matrones régnantes, qui tournaient en cet instant de plus en plus

309

vite sur l'estrade, frappant dans leurs mains et lancées dans de vives incantations, étaient à coup sûr en route vers l'un de ces sommets.

Dantrag se tourna vers Berg'inyon, dont le regard passif traduisait qu'il n'avait pas la moindre idée quant à la marche à suivre.

Le maître d'armes sortit de la salle principale, son jeune frère et le garde dans son sillage, tandis que derrière eux le crescendo s'intensifiait et les acclamations se faisaient plus virulentes.

— File vers la clôture, émit-il à Berg'inyon, en langage des signes puisqu'il aurait dû hurler pour se faire entendre. Assure-toi qu'elle est sécurisée.

Berg'inyon hocha la tête et s'engagea dans un couloir qui décrivait une courbe, celui qui menait aux portes latérales secrètes, où il avait laissé son lézard.

Dantrag prit un court instant pour vérifier son équipement. Vendes avait probablement géré le problème – si toutefois problème il y avait –, mais au fond de lui-même il espérait presque que ce ne soit pas le cas et qu'ainsi son affrontement avec Drizzt puisse enfin avoir lieu. Il sentit abonder dans son sens son épée intelligente, qui libéra ensuite une vague de désir violent.

Dantrag laissa ses pensées suivre leur cours ; en plein milieu du grand rituel, il apporterait le cadavre du renégat à sa mère. Les autres Matrones, elle-même et Uthegental Armgo, qui assistait à la cérémonie, seraient témoins de son exploit.

Cette idée n'était pas des plus déplaisantes.

⚔ ⚔ ⚔ ⚔

— La tête la première, articula en silence Catti-Brie quand ils atteignirent le niveau supérieur du cylindre de marbre.

Guenhwyvar, ramassée sur elle-même, était prête à bondir, entourée par Drizzt et Entreri, armes dégainées. Postée derrière la panthère, la jeune femme banda *Taulmaril*.

Une soldate drow de haut rang se présenta quand la porte en marbre s'ouvrit dans un chuintement. Elle écarquilla ses yeux rouges et tenta de se protéger des mains.

310

La flèche de Catti-Brie perça cette faible défense et traversa l'elfe noire avant d'abattre le drow qui la suivait. Guenhwyvar s'élança dans le sillage du projectile, écarta facilement les deux soldats touchés et en percuta de plein fouet plusieurs autres, qui s'éparpillèrent instantanément dans la pièce circulaire.

C'est alors que surgirent Drizzt et Entreri, chacun d'un côté de l'ouverture et guidés par leurs armes déchaînées. Ils revinrent presque aussitôt près de Catti-Brie, les lames ensanglantées.

La guerrière tira encore, entre eux deux, et troua le mur de chair drow qui bloquait l'accès au couloir donnant sur l'extérieur. Puis elle bondit, suivie par ses deux compagnons, dont les armes s'activaient avec brio de chaque côté. Elle décocha une autre flèche, qui cloua un elfe noir sur l'une des portes latérales de la pièce, la dague d'Entreri s'enfonça profondément dans un cœur drow, les cimeterres de Drizzt se croisèrent et bloquèrent une botte avant de la contrer, l'un par-dessus l'autre avant de s'abattre en deux trajectoires diagonales opposées qui tracèrent un X parfait sur la gorge de cet ennemi.

Guenhwyvar était quant à elle en état de grâce. Dans cet endroit bondé, rien au monde n'aurait pu provoquer plus de dégâts et de panique que trois cents kilos de grondements et de griffes furieuses. La panthère sautait ici où là, frappant un drow dans le dos, en faisant trébucher un autre en le mordant à la cheville. À vrai dire, elle ne tua aucun elfe noir au cours de cette violente mêlée, entre la pièce et le couloir, mais en laissa bon nombre blessés et davantage terrorisés tandis qu'ils s'enfuyaient.

Catti-Brie fut la première à entrer dans le couloir.

— Tire sur cette foutue porte ! lui hurla Entreri.

Cet ordre était inutile ; elle décocha deux flèches avant même que l'assassin ait achevé sa phrase. Il lui fut alors difficile de repérer la porte, du fait de la pluie d'étincelles brûlantes, qui jaillirent de tous côtés ; cependant le peu qu'elle parvint à discerner lui parut encore solide.

— Oh non ! Ouvre-toi ! cria-t-elle, craignant qu'ils restent coincés dans ce couloir.

Une fois le calme revenu dans la pièce dont ils venaient de sortir, leurs ennemis les submergeraient. Comme pour augmenter les peurs de Catti-Brie, le couloir fut soudain plongé dans l'obscurité.

Ils ne durent leur salut qu'à la chance, puisque le tir suivant de la jeune femme toucha l'un des mécanismes d'ouverture de la porte, qui commença à s'élever. Catti-Brie se rua à l'aveuglette hors du bâtiment, suivie de près par Drizzt et Entreri, puis enfin Guenhwyvar.

Ils aperçurent alors la traînée résiduelle des emblèmes de Maisons qui brillaient, tandis que plusieurs cavaliers montés sur des lézards fondaient vers la zone où s'étaient déroulés les heurts. Les fuyards ne disposèrent que d'une fraction de seconde pour se décider, les carreaux d'arbalète se fracassant déjà sur les pierres autour d'eux. Entreri prit la tête et songea dans un premier temps à rejoindre la clôture avant de prendre conscience que, à trois et ne possédant qu'un unique masque en forme d'araignée, il leur serait impossible de franchir cette barrière à temps. Il se mit à courir vers la droite, contournant le monticule géant, dont le mur était une paroi inégale, cette structure étant en réalité l'assemblage de plusieurs immenses stalagmites. Pendant que Catti-Brie et Drizzt lui emboîtaient le pas sans hésiter, Guenhwyvar se retourna et s'élança de nouveau sur le seuil, où elle dispersa les poursuivants les plus proches.

Entreri, qui réfléchissait à toute allure, tentait de se souvenir de l'agencement général de ce vaste domaine, ainsi que du nombre de gardes qu'il était vraisemblable de trouver en service et où ils étaient censés être postés. L'immense parc de cette maison s'étendait sur près de huit cents mètres dans une direction et quatre cents dans l'autre ; si l'assassin choisissait le chemin judicieux, ses acolytes et lui-même ne verraient pas trop de gardes entraver leur fuite.

Tous les drows de la maison semblaient pourtant à leurs trousses à présent, convergeant de tous côtés vers les prisonniers échappés.

— Il n'y a nulle part où aller ! s'écria Catti-Brie.

Quand un javelot s'écrasa contre une pierre, juste au-dessus de sa tête, elle se retourna, *Taulmaril* prêt à tirer. L'elfe noir ennemi réagit aussitôt et plongea hors de vue, derrière une colonne proche de la clôture. Catti-Brie tira tout de même. La flèche magique rebondit contre une pierre et se planta dans la barrière, où elle se désintégra en une pluie d'argent et d'étincelles violettes. Durant une fraction de

312

seconde, la guerrière osa espérer avoir par chance provoqué un trou dans cet obstacle. Hélas, quand les étincelles se dissipèrent, elle se rendit compte que la solide clôture n'avait même pas été égratignée.

Tandis que ce tir la laissait songeuse, elle fut brutalement poussée dans le dos par Drizzt, qui la força ainsi à se remettre à courir.

L'assassin suivit un autre chemin et aperçut bientôt de nombreux autres drows lancés dans leur direction. Avec les ennemis si proches, courir sur l'étendue sans abri du domaine aurait relevé du suicide ; malheureusement il leur était impossible de poursuivre en avant ou de rebrousser chemin. Entreri s'élança tout de même droit devant lui, puis vira brusquement à angle droit ; il s'engagea sur une étroite corniche qui grimpait sur un monticule et dont se servaient principalement les esclaves gobelins que la famille Baenre chargeait de sculpter les parois extérieures de ce somptueux palais.

Progresser sur cette saillie n'était pas un problème pour l'assassin, habitué à évoluer loin du sol, sur les étroites gouttières des grandes maisons que l'on trouvait dans les villes du Sud. Drizzt, si agile et doté d'un parfait sens de l'équilibre, ne fut pas davantage gêné. Quant à Catti-Brie, si elle avait pris le temps de réfléchir à cet itinéraire, elle n'aurait sans doute pas été capable de poursuivre. Ils arpentaient désormais un sentier de cinquante centimètres de large, que bordaient un à-pic de plus en plus profond d'un côté et une paroi inégale de l'autre. Les elfes noirs sur leurs talons, aucun des fugitifs n'avait le temps de méditer sur leur escalade. Non seulement Catti-Brie suivait Entreri comme son ombre, mais en plus elle parvint à décocher deux flèches en direction du domaine, en contrebas, simplement pour disperser les ennemis et les forcer à s'abriter.

Entreri crut tomber sur un obstacle quand, au détour d'une courbe, il déboucha sur deux gobelins au travail, qui le contemplèrent d'un air stupide. Terrifiés, les esclaves, qui ne voulaient prendre part à aucun combat, plongèrent sur le côté du sentier et se laissèrent glisser en une chute cahoteuse.

Après la courbe suivante, l'assassin aperçut un grand balcon décoré, à un mètre cinquante du rebord, qui se poursuivait ensuite. Il y bondit et vit qu'un escalier, mieux sculpté, grimpait depuis cet endroit.

Dès qu'il s'y fut réceptionné, deux elfes noires surgirent des portes du fond du balcon, qui donnaient sur l'intérieur du monticule. La première fut cueillie par une flèche au sillage argenté qui la plaqua contre le mur de la pièce creusée. De son côté, Entreri se montra efficace puisqu'il en termina avec la seconde drow avant même que Drizzt et Catti-Brie l'aient rejoint.

Guenhwyvar sauta à son tour et les surprit en se faufilant entre eux pour ouvrir la voie sur la volée de marches.

Ils grimpèrent de plus en plus haut, à quinze mètres, trente mètres, puis plus de cinquante mètres du sol. De plus en plus essoufflés et peu à peu gagnés par la fatigue, ils insistèrent, n'ayant pas le choix. Enfin, quand ils furent parvenus à une hauteur de trois cents mètres, ils constatèrent que la stalagmite se muait en une stalactite. Quant à l'escalier, il débouchait sur des passages horizontaux, qui reliaient entre elles quantité de ces immenses structures pierreuses suspendues au-dessus du domaine Baenre.

Un groupe de drows se présenta alors de l'autre côté d'une passerelle, leur bloquant ainsi la route. Tout en approchant, les elfes noirs se mirent à actionner leurs arbalètes de poing, visant notamment la massive panthère quand celle-ci se lança à l'attaque, oreilles aplaties. Les fléchettes se plantèrent dans le félin et y déversèrent leur poison, sans que cela freine Guenhwyvar. Quand ils en prirent conscience, les derniers membres de ce groupe firent demi-tour et s'enfuirent, tandis que d'autres, qui s'étaient trop approchés du fauve, se jetèrent tout simplement par-dessus la rambarde de la passerelle, après quoi il leur suffit de se servir de leurs pouvoirs innés de lévitation pour se maintenir dans les airs.

Catti-Brie en toucha aussitôt un d'une flèche, dont l'impact fit tourner sur lui-même sur de nombreux tours le drow agonisant, qui finit par s'immobiliser de façon grotesque à l'envers et en diagonale, sa blessure laissant échapper des filets de sang, telle une pluie qui devait s'écraser sur les dalles, quelques centaines de mètres plus bas. Quand ils comprirent à quel point ils étaient vulnérables, les autres elfes en lévitation se hâtèrent de disparaître.

Guenhwyvar plongea sur les elfes restés sur la passerelle, suivie de près par Entreri, qui acheva les drows laissés brisés dans le sillage de la redoutable panthère. Puis il se retourna et appela ses compagnons d'un cri, voyant que l'espace se dégageait devant eux.

Catti-Brie répondit à son appel mais Drizzt conserva le silence. Il savait mieux que les autres à quel point leur situation était catastrophique. Les drows de Matrone Baenre étaient vraisemblablement nombreux à maîtriser la lévitation, une aptitude qu'il avait – pour une raison ou une autre – perdue au bout d'un certain temps passé à la surface. Les soldats Baenre s'élèveraient bientôt à hauteur des passerelles et se dissimuleraient parmi les stalactites, leurs arbalètes de poing prêtes à tirer.

La passerelle se divisait en deux pour contourner la stalactite qui se présentait à présent. Guenhwyvar se dirigea vers la gauche et Entreri vers la droite.

Redoutant une embuscade, ce dernier se lança dans une glissade à genoux pour aborder la courbe, où ne l'attendait qu'une unique drow, le bras tendu. Elle baissa le bras dès qu'elle vit l'humain baissé, tira, mais manqua sa cible. L'assassin lui planta son épée dans les côtes et se redressa brusquement. N'ayant pas le temps de livrer un combat prolongé, il se servit de son arme comme d'un levier et fit basculer la drow par-dessus la balustrade.

Drizzt et Catti-Brie entendirent un rugissement et virent un elfe noir, frappé par la panthère, tomber de même dans le vide, sur la gauche. Alors qu'elle s'apprêtait à s'engager de ce côté, Catti-Brie entendit un sifflement derrière elle. Elle se retourna au moment où la cape verte en loques de Drizzt se déployait en hauteur. La jeune femme eut le réflexe de se baisser, puis avisa une fléchette plantée dans l'épais vêtement, un carreau qui avait pris la direction de sa nuque.

Drizzt laissa retomber la cape et rejoignit d'un bond Catti-Brie, qui bénéficia ainsi d'une vue dégagée sur la passerelle, derrière eux, où un groupe de drows approchait rapidement.

Aucune arme au monde ne valait *Taulmaril* sur un étroit passage tel que celui-ci.

Les filets argentés s'ajoutèrent les uns aux autres sur sa longueur et blessèrent plusieurs elfes noirs. Alors qu'elle se sentait capable de contenir ces assauts indéfiniment, jusqu'à ce que tous leurs poursuivants aient été abattus, Catti-Brie fut soudain attrapée à hauteur des épaules par Drizzt, qui la tira sur le côté avant de la plaquer au sol et la recouvrir de son corps, à mi-chemin du contournement de la stalactite.

Un éclair foudroya à cet instant la pierre, précisément là où ils s'étaient trouvés une seconde auparavant, et les arrosa tous deux d'étincelles multicolores.

— Foutu sorcier! s'écria la fougueuse jeune femme, qui se redressa sur un genou et tira encore, pensant avoir repéré le mage.

Sa flèche plongea sur le groupe en approche mais heurta quelque barrière magique et explosa dans le vide.

— Foutu sorcier! répéta-t-elle avant de se mettre à courir, entraînée par Drizzt.

De l'autre côté de la stalactite, la passerelle était dégagée, ce qui permit aux fuyards de distancer leurs poursuivants, ces derniers ayant dû prendre garde à une éventuelle embuscade près du pilier.

Ils évoluaient désormais dans un véritable labyrinthe, constitué de nombreuses passerelles qui se croisaient au-dessus de l'immense domaine et où très peu de soldats Baenre étaient visibles. Ils avaient de nouveau le sentiment de pouvoir aisément s'enfuir… mais vers où?

La caverne qui contenait Menzoberranzan s'ouvrait devant eux, en dessous d'eux – cependant les passerelles s'interrompaient dès qu'elles atteignaient l'enceinte du domaine Baenre, et ce dans chaque direction. D'autre part, rares étaient les stalactites à descendre suffisamment bas pour leur permettre de rejoindre les grands monticules, lesquels auraient pu leur offrir un accès vers le sol.

Guenhwyvar, qui manifestement partageait ces pensées, recula et revint près du groupe, dont Entreri reprit la tête. Il parvint bientôt à un embranchement et se retourna vers Drizzt pour lui demander conseil, ce à quoi le drow ne répondit que par un haussement d'épaules. Les deux guerriers chevronnés étaient conscients que les défenses s'organisaient à grande vitesse autour d'eux.

Ils atteignirent un autre pilier et suivirent le chemin qui le contournait en prenant de la hauteur. Ils y trouvèrent une porte, car cette colonne était creuse, mais derrière laquelle ne se trouvait qu'une seule pièce vide… et nul endroit où se cacher. Au sommet de ce chemin grimpant, les passerelles se poursuivaient suivant deux directions. Entreri opta pour la gauche puis s'arrêta net et se jeta au sol, sur le dos.

Un javelot le frôla et vint se planter dans la stalactite, juste devant le visage de Catti-Brie, qui vit ses tentacules noirs s'agiter le long du manche encore tremblant et mordre, faire craqueler la pierre. Elle ne put qu'imaginer la douleur que cet enchantement maléfique devait provoquer.

—Des cavaliers montés sur lézards, lui murmura Drizzt à l'oreille, la tirant encore.

Elle regarda autour d'elle, en quête d'un ennemi sur qui tirer, et entendit les pas précipités des lézards souterrains lancés au galop sur la voûte de la caverne. Malheureusement, la faible lueur que lui procurait son bandeau magique ne suffit pas à lui désigner clairement ses cibles.

—Drizzt Do'Urden! s'écria quelqu'un, depuis une passerelle parallèle disposée un peu plus bas.

Drizzt se figea et regarda dans cette direction, où il vit Berg'inyon Baenre, juché sur son lézard et suspendu sous le rebord le plus proche de la passerelle, qui s'apprêtait à lancer un javelot. Le tir du jeune Baenre fut remarquable, considérant la distance et l'angle inhabituel, mais son arme manqua tout de même sa cible.

Catti-Brie riposta d'un tir au moment où le cavalier se repliait sous le pont de pierre. La flèche rebondit contre la roche et plongea pour se perdre vers le sol, loin en contrebas.

—C'est un Baenre, lui révéla Drizzt. Et très dangereux, qui plus est!

—C'était…, lui répondit posément Catti-Brie, avant de tirer de nouveau, cette fois en visant le centre de la passerelle inférieure. Le projectile magique s'enfonça dans la pierre et l'on entendit aussitôt après un hurlement.

Berg'inyon chuta du pont, suivi par son lézard tué, puis, une fois hors de vue de ses ennemis, le jeune noble fit appel à ses pouvoirs de lévitation afin de se rétablir dans les airs et se laisser lentement descendre vers le sol de la caverne.

317

Impressionné par ce tir remarquable, Drizzt déposa un baiser sur la joue de Catti-Brie, après quoi ils s'élancèrent pour rejoindre Entreri et Guenhwyvar. Après avoir contourné la stalactite suivante, ils virent l'assassin et la panthère embrocher un autre elfe noir.

La situation semblait toutefois désespérée et leurs réactions vaines. Ils pouvaient remporter de mineures victoires des heures durant sans pour autant réduire les forces de la Maison Baenre. Pire, les défenses du domaine s'organiseraient tôt ou tard ; la Mère Matrone et les hautes prêtresses, probablement accompagnées par une bonne poignée de sorciers, sortiraient de la chapelle en forme de dôme pour se joindre à la traque.

Ils empruntèrent un sentier qui contournait une stalactite, se dirigeant ainsi vers les niveaux supérieurs aménagés de la caverne. Ils n'ignoraient pourtant pas que, tapis dans les ombres sur leurs montures reptiliennes, d'autres drows les attendaient un peu au-dessus, où ils s'appliquaient à choisir leurs cibles.

Guenhwyvar s'arrêta soudain, puis bondit vers le haut et disparut dans un amas de pierres suspendues à facilement sept ou huit mètres de la passerelle. La panthère retomba tout en griffant le lézard qu'elle avait attrapé. Sans cesser de se mordre, les deux animaux s'écrasèrent puis roulèrent sur le chemin dallé, si bien que Drizzt crut un instant voir Guenhwyvar basculer dans le vide.

Entreri, qui avait freiné sa course dans un dérapage à une distance prudente des deux bêtes en plein combat, vit Drizzt le doubler et abattre ses cimeterres sur le lézard enchevêtré.

Catti-Brie eut la sagesse de garder un œil tourné vers le haut. Ainsi, quand un drow se laissa lentement glisser hors de l'abri qu'offrait l'amas de stalactites, *Taulmaril* était prêt à agir. L'elfe noir lâcha un carreau, en vain puisque le projectile se fracassa contre la pierre, derrière Catti-Brie, qui répondit d'un tir qui emporta la pointe de la stalactite à côté de laquelle se tenait cet ennemi.

Celui-ci comprit instantanément qu'il lui serait impossible de l'emporter face à cette humaine et son arc mortel. Il prit aussitôt la fuite parmi les formations rocheuses, desquelles il bondit, semblant voler contre la voûte de la caverne. Une autre flèche se planta dans

318

la pierre, non loin derrière lui, suivie d'une troisième, qui celle-ci le devança, percutant l'endroit précis auquel il allait s'accrocher.

Le drow se retrouva coincé, en pleine lévitation dans les airs, sans la moindre prise, cinq ou six mètres au-dessus de la passerelle. Il aurait alors été bien inspiré de relâcher son sort de lévitation et ainsi de se laisser tomber de façon à s'éloigner du niveau où se trouvait Catti-Brie. Au lieu de cela, il s'éleva davantage, à la recherche de la sécurité qu'offraient les niches du plafond inégal.

Catti-Brie visa pour tuer et tira. La flèche au sillage argenté transperça le malheureux avant de se volatiliser contre la voûte de la caverne, dans laquelle elle disparut. Une fraction de seconde plus tard, une seconde détonation se produisit, un peu plus haut, quelque part au-dessus du toit de la caverne.

Catti-Brie leva les yeux, étonnée, et se demanda à quoi était due cette nouvelle explosion.

25

LA FUITE DÉSESPÉRÉE

Matrone Baenre se gonflait d'orgueil tandis que le rituel se poursuivait, aucunement gênée par les événements qui se déroulaient sur son domaine. Elle ignorait que Dantrag et Berg'inyon étaient sortis de la chapelle, tout comme elle ignorait que sa terrible Duk-Tak était morte, tuée par ce même renégat qu'elle espérait bientôt exposer devant les autres Mères Matrones régnantes.

L'esprit de Matrone Baenre n'était pour l'heure occupé que par la saveur du pouvoir. Elle avait monté et dirigeait la plus puissante alliance de l'histoire drow récente. Elle avait déjoué les plans de K'yorl Odran, toujours rusée, et avait pour ainsi dire intimidé Mez'Barris Armgo, la drow la plus influente de la cité après elle. Lolth couvait d'un regard souriant la Mère Matrone de la Maison Baenre, c'était certain.

Elle n'entendait que les chants, et non les échos des combats, et ne voyait, en levant les yeux, que la splendide représentation de la Reine Araignée, qui passait alternativement de sa forme arachnide à sa forme drow et vice versa. Comment aurait-elle pu – elle ou quiconque parmi ceux qui contemplaient ce spectre avec ce même respect mêlé d'admiration – deviner que, trois cents mètres au-dessus du dôme de cette chapelle et parmi les stalactites et passerelles du domaine Baenre, se déroulait un combat sans merci ?

—Un tunnel! s'écria Catti-Brie.

Elle agrippa Drizzt par l'épaule et l'orienta vers le drow mort, qui tournait toujours sur lui-même en lévitation.

Drizzt la regarda sans comprendre.

—Au-dessus! insista-t-elle, avant de lever son arc et de décocher une flèche, qui s'écrasa sur la base d'une stalactite sans la transpercer. Y en a un là-haut, j'te dis! Un autre tunnel, au-dessus d'la caverne!

Drizzt jeta un regard dubitatif dans la direction concernée, non pas qu'il remette en cause l'affirmation de son amie; il n'avait simplement pas la moindre idée de la façon dont ils pourraient accéder à ce supposé tunnel. Malgré sa proximité puisqu'elle n'était située qu'à une dizaine de mètres de leur position actuelle, qu'elle dominait de moins de un mètre en altitude, la passerelle la plus proche de cet endroit en était éloignée de trois bons mètres et n'était en outre accessible qu'après plusieurs centaines de mètres d'un parcours circulaire.

—Qu'y a-t-il? s'exclama Entreri quand il eut rejoint ses compagnons hésitants.

Il aperçut alors de nombreuses silhouettes de drows qui se rassemblaient de l'autre côté de la passerelle.

—Il y a peut-être un tunnel au-dessus de nous, expliqua Drizzt.

La mine sinistre que prit l'assassin indiqua qu'il avait du mal à admettre cette hypothèse – cependant ses doutes ne firent que motiver davantage Catti-Brie. Elle leva son arc et lâcha quelques flèches, les unes après les autres, visant systématiquement la base de cette stalactite résistante.

Une boule de feu explosa sur leur passerelle, non loin derrière eux. La structure du pont vibra et menaça de se briser quand le métal et la pierre se désagrégèrent à cet endroit.

Catti-Brie se retourna et tira rapidement deux flèches, tuant ainsi un drow et repoussant les autres derrière l'abri qu'offrait la colonne la plus proche. Un peu plus loin, quelque part dans l'obscurité, Guenhwyvar grogna et des arbalètes s'armèrent.

—Il faut partir d'ici! dit Entreri, qui attrapa Drizzt et tenta de l'entraîner.

Le rôdeur ne le suivit pas et regarda, confiant, Catti-Brie décocher sur le côté une autre flèche, qui percuta violemment la pierre affaiblie.

La concrétion visée émit un gémissement de protestation et glissa d'un côté, selon un angle bizarre, avant de céder et chuter dans le vide. Le temps d'un instant, Drizzt crut qu'elle allait se fracasser sur le dôme pourpre et étincelant de la chapelle, mais elle s'écrasa un peu plus loin sur le sol dallé, où elle fut réduite en miettes.

Il écarquilla les yeux, une expression clairement teintée d'espoir sur le visage, quand ses oreilles sensibles notèrent un bruit en provenance du trou.

—Un courant d'air, haleta-t-il. Qui sort du tunnel!

C'était la vérité. L'inimitable bruit du vent débouchant d'une galerie se faisait entendre depuis le trou pratiqué dans la voûte à mesure que la pression de l'air piégé dans les grottes supérieures se réduisait pour correspondre à celle de l'immense caverne.

—Comment allons-nous nous hisser là-haut? se demanda Catti-Brie.

Entreri, désormais convaincu, farfouillait déjà dans son sac, duquel il sortit un filin muni d'un grappin, qu'il ne tarda pas à faire tourner autour de lui et accrocha dès sa première tentative sur la passerelle la plus proche du trou. Il se précipita ensuite vers la balustrade du pont sur lequel ils se trouvaient et y noua la corde. Sans hésiter une seconde, Drizzt y bondit et se mit à progresser prudemment, avant d'accélérer l'allure tandis qu'il prenait confiance.

Cette assurance fut coupée net quand un elfe noir apparut soudain, émergeant d'un enchantement d'invisibilité, et abattit son épée affûtée sur le filin.

Drizzt se coucha aussitôt et s'accrocha de son mieux à la corde, qui fut rompue dès le deuxième coup, du côté du grappin. Drizzt se retrouva en train de se balancer, tel un pendule, trois mètres plus bas que ses compagnons restés sur la passerelle.

Le sourire suffisant du drow ennemi fut vite effacé par une flèche au sillage argenté.

Drizzt entreprit de grimper, puis s'interrompit et tressaillit quand une fléchette le frôla en sifflant, suivie d'une autre. Il baissa

323

alors les yeux et aperçut des soldats en lévitation qui approchaient tout en tirant.

Entreri tira de toutes ses forces sur le câble afin d'aider le rôdeur à se rétablir sur la passerelle. Dès que ce dernier en eut atteint le rebord, il le hissa et lui prit la corde, qu'il regarda d'un air dubitatif, se demandant comment, par les Neuf Enfers, il était censé l'accrocher de nouveau sur le pont éloigné sans crochet à son extrémité. Il lâcha un grognement de détermination et fit un nœud coulant, puis se tourna vers la passerelle, en quête d'un endroit à viser.

Un genou par-dessus la rambarde pour rejoindre les deux autres, Drizzt était sur le point de se rétablir sur ses pieds quand une tonitruante explosion secoua la passerelle, juste en dessous d'eux. Catti-Brie fut déséquilibrée, tout comme le rôdeur, qui se retrouva suspendu de nouveau, cette fois par le bout des doigts, ce qui lui permit de constater que la pierre de la passerelle s'était nettement fissurée à l'endroit où se trouvait son amie.

Un carreau d'arbalète heurta la pierre juste devant le visage du drow, puis un autre toucha la semelle d'une de ses bottes, sans toutefois la traverser. Puis il fut soudain illuminé, sa silhouette mise en évidence par des lueurs féeriques qui en faisaient une cible d'autant plus facile à atteindre.

Il jeta un regard vers le bas. Voyant les elfes noirs tout proches, il fit appel à ses propres aptitudes innées et invoqua une sphère de ténèbres devant eux. Il se hissa ensuite sur la passerelle, où il trouva Catti-Brie occupée à échanger des salves de projectiles avec les elfes noirs qui les suivaient, pendant qu'Entreri tirait sur la corde et le nœud coulant sans cesser de jurer.

— Impossible de l'accrocher ! gronda-t-il, sans qu'il soit utile de préciser les conséquences de ces échecs.

Derrière et en dessous d'eux, les drows s'approchaient inexorablement du petit groupe, alors que la passerelle, affaiblie par les assauts de magie, ne semblait plus sûre. Comme pour ponctuer leur perte, ils virent alors Guenhwyvar, visiblement en plein repli, les rejoindre à toute allure.

— On va pas s'rendre, murmura Catti-Brie, les yeux emplis de détermination.

324

Elle décocha une autre flèche vers le bas et s'allongea à plat ventre et s'accrocha au rebord. Le sorcier drow, qui montait toujours, venait de sortir de la sphère de ténèbres de Drizzt, une baguette pointée sur la passerelle.

Le flèche de Catti-Brie frappa de plein fouet cette baguette, qui fut détruite, puis entailla l'épaule de l'elfe noir. Celui-ci poussa un hurlement, qui tenait davantage de la terreur que de la douleur, quand il considéra sa baguette brisée et l'énergie magique qui allait s'en échapper. Avec une loyauté typique de drow, il jeta cet objet, qui plongea dans l'obscurité, au milieu de ses camarades qui s'élevaient également. Il se concentra sur sa lévitation et se hâta de s'éloigner des boules de feu invisibles qui éclataient parmi les cris horrifiés de ses compagnons agonisants.

Il aurait été bien inspiré de regarder vers le haut ; il ne sut jamais ce qui l'avait touché quand la flèche suivante de Catti-Brie lui brisa la colonne vertébrale. Cette menace éliminée, en tout cas ralentie, la jeune femme se redressa à genoux et lâcha un autre tir de barrage sur les elfes noirs têtus qui ne cédaient pas, de l'autre côté de la passerelle. Leurs arbalètes de poing ne pouvaient l'atteindre, pas plus qu'ils ne pouvaient espérer jeter leurs javelots sur une telle distance, néanmoins elle devinait qu'ils avaient quelque chose en tête, qu'ils se préparaient, d'une façon ou d'une autre, à frapper fort.

Guenhwyvar n'était pas une panthère ordinaire ; elle était d'une intelligence qui dépassait de loin la norme de sa race féline. Quand elle eut rejoint les compagnons cernés, elle comprit instantanément leurs ennuis et leurs espoirs. Bien que sévèrement blessée, une dizaine de carreaux plantés dans la peau, elle n'en soutenait pas moins son maître d'une loyauté sans bornes.

Entreri recula et poussa un cri quand elle se précipita et lui arracha la corde des mains. L'assassin eut le réflexe de dégainer ses armes, pensant que le félin se préparait à l'attaquer, mais Guenhwyvar s'immobilisa en glissant – ce qui repoussa à la fois Entreri et Drizzt de près de un mètre –, pivota à quatre-vingt-dix degrés et bondit, s'envolant dans les airs.

Elle essaya de se stabiliser, ses griffes sorties labourant la pierre molle de la passerelle visée, mais son élan trop important la fit basculer de l'autre côté, où elle parvint à rester accrochée à la corde, suspendue à quelque cinq ou six mètres du pont.

Plus inquiet pour la panthère que pour lui-même, Drizzt s'élança aussitôt sur le filin tendu, sans se soucier du fait que la prise de Guenhwyvar était au mieux hésitante.

Entreri attrapa Catti-Brie et la poussa à suivre le drow.

— J'sais pas marcher sur une corde! se plaignit-elle, désespérée.

— Alors apprends! lui répliqua avec virulence l'assassin, avant de la pousser si violemment qu'elle manqua de peu de chuter de la passerelle.

Elle posa un pied sur le câble et commença à y porter son poids, puis recula aussitôt après en secouant la tête.

D'un bond, Entreri la doubla et se réceptionna sur le filin.

— Continue à tirer et tiens-toi prête à détacher ce bout de la corde! lui dit-il.

Catti-Brie ne comprit pas pourquoi Entreri lui demandait cela mais elle n'eut pas le temps de le questionner; il s'éloigna rapidement sur la corde, aussi à l'aise que l'avait été Drizzt. Elle décocha donc quelques flèches derrière elle, puis dut se retourner et riposter de l'autre côté, en direction des drows qui avaient poursuivi Guenhwyvar.

De plus en plus pressée, elle n'avait plus le temps de viser, tandis qu'elle pivotait sans cesse des deux côtés, et ses flèches ne touchaient plus que rarement leurs cibles.

Elle prit une profonde inspiration et se prit à regretter, en toute sincérité, l'avenir qu'elle ne connaîtrait jamais. Ce soupir laissa cependant la place à un sourire résigné mais déterminé; si elle devait mourir, elle était bien décidée à emporter ses ennemis avec elle et offrir sa liberté à Drizzt.

⚔ ⚔ ⚔ ⚔ ⚔

Certains drows présents dans la chapelle Baenre avaient entendu et ressenti la chute de la stalactite sur le sol du domaine, de façon très vague toutefois, en raison des épaisses pierres qui formaient les murs de ce bâtiment et des deux mille voix drows entonnant leurs chants à la gloire de Lolth.

Matrone Baenre ne fut prévenue de cette chute qu'un peu plus tard, quand Sos'Umptu, sa fille responsable des affaires de la chapelle, trouva l'occasion de lui murmurer qu'un problème s'était peut-être produit sur le domaine.

Il en coûtait à Matrone Baenre de penser à autre chose qu'à cette cérémonie. Elle avisa les visages des autres Mères Matrones, ses uniques rivales potentielles, et demeura convaincue qu'elles lui étaient désormais totalement dévouées, à elle ainsi qu'à son plan. Elle permit tout de même à Sos'Umptu d'envoyer – discrètement – quelques membres de la garde d'élite de la chapelle voir ce qu'il se passait.

La Première Mère Matrone reporta son attention sur ses congénères, souriant comme si rien de particulier – en dehors, bien entendu, de cet extraordinaire rassemblement – ne se produisait. Matrone Baenre avait une telle confiance dans le pouvoir de sa Maison que ses seules craintes, en cet instant, étaient de voir quelque chose perturber la sanctification de cette cérémonie et risquer de la dévaloriser aux yeux de Lolth.

Elle était loin d'imaginer les acrobaties des trois fuyards et de la panthère, loin, très loin au-dessus d'elle.

⚔ ⚔ ⚔ ⚔ ⚔

Penché par-dessus le pont et occupé à encourager sa chère compagne blessée, Drizzt n'entendit pas Entreri poser le pied sur la pierre, derrière lui.

—On ne peut plus rien pour la panthère! lâcha sans ménagement l'assassin.

Drizzt se retourna aussitôt et remarqua que Catti-Brie se trouvait dans une situation désastreuse, de l'autre côté du câble.

—Tu l'as laissée! s'écria-t-il.

—Elle n'a pas pu traverser! lui cracha au visage Entreri. Pas encore, en tout cas.

Furieux, Drizzt songea à dégainer ses lames, mais son ennemi juré ne lui accorda aucune attention et se tourna vers Catti-Brie

327

qui, agenouillée sur la pierre, s'affairait sur quelque chose qu'il ne discernait pas.

—Détache la corde! lui cria-t-il. Accroche-la à toi et lance-toi dans le vide!

Drizzt, qui se sentit incroyablement idiot de ne pas avoir compris plus tôt les intentions de l'assassin, relâcha les poignées de ses armes et plongea pour aider ce dernier à empoigner le filin. Dès que Catti-Brie aurait dénoué l'autre extrémité, trois cents kilos de pression – la panthère en chute libre – tireraient dessus. Drizzt n'espérait guère qu'Entreri et lui puissent retenir l'animal très longtemps mais ils devaient adoucir cette traction de façon que Catti-Brie puisse s'accrocher au câble.

La jeune femme ne donnait pas l'impression de s'occuper de la corde, malgré les cris d'Entreri et les elfes noirs qui approchaient des deux côtés. Quand elle se décida enfin, elle se releva aussitôt.

—C'est trop serré! cria-t-elle.

—Bon sang, elle n'a pas de lame, grogna Entreri, comprenant son erreur.

Drizzt dégaina alors *Scintillante* et bondit sur le filin, déterminé à mourir aux côtés de sa chère Catti-Brie. Celle-ci cala *Taulmaril* sur son épaule et s'engagea sur le passage de fortune, non sans une expression de terreur pure dessinée sur le visage. Elle progressa suspendue au câble, qu'elle serrait des mains et des genoux, de trois mètres, puis de cinq, à mi-distance de ses compagnons.

Les elfes noirs se précipitèrent, voyant qu'ils n'étaient plus menacés par ces redoutables flèches, et les éléments de tête atteignirent bientôt la corde, arbalètes de poing dressées, avec Catti-Brie dans le rôle de la cible facile!

C'est alors que ces drows freinèrent net et commencèrent à s'éparpiller en toute hâte, certains allant même jusqu'à sauter de la passerelle.

Drizzt, qui ne comprenait pas ce qu'il voyait, n'eut pas le temps d'y réfléchir; une boule de feu explosa sur l'autre pont, exactement entre les deux groupes d'elfes noirs sur le point de se rejoindre. Des murs de flammes se déroulèrent jusqu'à lui, l'obligeant à reculer en se protégeant des mains.

Une fraction de seconde plus tard, Entreri poussa un cri et la corde, brûlée de l'autre côté, commença à leur échapper, Guenhwyvar faisant bien plus que compenser le poids de Catti-Brie.

Entreri et Drizzt se montrèrent suffisamment vifs pour plonger et se saisir du câble quand celui-ci cessa de défiler ; ayant compris que la prise hésitante de Catti-Brie céderait quand elle se fracasserait sur le côté de la passerelle, la valeureuse Guenhwyvar avait lâché la corde et plongé dans les ténèbres.

La passerelle de l'autre côté de la corde se brisa à cet instant en morceaux, dont l'un écrasa un drow en lévitation, qui avait survécu à l'explosion de la baguette, et fit chuter les elfes noirs encore présents sur la plate-forme. Ceux qui ne moururent pas dans la déflagration étaient pour la plupart capables d'entrer en lévitation et ne se tuaient donc pas en se fracassant au sol, cependant ce contretemps offrait un répit non négligeable aux prisonniers évadés.

Le visage rougi par la chaleur et la cape parsemée de flammèches dansantes, Catti-Brie eut la présence d'esprit de tendre le bras et d'attraper la main de Drizzt.

— Renvoie Guen ! le supplia-t-elle, à bout de souffle, les poumons endoloris.

Drizzt comprit instantanément ; sans lâcher son amie, il plongea la main dans la sacoche de la jeune femme et en sortit la figurine, puis ordonna à Guenhwyvar de s'en aller. Il ne lui restait plus qu'à espérer que la magie agisse avant que la panthère s'écrase au sol.

Il hissa ensuite Catti-Brie sur la passerelle et l'étreignit avec force. Pendant ce temps, Entreri avait récupéré le grappin et le détachait de la pierre. D'un jet adroit, il l'expédia ensuite dans le trou qu'avait provoqué Catti-Brie en brisant la stalactite.

— Vas-y ! dit-il à Drizzt.

Le drow se hissa aussitôt, une main après l'autre, tandis que l'assassin attachait la corde sur la rambarde métallique. Catti-Brie s'élança ensuite, pas aussi rapidement que Drizzt, ce qui lui valut d'être agonie d'injures par Entreri, qui estimait que sa lenteur permettrait à leurs ennemis de les rattraper.

Drizzt voyait déjà des elfes noirs en lévitation s'élever depuis le sol de la caverne, sous la position qu'ils occupaient désormais, sachant qu'il leur faudrait tout de même quelques minutes pour atteindre leur hauteur.

—C'est bon! cria-t-il depuis le tunnel.

Ils furent tous les trois immensément soulagés d'apprendre qu'il se trouvait véritablement une galerie là-haut et non pas simplement une petite niche!

Entreri détacha le filin, désormais suspendu à la verticale du trou, et se mit à y grimper.

Drizzt aida Catti-Brie à entrer dans le tunnel et considéra l'homme qui les rejoignait. Il lui aurait été facile de couper ce câble et de faire chuter Entreri jusqu'à sa mort, le monde y aurait d'ailleurs certainement gagné, mais l'honneur liait Drizzt à sa parole, ainsi qu'à celle de Catti-Brie. L'assassin avait fait de son mieux pour les aider à sortir de ce lieu, c'était indéniable, et le drow ne comptait pas à présent agir d'une façon si traîtresse.

Il agrippa l'humain quand celui-ci approcha du tunnel et le hissa. *Taulmaril* en main, Catti-Brie revint au bord du trou, prête à tirer sur d'éventuels elfes noirs sur le point de les rejoindre. Elle remarqua alors les lueurs féeriques violettes de l'immense dôme de la chapelle, presque exactement en dessous d'elle, et imagina l'expression des drows y assistant au grand rituel si Guenhwyvar avait transpercé ce toit. Cette pensée fit surgir d'autres idées dans son esprit; un sourire cruel sur le visage, elle regarda encore le dôme, puis la voûte qui le surplombait.

Le tunnel était naturel et inégal mais suffisamment large pour permettre aux trois fuyards d'y évoluer de front. Un éclair troua les ténèbres un peu plus haut, révélant aux compagnons qu'ils n'étaient pas seuls.

Drizzt se rua en avant, cimeterres en main et avec l'idée de dégager le passage en tête. Entreri fit mine de le suivre puis hésita quand il vit que Catti-Brie s'engageait inexplicablement dans la direction opposée.

—Où vas-tu? lui demanda-t-il, sans recevoir de réponse.

La guerrière se contenta d'encocher une flèche tout en comptant ses pas.

Elle fit un écart et poussa un cri quand, à hauteur d'un passage latéral, un soldat drow bondit sur elle. Avant qu'il ait eu le temps de brandir son épée, une dague lancée vint se planter dans sa cage thoracique. Entreri se précipita pour repousser un autre drow, qui suivait le premier, et ordonna à Catti-Brie de courir rejoindre Drizzt.

— Retiens-les ! lui répondit-elle, sans aucune autre explication, tandis qu'elle poursuivait dans la direction opposée.

— Les retenir ? répéta Entreri.

Il trucida le deuxième drow et se lança sur le troisième, tandis que deux autres s'enfuyaient déjà par où ils étaient arrivés.

⚔ ⚔ ⚔ ⚔ ⚔

Drizzt s'engagea à toute allure dans une courbe, au point qu'il prit un appui sur la paroi extérieure pour conserver sa vitesse

— Quelle bravoure ! cria quelqu'un en langue drow.

Le rôdeur ralentit et s'immobilisa quand il aperçut Dantrag et Berg'inyon Baenre, nonchalamment juchés sur leurs lézards au milieu du passage.

— Quelle valeureuse tentative ! poursuivit Dantrag, dont le sourire raillait à lui seul cette évasion dans son ensemble.

Drizzt songea alors que leurs efforts n'avaient servi qu'à offrir une distraction à l'impudent maître d'armes aux assauts imparables.

26

La surprise de Catti-Brie

— Je croyais que ton lézard avait été abattu, lâcha Drizzt, qui essayait de paraître sûr de lui malgré sa déception.

Berg'inyon riva son regard rouge brillant sur l'impétueux renégat sans lui répondre.

— Un joli tir, convint Dantrag. Mais ce n'était qu'un lézard, après tout, et qui valait bien le plaisir que tes pitoyables amis et toi nous avez offert. (Il se pencha tranquillement et prit des mains de son frère la longue lance de mort, dont il abaissa la redoutable pointe.) Es-tu prêt à mourir, Drizzt Do'Urden ?

Drizzt plia les jambes, parfaitement équilibré, et croisa ses cimeterres devant lui. *Où sont restés Catti-Brie et Entreri ?* se demanda-t-il, craignant qu'ils aient rencontré des problèmes – des soldats de Dantrag ? – dans le tunnel.

Il fut soudain envahi par un désespoir total, accompagné de la pensée que Catti-Brie était peut-être déjà morte, qu'il chassa aussitôt de son esprit en se rappelant qu'il devait lui faire confiance ; elle était capable de se défendre.

Le lézard de Dantrag bondit en avant et s'élança sur une paroi. Drizzt n'avait aucune idée de la trajectoire qu'allait adopter la créature quand elle serait sur lui. Allait-elle revenir sur le sol ? Grimper plus haut encore sur le mur ? Ou encore poursuivre sa course sur le plafond et porter son cavalier ainsi suspendu au-dessus de sa cible ?

Sachant que le drow rebelle avait vécu de nombreuses années à la surface, où l'on ne trouvait pas de voûtes, Dantrag estimait-il cette dernière option la plus efficace?

Drizzt fit mine de se ruer vers le mur opposé mais se laissa tomber à genoux à l'instant précis où Dantrag incita sa monture aux pieds collants lancée au galop à grimper sur le plafond. La pointe de la longue lance manqua de peu la tête du drow baissé, qui bondit au passage du cavalier et empoigna le manche de l'arme.

Il sentit alors une piqûre dans le dos et, se retournant, vit Berg'inyon, calmement assis sur son lézard, recharger son arbalète.

— Ce combat ne doit pas forcément être équitable, Drizzt Do'Urden! expliqua Dantrag en éclatant de rire.

Le maître d'armes fit pivoter sa monture, qu'il fit redescendre sur le sol avant d'abaisser encore sa lance.

⚔ ⚔ ⚔ ⚔ ⚔

Épée et dague se fendaient avec violence, Entreri essayant d'achever l'elfe noir entêté, un combattant talentueux dont les parades étaient vives et précises. Derrière lui, les autres drows s'approchaient peu à peu, de plus en plus confiants à mesure qu'ils voyaient leur camarade repousser les diaboliques assauts de l'assassin.

— Que fais-tu? s'écria ce dernier à l'adresse de Catti-Brie, qu'il voyait agenouillée près d'un large monticule pierreux.

La jeune femme se releva et décocha une flèche dans la roche, suivie d'une seconde, puis s'agenouilla de nouveau.

— Que fais-tu? insista Entreri, avec davantage de virulence.

— Arrête de geindre et finis-en avec ton drow, lui rétorqua Catti-Brie.

Il se tourna vers elle, n'en croyant pas ses oreilles et ne sachant soudain plus quoi penser de cette créature étonnante. Comme si elle n'y avait pensé qu'après coup, celle-ci jeta la statuette en onyx par terre.

— Reviens, Guenhwyvar, dit-elle, trop calmement. Mes compagnons héroïques ont besoin de ton aide.

Entreri lâcha un grondement et chargea son adversaire avec une vigueur retrouvée: exactement ce qu'avait espéré Catti-Brie. Son épée se lança dans un mouvement circulaire et sa dague incrustée de bijoux se mit à frapper dès qu'elle en eut l'occasion.

Quand l'elfe noir cria quelque chose, l'un de ses camarades les plus proches trouva suffisamment de courage pour se joindre aux deux combattants. Entreri grogna et recula d'un pas, de l'autre côté du couloir.

Une flèche au sillage argenté aveugla l'assassin. Quand il récupéra sa vision, il ne se trouvait plus que face à un seul drow, les autres, qui l'observaient de plus loin, étant partis depuis un moment.

Entreri jeta un regard sarcastique à Catti-Brie, qui s'était remise à tirer dans la roche – et à parler à la panthère revenue – et ne l'entendait pas.

✕ ✕ ✕ ✕ ✕

Drizzt sentait la brûlure du poison drow dans le dos mais également le picotement des potions de guérison récemment avalées. Il feignit de s'évanouir et entendit Dantrag se moquer de lui en riant. Quand le cliquetis prévisible de l'arbalète de Berg'inyon retentit, Drizzt se laissa tomber sur la pierre. La fléchette décrivit un arc de cercle au-dessus de lui et coupa net l'hilarité de Dantrag en rebondissant contre la paroi, non loin de sa tête.

Le maître d'armes se lança à l'assaut – cette fois droit sur son adversaire – avant même que Drizzt se soit totalement relevé. Celui-ci posa un genou au sol et répliqua avant de pivoter, écartant violemment la dangereuse lance enchantée quand elle passa juste en dessous de son bras levé. Incroyablement rapide, Dantrag frappa Drizzt d'un revers de main quand il le frôla. Le drow rebelle, dont les deux lames étaient occupées à repousser la lance, ne fut pas en mesure de répondre à cela.

Le maître d'armes revint à la charge, toujours aussi vif, ce qui contraignit Drizzt à plonger sur le côté quand la puissante lance déchira la pierre sur un long segment. Drizzt changea aussitôt de direction, espérant toucher son ennemi, puisque la lance l'avait manqué, mais une fois encore, Dantrag se montra trop rapide ; il

335

porta un coup d'épée qui non seulement para la botte de Drizzt mais aussi toucha ce dernier sur le côté de sa main tendue. L'épée regagna ensuite son fourreau, trop vite pour que Drizzt puisse suivre le mouvement.

Le lézard se retourna et grimpa de nouveau sur une paroi, ce qui poussa Drizzt à s'écarter d'une roulade brutale de l'autre côté.

—Combien de temps, Drizzt Do'Urden? demanda l'insolent maître d'armes, devinant que Drizzt s'épuisait à force d'esquiver ses offensives.

Le drow renégat lâcha un grognement – il ne pouvait qu'être d'accord avec son adversaire –, cependant, alors qu'il se redressait et pivotait afin de suivre la progression du lézard, il vit du coin de l'œil une lueur d'espoir ; le museau bienvenu d'une certaine panthère noire qui bondissait à hauteur de la courbe de la galerie.

Dantrag faisait faire demi-tour à sa monture, en vue d'une cinquième attaque, quand Guenhwyvar surgit, lancée à pleine vitesse. Le lézard fut renversé, son cavalier toujours accroché. Le maître d'armes parvint à dénouer ses attaches, tandis que les bêtes poursuivaient leurs roulades, et se releva, plutôt secoué, face au rôdeur.

—Le combat est à présent équitable, déclara celui-ci.

Un carreau d'arbalète frôla Dantrag en sifflant et évita un cimeterre pour se planter dans l'épaule de Drizzt.

—Loin de là, répondit Dantrag, qui avait retrouvé son sourire.

Avec une vivacité hors normes, il dégaina ses deux épées et se mit à avancer avec précaution. Dans son esprit, son épée intelligente, peut-être plus affamée de combat que son maître lui-même, en convint par télépathie.

Loin de là.

⚔ ⚔ ⚔ ⚔ ⚔

—Où es-tu? hurla Entreri quand Guenhwyvar bondit devant lui sans se soucier de l'adversaire qu'il affrontait.

Énervé, l'assassin libéra sa frustration sur le dernier drow qui lui résistait et frappa cet infortuné soldat d'une combinaison de trois

336

coups qui le déséquilibra et le fit abondamment saigner d'un bras. Entreri aurait sans doute alors pu mettre un terme au combat mais son attention était encore plus ou moins tournée vers Catti-Brie.

—J'creuse des trous, c'est tout, répondit celle-ci, comme si cela devait tout expliquer.

Plusieurs tirs de flèches se succédèrent rapidement et arrachèrent la pierre d'une immense stalactite, jusqu'à ce qu'un projectile traverse la roche et plonge dans la caverne, en contrebas.

—Un combat se déroule un peu plus loin, cria Entreri. Et les elfes noirs ne tarderont pas à nous rejoindre par le trou dans la voûte !

—Alors finis ton boulot et laisse-moi faire le mien ! lui rétorqua Catti-Brie.

Entreri se mordit les lèvres pour ne pas répondre, tout en songeant que cette insolente le regretterait s'il se sortait vivant de ces péripéties.

Le drow qui lui faisait face se lança soudain, pensant son adversaire distrait et persuadé de l'emporter rapidement, mais l'épée d'Entreri se fendit sur la gauche, sur la droite, puis droit devant, déviant ainsi ses deux armes et le touchant légèrement, une fois de plus sur son bras ensanglanté.

⚔ ⚔ ⚔ ⚔ ⚔

On ne distinguait plus qu'une boule de fourrure et d'écailles qui ne s'arrêtait plus, Guenhwyvar et le lézard souterrain emmêlés dans une furie de morsures et de griffures. Grâce à son long cou, le reptile pouvait porter la tête sur le côté et mordre le flanc de la panthère, mais celle-ci s'entêtait à ne pas lâcher sa prise ferme sur la base du cou du lézard, qui se trouvait en outre à portée de griffes, lui offrant ainsi un net avantage alors que leur culbute se poursuivait. Tout en se maintenant de ses pattes avant, Guenhwyvar approcha ses membres postérieurs et se mit à sévèrement labourer et déchiqueter le reptile.

La victoire semblait proche quand la panthère sentit la douloureuse piqûre d'une épée dans le dos.

337

Elle secoua la gueule, comme saisie d'une folle frénésie, et arracha un morceau de l'épaule du lézard. Hélas la douleur finit par l'aveugler. Déjà meurtrie par la fuite sur les passerelles, Guenhwyvar fut contrainte d'abandonner et dut se fondre en une fumée immatérielle pour suivre le tunnel qui conduisait vers le plan Astral.

Le lézard blessé roula sur les pierres, le cou et le flanc en sang, ses entrailles semblant vouloir s'échapper, et rampa aussi vite qu'il le put vers un trou où se terrer.

Berg'inyon n'y accorda aucune importance, toujours juché sur sa propre monture et les yeux rivés avec un intérêt certain sur le combat sur le point de se déclencher. Il commença à charger son arbalète puis se ravisa et se rassit.

Il songea alors qu'il avait tout à gagner ; peu importait pour lui qui remporterait ce duel.

Mains écartées et lames posées sur les épaules, le maître d'armes avança d'un pas nonchalant jusqu'à Drizzt, qui croyait qu'il allait dire quelque chose au moment où une épée fouetta violemment les airs. Drizzt leva son arme pour bloquer cette attaque, entendit le tintement de l'acier contre l'acier, puis Dantrag abattit sa seconde épée, tout en frappant avec la poignée de la première.

Drizzt visualisait à peine les mouvements de son agresseur. Il leva *Scintillante* à temps pour freiner la seconde lame mais encaissa un sérieux coup dans le visage. Il fut ensuite frappé une deuxième fois par l'autre main de Dantrag, encore une fois trop rapide pour lui.

Quelle magie ce drow possédait-il ? Drizzt se posait la question car il ne pensait pas que quiconque soit capable d'agir avec une telle rapidité.

Une ligne rouge se mit alors à briller sur le tranchant affûté d'une épée de Dantrag, que Drizzt voyait floue du fait de la vivacité des bottes du maître d'armes. Il ne pouvait que réagir à chaque geste, faire claquer ses lames ici ou là et se sentir soulagé quand il entendait l'acier résonner. Toute idée de contrer ces assauts n'avait plus lieu d'être ; il ne pouvait qu'espérer que Dantrag s'épuise sans tarder.

Mais celui-ci souriait, conscient que son ennemi, à l'image de n'importe quel autre drow, était incapable de se battre avec suffisamment de vivacité pour lancer des contres efficaces.

Scintillante intercepta un coup provenant de la gauche de Drizzt, puis l'autre épée de Dantrag, celle qui brillait, décrivit un arc de cercle sur la droite, si bien que Drizzt se trouva quelque peu déséquilibré quand il brandit son second cimeterre, pointe dressée, afin de bloquer cet assaut. Quand l'épée toucha le cimeterre, non loin de la pointe de celui-ci, Drizzt sut instantanément qu'il n'aurait pas la force de suffisamment freiner ce coup, vu l'angle délicat sous lequel il se présentait. Il plongea aussitôt, alors que sa lame cédait, inévitablement ; l'épée siffla au-dessus de sa tête et, tandis que Drizzt s'écartait en pivotant, percuta violemment la paroi en pierre, qu'elle fendit profondément !

Drizzt fut près de pousser un cri de surprise quand il constata l'incroyable tranchant de cette arme ; elle avait coupé de la roche aussi facilement que si ce mur avait été bâti du fromage odorant préféré de Bruenor Marteaudeguerre !

— Combien de temps pourras-tu continuer ? le railla Dantrag. Tes gestes se font déjà plus lents, Drizzt Do'Urden. J'aurai bientôt ta tête.

Le maître de d'armes avança avec assurance, d'autant plus confiant maintenant qu'il avait vu le légendaire renégat au combat.

Drizzt avait été pris par surprise, à reculons et redoutant les conséquences d'une éventuelle défaite. Il se força à en prendre conscience, à entrer dans une transe de méditation et à ne se focaliser que sur son ennemi. Il lui fallait cesser de réagir ainsi, en fonction des assauts de Dantrag, il devait voir plus loin, comprendre les méthodes de son adversaire, aussi rusé que talentueux, comme il l'avait fait quand ce dernier avait chargé sur son lézard. Il avait deviné que la bête passerait par la voûte car il était parvenu à comprendre la situation à travers les yeux du maître d'armes.

Il en alla de même une fois encore. Dantrag se lança dans une combinaison gauche, droite, gauche, gauche, que les lames de Drizzt parèrent toutes sans retard, le drow rebelle bloquant désormais même les assauts avant que Dantrag les lance. Ceux-ci ne différaient pas beaucoup de ceux de Zaknafein, qu'il avait bien connus au cours de ses années de formation. Le maître d'armes était plus vif que tous les drows que Drizzt avait rencontrés, certes, néanmoins le rôdeur commençait à

339

soupçonner son ennemi de ne pas être capable d'improviser au milieu d'une botte.

Il intercepta une épée en hauteur, fit un tour complet sur lui-même de façon à faire fouetter *Scintillante* et écarta le coup prévisible de la seconde épée. C'est alors que Drizzt comprit une chose bien réelle ; Dantrag était aussi prisonnier de sa propre vitesse d'exécution que ses adversaires.

Un coup dangereux fut porté mais Drizzt était déjà à genoux, un cimeterre dressé pour contraindre l'arme de Dantrag à rester en hauteur. L'assaut suivant de ce dernier était déjà lancé, cependant son épée s'abattit une fraction de seconde après que *Scintillante* l'eut touché et dessiné une fine ligne sur le côté de son tibia, contraignant ainsi le Baenre à reculer d'un bond au lieu de frapper.

Avec un grognement de rage, le maître d'armes contre-attaqua et s'en prit aux lames de Drizzt, qu'il força peu à peu à s'élever. Le rôdeur contra chaque botte sans jamais se laisser déborder par les schémas offensifs de son ennemi. Même s'il avait dans un premier temps réfléchi à une façon de réagir efficace, il en vint à comprendre l'objectif de Dantrag dans cette série d'assauts, qui correspondait à un scénario qu'il avait déjà joué avec son père.

Dantrag ne pouvait pas savoir – seuls Drizzt et Zaknafein l'avaient su – que Drizzt avait trouvé la solution à opposer à cette offensive théoriquement imparable.

Les cimeterres s'élevèrent davantage, poussés par en dessous par les lames du maître d'armes. Cette botte, appelée le « double coup bas », consistait à contraindre l'adversaire à élever ses armes avant de soudain reculer d'un pas et se fendre en avant.

Drizzt effectua un petit saut en arrière et abattit ses cimeterres croisés sur les lames adverses déchaînées, la seule parade efficace contre cette ruse consistant en un double coup croisé vers le bas. Drizzt parvint non seulement à bloquer cette attaque mais il réussit également à la contrer ; appuyé sur son pied arrière, il fit basculer tout son poids sur son pied avant, duquel il frappa, entre les poignées des cimeterres... et entre les yeux de Dantrag, stupéfait.

Il toucha de plein fouet le visage du maître d'armes, qui chancela en arrière sur plusieurs pas. Drizzt bondit aussitôt en avant et libéra sa

340

fougue sur le drow abasourdi. Il forçait désormais ses gestes, frappant sans cesse de sorte que son adversaire ne reprenne pas l'offensive et ne puisse pas de nouveau se servir de son incroyable vivacité pour reprendre l'avantage. Ce fut donc au tour de Dantrag de se défendre face aux assauts aveuglants du rôdeur, dont les cimeterres s'abattaient sur lui selon des angles inouïs. Drizzt ignorait combien de temps il serait en mesure de maintenir un tel rythme mais il savait qu'il ne devait à aucun prix laisser le drow malfaisant reprendre l'offensive ; il ne pouvait pas se permettre de reculer de nouveau devant lui.

Dantrag eut le mérite de conserver suffisamment son équilibre pour repousser les attaques, se penchant sur le côté quand un cimeterre surgissait. Drizzt avait entre-temps remarqué que seules les mains de son ennemi semblaient douées de cette vitesse d'exécution irréelle ; le reste de son corps réagissait correctement, parfaitement équilibré comme l'on pouvait s'y attendre de la part d'un maître d'armes Baenre, mais en définitive, si l'on exceptait ses mains, Dantrag ne se déplaçait pas plus rapidement que Drizzt.

Scintillante se fendit en avant. L'épée de Dantrag la heurta sur le côté. Drizzt, rusé, fit pivoter le cimeterre et se servit de sa lame courbe pour l'enrouler autour de celle de son adversaire, qu'il piqua sur le bras.

Dantrag bondit en arrière, dans un effort pour rompre cet accrochage, mais Drizzt le suivit, cimeterres déchaînés. De nouveau, puis une troisième fois, Drizzt contra les parades parfaites de Dantrag par de petites touches, les mouvements fluides de ses lames courbes piégeant les blocages droits des épées.

Es-tu capable d'anticiper mes manœuvres aussi bien que j'ai su deviner les tiennes ? songea Drizzt, non sans une note prononcée de sarcasme, tandis que son sourire cruel s'élargissait. *Scintillante* plongea droit devant, une épée l'écarta, ce qui était la seule réaction possible. Drizzt commença à pivoter la lame et Dantrag entreprit de retirer son bras.

Seulement, le rôdeur s'arrêta subitement et inversa le sens de sa rotation, ce qui permit à *Scintillante* de se fendre à une vitesse telle que Dantrag ne réagit pas. Le redoutable cimeterre s'enfonça profondément dans le bras opposé du maître d'armes, qu'il poussa sur le côté avant de revenir – Drizzt avança alors d'un pas – pour dessiner une ligne sur le ventre de Dantrag.

Grimaçant de douleur, celui-ci parvint à bondir hors de portée de son adversaire.

— Tu es bon, reconnut-il.

Même si le fils Baenre tentait de conserver son apparente assurance, Drizzt devina au tremblement qui agitait sa voix que le dernier coup porté n'avait pas été anodin.

C'est alors que Dantrag sourit, de façon plutôt inattendue.

— Berg'inyon ! appela-t-il, jetant un coup d'œil sur le côté.

Ses yeux s'écarquillèrent quand il se rendit compte que son frère n'était plus présent.

Il veut devenir maître d'armes, déduisit calmement Drizzt.

Furieux, Dantrag poussa un rugissement et s'élança en avant, ses assauts portés en rafale. Il avait repris l'offensive.

$$\times \times \times \times \times$$

L'épée se fendit vers le haut et l'assassin enragé avança d'un pas, sa dague incrustée de bijoux buvant avec avidité le sang vital de son adversaire. Entreri tira brusquement à deux reprises sur l'arme avant de reculer et laisser le drow mort s'effondrer sur les pierres.

L'humain eut la présence d'esprit d'immédiatement s'écarter de l'entrée du passage et secoua la tête de désespoir quand plusieurs fléchettes percutèrent la paroi de la galerie opposée à l'ouverture.

Il se tourna vers Catti-Brie, toujours agenouillée, et lui demanda de nouveau ce qu'elle faisait.

La jeune femme aux cheveux auburn et à l'air si faussement innocent lui répondit par un large sourire et brandit les sabliers chargés, qu'elle plaça ensuite dans les trous provoqués par ses flèches.

Le visage de l'assassin blêmit quand il comprit comment elle avait fait exploser la passerelle, dans la caverne, ainsi que ce à quoi elle s'affairait en cet instant.

— Et si on partait en courant ? suggéra-t-elle, ironique, en se redressant, *Taulmaril* en main.

Entreri s'était déjà élancé, sans même regarder dans le couloir latéral quand il passa devant.

Catti-Brie – qui riait ! – le suivit de près et s'arrêta un certain temps à hauteur du trou dans le sol, qui donnait sur l'immense caverne, pour crier aux elfes noirs en lévitation qui s'élevaient vers elle qu'ils n'allaient sans doute pas apprécier l'accueil qui leur était réservé.

⚔ ⚔ ⚔ ⚔ ⚔

Un coup sur la gauche, un coup sur la droite, un croisé bas sur la gauche, un croisé bas sur la droite. L'attaque de Dantrag, aussi vive que violente, se heurta aux cimeterres de Drizzt, en place pour les parades et les blocages. De nouveau, l'habile rôdeur se servit d'une troisième arme – sa botte – pour contrer quand il tendit le pied pour frapper le ventre déjà atteint du maître d'armes, qui ne put s'empêcher de basculer en avant et se retrouva ainsi en position défensive, réduit à réagir de façon désespérée tandis que Drizzt le harcelait sans répit.

C'est à cet instant qu'Entreri se présenta au détour de la courbe.

—Dégage d'ici ! cria-t-il.

Même s'il avait besoin du rôdeur pour la suite de son évasion, l'assassin n'osa pas l'entraîner avec lui.

Catti-Brie survint peu après, juste à temps pour voir les cimeterres de Drizzt se fendre vers l'avant puis être déviés et bloqués par les épées de Dantrag. Drizzt leva le genou, plus rapidement que Dantrag le sien, et, tandis que les deux adversaires se retrouvaient dans un corps à corps inévitable, le maître d'armes comprit dans une soudaine explosion de douleur qu'il lui serait impossible de prendre le dessus sur Drizzt.

Celui-ci fit pivoter *Scintillante* sur l'épée qui la coinçait et la pointa en direction des côtes de Dantrag. Les deux ennemis semblèrent alors marquer une pause, l'espace d'un instant, les yeux dans les yeux.

—Zaknafein t'aurait battu, assura le rôdeur, la mine sévère, avant de plonger *Scintillante* dans le cœur de Dantrag.

343

Il se tourna ensuite vers Catti-Brie et essaya de comprendre pourquoi son regard trahissait un tel effroi.

La seconde d'après, elle s'approcha de lui, d'une façon étrange. Il fallut un moment à Drizzt pour remarquer que les pieds de son amie ne touchaient plus le sol ; elle était éjectée par le souffle d'une explosion.

27

RÉSOLUTION DES PROBLÈMES

Elle craqua et gémit en guise de protestation, secouée sur la voûte de la caverne par des ondes de choc et des flammes brûlantes. Puis elle tomba, telle une lance géante, sifflant tout du long de sa chute de trois cents mètres.

Impuissants et horrifiés, les elfes noirs en lévitation dans les parages la regardèrent passer.

À l'intérieur de la chapelle surmontée de son dôme, la cérémonie se poursuivait comme si de rien n'était.

Une soldate, membre de la garde d'élite de la Maison Baenre mais certainement pas noble, se précipita vers l'estrade centrale en hurlant comme une folle. Matrone Baenre et les autres la pensèrent tout d'abord saisie d'une extravagante frénésie, comme on en voyait trop au cours des rituels drows incontrôlables. Elles comprirent toutefois peu à peu que cette soldate poussait des cris d'alarme.

Sept Mères Matrones posèrent soudain des regards suspicieux sur Matrone Baenre, dont les propres filles elles-mêmes ignoraient les intentions.

C'est alors que la stalactite s'écrasa.

⚔ ⚔ ⚔ ⚔

Drizzt attrapa Catti-Brie dans les airs puis fut éjecté à son tour. Quand ils se réceptionnèrent, il roula de façon à la recouvrir de son corps.

345

Tous deux hurlaient mais ni l'un ni l'autre n'entendait autre chose que le rugissement tonitruant de la boule de feu qui prenait de l'ampleur. Drizzt sentit son dos chauffer et sa cape s'enflamma en plusieurs endroits quand le bord de cette tempête de feu le frôla.

Puis ce phénomène s'éteignit, aussi brutalement qu'il s'était déclenché. Drizzt se redressa et se hâta d'ôter sa cape en flammes avant d'aussitôt revenir auprès de son amie, toujours au sol, redoutant de la trouver assommée, voire pire, par l'explosion.

Catti-Brie ouvrit un œil bleu et lui offrit un sourire aussi mélancolique qu'espiègle.

— J'parie qu'la voie est dégagée derrière nous, s'amusa-t-elle, ce qui fit presque rire Drizzt.

Il la releva et l'étreignit avec force, profitant de cet instant comme s'ils étaient réellement de nouveau libres. Il songea à l'avenir à Castelmithral, qu'il passerait aux côtés de Bruenor, Régis, Guenhwyvar et, bien entendu, Catti-Brie.

Il avait du mal à croire tout ce qu'il avait été sur le point de quitter.

Il relâcha Catti-Brie un moment et se rua vers la courbe, simplement pour confirmer que les drows lancés à leur poursuite avaient disparu.

— Bonjour, murmura Catti-Brie dans un souffle, alors qu'elle contemplait une somptueuse épée, abandonnée près du cadavre du maître d'armes.

Elle s'en empara avec précaution, quelque peu perturbée de constater qu'un drow noble malfaisant avait manié une épée dont la poignée était sculptée à l'image d'une licorne, le symbole de la bonne déesse Mailikki.

— Qu'as-tu trouvé ? lui demanda Drizzt, qui la rejoignait tranquillement.

— J'pense qu'cette épée t'irait bien, lui répondit-elle en lui tendant l'arme afin de lui en montrer le pommeau inhabituel.

Drizzt observa l'épée avec curiosité. Il n'avait pas remarqué cette poignée lors de son combat contre Dantrag, toutefois il n'avait pas oublié que c'était cette lame qui avait si facilement fendu la paroi rocheuse.

—Garde-la, dit-il en haussant les épaules. Je préfère les cimeterres… et s'il s'agit véritablement d'une arme de Mailikki, alors elle serait ravie de la savoir sur la hanche de Catti-Brie.

La guerrière esquissa un salut à son ami et le gratifia d'un large sourire avant de glisser l'épée sous sa ceinture. Puis elle se retourna, ayant entendu Entreri revenir, tandis que Drizzt se penchait sur le cadavre de Dantrag et ôtait discrètement les bracelets des poignets du drow mort.

—Ne traînons pas! s'exclama l'assassin, clairement énervé. Tout Menzoberranzan sait qui nous sommes désormais, mille kilomètres seront encore insuffisants entre cette maudite cité et moi.

Peut-être pour la première fois, Drizzt reconnut être tout à fait d'accord avec l'assassin.

Se retrouver à la ceinture de cette humaine n'était pas précisément ce qu'avait eu à l'esprit l'intelligente *Khazid'hea*. Cette épée, qui avait beaucoup entendu parler de Drizzt Do'Urden, avait après la défaite de Dantrag modifié l'apparence de son pommeau afin d'aboutir dans les mains de ce guerrier légendaire.

Drizzt n'avait pas mordu à l'hameçon mais l'épée qui avait de droit mérité le nom de *Couperet* pouvait attendre.

$$\times \times \times \times$$

Leur progression s'effectua sans heurts ni signes de poursuite ce jour-là, puis tard dans la nuit, jusqu'à ce que le petit groupe n'ait d'autre choix que de s'arrêter, le temps d'une pause qui ne les vit pas se débarrasser de leur agitation ni de leur nervosité.

Ainsi se déroulèrent trois jours de fuite, les kilomètres s'accumulant derrière eux. Drizzt, qui conservait la tête, prit soin de ne pas approcher de Blingdenpierre, soucieux de ne pas risquer d'impliquer les svirfnebelins dans cette incroyable et dangereuse toile d'araignée. Il ne comprenait pas pourquoi ils n'avaient pas été rejoints par des patrouilles de cavaliers drows montés sur des lézards et avait du mal à croire qu'aucune bande d'elfes noirs n'était tapie dans les galeries, derrière eux ou sur les côtés, guettant la première occasion de leur tendre une embuscade.

Aussi ne fut-il guère surpris quand il aperçut la familière et extravagante silhouette d'un elfe noir au milieu du tunnel, son chapeau à large rebord en main, qui attendait de les saluer, ses compagnons d'évasion et lui.

Catti-Brie, encore bouillonnante et dans des dispositions de combattante, redressa immédiatement *Taulmaril*.

—Tu vas pas t'échapper cette fois, marmonna-t-elle, n'ayant pas oublié comment l'habile Jarlaxle avait disparu après le combat de Castelmithral.

Entreri empoigna la flèche avant qu'elle ait eu le temps de bander son arc. Voyant que Drizzt ne faisait aucun geste en direction de ses armes, la jeune femme n'insista pas.

—Du calme, chère et splendide humaine, lui dit Jarlaxle. Je suis simplement venu vous faire mes adieux.

Ses mots vrillèrent les nerfs de Catti-Brie, mais, d'un autre côté, elle ne pouvait nier que le mercenaire l'avait correctement traitée, sans abuser d'elle, quand elle avait été sa prisonnière sans défense.

—Ce serait plutôt étonnant, d'après moi, fit remarquer Drizzt, qui prit soin de s'exprimer d'une voix calme.

Il tâta de la main la figurine, qu'il portait dans une sacoche, mais ne fut que faiblement rassuré par sa présence, sachant que, s'il éprouvait le besoin d'invoquer Guenhwyvar, ils mourraient sans doute tous. Entreri et lui, qui n'ignoraient rien des méthodes de Bregan D'aerthe ni des précautions qu'avait l'habitude de prendre son chef insaisissable, devinaient qu'ils étaient cernés par des guerriers chevronnés nettement supérieurs en nombre.

—Je n'étais peut-être pas si opposé à cette évasion que tu sembles le croire, Drizzt Do'Urden, lui répondit Jarlaxle, même s'il était évident pour tout le monde que cette remarque s'adressait directement à Artémis Entreri.

Celui-ci ne parut pas surpris par cette déclaration, tout s'étant parfaitement déroulé dans ce sens pour lui ; le bandeau de Catti-Brie, le médaillon qui avait aidé à retrouver Drizzt, le masque en forme d'araignée, les insinuations du mercenaire quant à la vulnérabilité de la Maison Baenre lors du grand rituel et même la figurine, qui attendait qu'on s'en empare sur le bureau de Jarlaxle. Il ignorait à quel point ce dernier avait tout organisé, mais il était certain qu'il avait en tout cas tout prévu.

—Tu as trahi ton propre peuple, lâcha-t-il.

—Mon propre peuple ? se déroba Jarlaxle. Définis donc ce terme. (Il s'interrompit un moment, puis rit, ne recevant aucune réponse.) Je dirais plutôt que je n'ai pas suivi les plans d'une Mère Matrone.

—La Première Mère Matrone, précisa Entreri.

—Pour l'instant, ajouta le mercenaire, un sourire vague sur le visage. Les drows de Menzoberranzan ne sont pas tous satisfaits de l'alliance montée par Matrone Baenre, pas même au sein de sa propre famille.

—Triel, compléta l'assassin, davantage pour Drizzt que pour le mercenaire.

—Entre autres, confirma ce dernier.

—Y parlent de quoi, ces deux-là ? murmura Catti-Brie à Drizzt, qui haussa les épaules, ne saisissant pas pleinement le contenu de leur discussion.

—Nous parlons du destin de Castelmithral, lui expliqua Jarlaxle, avant de s'incliner gracieusement devant elle, ce qui la gêna considérablement. Félicitations pour ta visée, chère et magnifique jeune femme. (Il se tourna ensuite vers Drizzt.)

» J'aurais payé cher pour voir les expressions des Mères Matrones dans la chapelle Baenre quand la stalactite de ta charmante compagne a traversé le toit de ce bâtiment !

Drizzt et Entreri interrogèrent tous deux du regard Catti-Brie, qui ne répondit que par un haussement d'épaules et un sourire innocent.

—Tu n'as pas tué beaucoup de drows, s'empressa d'ajouter Jarlaxle. Seulement une poignée dans la chapelle et pas plus d'une vingtaine au cours de la totalité de l'évasion. La Maison Baenre s'en remettra, même s'il leur faudra quelque temps pour trouver un moyen d'extraire ton œuvre de leur dôme plus vraiment parfait ! La Maison Baenre s'en remettra.

—Mais l'alliance…, objecta Drizzt, qui commençait à comprendre pourquoi aucun drow, à l'exception des membres de Bregan D'aerthe, ne s'était lancé à leurs trousses dans les galeries.

349

—Oui, l'alliance, répondit Jarlaxle, sans plus d'explication. En vérité, l'alliance créée pour se rendre à Castelmithral s'est désagrégée à la minute où Drizzt Do'Urden a été fait prisonnier.

» Mais que de questions encore sans réponses! C'est pourquoi je suis ici, bien entendu. (Les trois compagnons se dévisagèrent sans comprendre ce à quoi faisait allusion le mercenaire, qui se tourna vers Entreri, la main tendue.) Vous possédez quelque chose que je dois remettre en place. Vous allez me le rendre.

—Sinon? intervint brusquement Catti-Brie.

Jarlaxle se mit à rire.

L'assassin sortit aussitôt le masque en forme d'araignée. Il était évident que Jarlaxle devait le remettre à Sorcere, sans quoi il serait impliqué dans l'évasion.

Les yeux du mercenaire s'illuminèrent quand il aperçut l'objet, la dernière pièce qui lui manquait pour achever son puzzle. Il soupçonnait Triel Baenre d'avoir espionné Entreri et Catti-Brie tout au long de leur intrusion à Sorcere pour le chaparder, néanmoins les agissements de Jarlaxle pour guider l'assassin jusqu'au masque – et ainsi précipiter l'évasion de Drizzt Do'Urden – concordaient parfaitement avec les souhaits de la fille aînée Baenre. Il était confiant; elle ne le trahirait pas au profit de sa mère.

S'il parvenait simplement à replacer ce masque à Sorcere – ce qui était largement dans ses cordes – avant que Gromph s'aperçoive de sa disparition…

Entreri jeta un coup d'œil à Drizzt, qui resta sans réaction, et lança le masque à Jarlaxle. Comme si cette idée venait de lui traverser l'esprit, le mercenaire ôta alors de son cou un pendentif orné d'un rubis.

—Il n'est pas très efficace sur les drows nobles, expliqua-t-il sèchement avant de le lancer sans prévenir à Drizzt.

Les mains du rôdeur jaillirent, presque trop vite, et le pendentif, le bijou de Régis, fut intercepté par son avant-bras. Avec une vivacité surprenante, Drizzt replia la main et attrapa l'objet avant qu'il ait chuté de plus de un centimètre.

—Les bracelets de Dantrag, commenta en riant Jarlaxle, ayant remarqué les poignets de Drizzt. Ils sont à la hauteur de ce que j'imaginais. N'aie crainte, tu t'y habitueras, Drizzt Do'Urden. Comme tu seras alors redoutable!

Drizzt ne répondit rien mais n'avait aucun doute à ce sujet.

Quant à Entreri, qui avait toujours en tête sa rivalité avec le drow renégat, il riva sur celui-ci un œil menaçant, loin d'être satisfait.

—Vous avez donc déjoué les plans de Matrone Baenre, enchaîna pompeusement Jarlaxle, qui s'inclina encore. Et toi, l'assassin, tu as gagné ta liberté. Mais n'oubliez jamais de regarder par-dessus votre épaule, mes audacieux amis, car les souvenirs des elfes noirs perdurent longtemps et leurs méthodes sont sournoises.

Survint alors une explosion, une déflagration de fumée orange. Quand celle-ci se dissipa, Jarlaxle avait disparu.

—Bon débarras, marmonna Catti-Brie.

—C'est aussi ce que je dirai quand nous nous séparerons à la surface, assura Entreri, la mine sinistre.

—Uniquement parce que Catti-Brie t'a donné sa parole, intervint Drizzt, sur un ton tout aussi sévère.

L'assassin et lui échangèrent un regard de haine pure qui déstabilisa nettement Catti-Brie, qui se tenait entre eux.

La menace immédiate de Menzoberranzan apparemment derrière eux, il semblait que les vieux ennemis étaient redevenus adversaires.

ÉPILOGUE

Les compagnons ne repassèrent pas par la grotte située au-delà du col de l'Orque défunt. Guidés par Guenhwyvar, ils atteignirent les tunnels situés loin en dessous de Castelmithral, qu'Entreri maîtrisait suffisamment pour les conduire jusqu'aux galeries proches des mines les plus profondes. L'assassin et le rôdeur se séparèrent sur la corniche où ils s'étaient affrontés quelque temps auparavant, sous le même ciel étoilé qu'ils avaient contemplé la nuit au cours de laquelle leur duel s'était déroulé.

Entreri commença à s'éloigner sur la saillie, puis il s'arrêta après quelques pas et se retourna pour défier du regard ce rival qu'il haïssait.

— Moi non plus, je n'oublierai pas, lâcha-t-il, faisant allusion aux paroles de Jarlaxle. Quant à mes méthodes, sont-elles moins sournoises que celles des drows ?

Drizzt ne prit pas la peine de répondre.

— Je sais qu'ce serait trahir ma parole mais rien m'ferait plus plaisir que d'envoyer une flèche dans le dos d'ce type ! murmura Catti-Brie à Drizzt.

Drizzt passa un bras sur l'épaule de son amie et la reconduisit dans les tunnels. Il convenait que le tir de Catti-Brie, s'il s'était produit, aurait été bénéfique pour le monde entier, cependant il ne craignait plus Artémis Entreri.

Il savait que celui-ci avait été sérieusement perturbé et n'avait pas apprécié ce qu'il avait entrevu à Menzoberranzan, miroir si parfait de sa propre âme sinistre, et qu'il lui faudrait du temps pour se remettre de ses émotions, du temps avant de tourner ses pensées vers un rôdeur drow si éloigné.

Moins d'une heure plus tard, les deux amis parvinrent au lieu où Wulfgar avait été tué. Ils y marquèrent une pause et y demeurèrent un long moment, en silence, dans les bras l'un de l'autre.

Alors qu'ils s'apprêtaient à quitter l'endroit, une vingtaine de nains armés et en armure firent leur apparition et bloquèrent chaque issue avec des engins de guerre.

—Rendez-vous ou on vous écrabouille! cria quelqu'un.

Des cris de surprise retentirent aussitôt après, quand les deux intrus furent reconnus. Les soldats nains se précipitèrent et s'agglutinèrent autour des deux héros.

—Conduisez-les auprès du commandant du guet! dit l'un d'eux.

Catti-Brie et Drizzt furent alors propulsés à une allure presque dangereuse le long des galeries sinueuses jusqu'à l'entrée officielle des tunnels de Castelmithral. Ils trouvèrent un peu plus loin le commandant dont il avait été question et furent aussi stupéfaits de constater que Régis tenait ce rôle que celui-ci de les voir arriver.

—Commandant…? fut le premier mot que prononça Catti-Brie quand elle posa les yeux sur son ami.

Régis sauta instantanément dans ses bras, puis enlaça le cou de Drizzt.

—Vous êtes revenus! s'écria-t-il à plusieurs reprises, ses traits angéliques rayonnant.

—Commandant? insista Catti-Brie, tout aussi incrédule.

—Il fallait bien que quelqu'un s'y colle, expliqua Régis en haussant les épaules.

—Et y s'y colle parfaitement, d'après moi! précisa un nain.

Les autres petits êtres barbus présents dans la pièce acquiescèrent vivement, ce qui fit rougir le visage faussement enfantin du halfelin.

Régis haussa encore les épaules, puis embrassa si fort Catti-Brie qu'il lui laissa une trace sur la joue.

354

Bruenor semblait pétrifié, aussi les autres nains présents dans la salle d'audience quittèrent-ils sagement les lieux, non sans avoir chaleureusement salué Catti-Brie.

—J'l'ai ramené, dit la jeune femme sur un ton neutre, quand son père et elle furent seuls, essayant d'agir comme si rien de particulier ne s'était produit. Et j'parie qu'tu serais ravi d'voir dans quel état est Menzoberranzan!

Bruenor tressaillit, son œil bleu-gris noyé par les larmes.

—Foutue idiote, lâcha-t-il d'une voix forte, ce qui calma aussitôt Catti-Brie.

Bien que connaissant le nain d'aussi loin que remontaient ses souvenirs, elle était incapable de prévoir s'il allait l'étreindre ou la frapper.

—Foutu idiot toi-même, lui répondit-elle avec son obstination caractéristique.

Bruenor bondit en avant et leva le bras. Il n'avait jusqu'alors jamais porté la main sur sa fille adoptive, et pourtant il ne se contint qu'au dernier moment.

—Foutu idiot toi-même! répéta-t-elle, comme si elle le défiait de la frapper. Rester assis ici à t'morfondre à cause de choses qu'tu peux pas changer, alors que celles sur lesquelles il faut agir t'attendent pas pour ça! (Bruenor se détourna mais elle lui agrippa l'épaule, sans effet toutefois.)

» Penses-tu qu'Wulfgar me manque moins qu'à toi? Penses-tu qu'il manque moins à Drizzt?

—Lui aussi, c'est un idiot, rugit Bruenor, qui se retourna pour la regarder en face.

Le temps d'un bref instant, Catti-Brie aperçut cette vieille étincelle, ce vieux feu qui brûlait dans l'œil humide du nain.

—Il serait l'premier à l'reconnaître, dit-elle, tandis qu'un sourire apparaissait sur son visage. Ça nous arrive à tous de temps à autre. Et c'est justement le devoir d'un ami de nous aider quand on fait les idiots.

C'est alors que Bruenor capitula; il offrit à sa fille l'étreinte dont elle avait tant besoin.

—Drizzt pourrait pas rêver d'une meilleure amie que Catti-

355

Brie, reconnut-il, ses mots finissant enfouis dans le cou de sa fille, humide des larmes d'un vieux nain.

Assis sur une pierre, à l'extérieur de Castelmithral, et insouciant de la piqûre du vent qui annonçait l'imminence de l'hiver, Drizzt Do'Urden contemplait une aurore qu'il avait cru ne jamais revoir.

LES ROYAUMES OUBLIÉS

CPi
AUBIN IMPRIMEUR

Achevé d'imprimer en mars 2010
N° d'impression L 73635
Dépôt légal, mars 2010
Imprimé en France
81120303-1